Christoph Münchow

Ethik und Eschatologie

C0-CDD-637

CHRISTOPH MÜNCHOW

Ethik und Eschatologie

Ein Beitrag zum Verständnis
der frühjüdischen Apokalyptik
mit einem Ausblick
auf das Neue Testament

VANDENHOECK & RUPRECHT
IN GÖTTINGEN

BS
1700
.May

CIP-Kurztitelaufnahme der Deutschen Bibliothek

Münchow, Christoph:
Ethik und Eschatologie: e. Beitr. zum Verständnis d. frühjüd.
Apokalyptik / Christoph Münchow. –
1. Aufl. – Göttingen: Vandenhoeck und Ruprecht, 1981.
    ISBN 3–525–53369–1

1. Auflage 1981. Lizenzausgabe der Evangelischen Verlagsanstalt
GmbH. Berlin, © 1981. Printed in the German Democratic Republic.
Ohne ausdrückliche Genehmigung des Verlages ist es nicht gestattet, das
Buch oder Teile daraus auf foto- oder akustomechanischem Wege
zu vervielfältigen. Bindearbeit: Hubert & Co., Göttingen

Inhaltsverzeichnis

Abkürzungsverzeichnis zur angegebenen Literatur

AThANT	Abhandlungen zur Theologie des Alten und Neuen Testaments
BevTh	Beiträge zur evangelischen Theologie
Bill.	*H. L. Strack – P. Billerbeck*, Kommentar zum Neuen Testament aus Talmud und Midrasch, München ⁴1965
BWANT	Beiträge zur Wissenschaft vom Alten und Neuen Testament
BZAW	Beihefte zur Zeitschrift für die alttestamentliche Wissenschaft
BZNW	Beihefte zur Zeitschrift für die neutestamentliche Wissenschaft
CBQ	The Catholic Biblical Quarterly
Charles AP II	*R. H. Charles* (ed.), The Apocrypha and Pseudepigrapha of the Old Testament in English, vol. II, Oxford 1913
EvQ	Evangelical Quarterly
FRLANT	Forschungen zur Religion und Literatur des Alten und Neuen Testaments
HAT	Handbuch zum Alten Testament
HNT	Handbuch zum Neuen Testament
HThK	Herders Theologischer Kommentar
HThR	The Harvard Theological Review
JBL	The Journal of Biblical Literature and Exegesis
JewEnc	The Jewish Encyclopedia
JJS	Journal of Jewish Studies
JQR	The Jewish Quarterly Review
Kautzsch AP II	*E. Kautzsch* (Hrsg.), Die Apokryphen und Pseudepigraphen des Alten Testaments, Bd. II, Tübingen 1900 (Neudruck 1921)
KEK	Kritisch-exegetischer Kommentar über das Neue Testament, begründet von H. A. W. Meyer
KuD	Kerygma und Dogma
MGWJ	Monatsschrift für Geschichte und Wissenschaft des Judentums
NovTest	Novum Testamentum
NTA	Neutestamentliche Abhandlungen
NTS	New Testament Studies
RAC	Reallexikon für Antike und Christentum
RB	Revue Biblique
REJ	Revue des Études Juives
RGG	Die Religion in Geschichte und Gegenwart
RHPhR	Revue d'Histoire et de Philosophie Religieuses
RQ	Revue de Qumran

RScR	Recherches de Science Religieuse
RThPh	Revue de Théologie et de Philosophie
SBS	Stuttgarter Bibelstudien
StANT	Studien zum Alten und Neuen Testament
StNT	Studien zum Neuen Testament
StUNT	Studien zur Umwelt des Neuen Testaments
ThExh	Theologische Existenz heute
ThLZ	Theologische Literaturzeitung
ThR	Theologische Rundschau
ThWBNT	Theologisches Wörterbuch zum Neuen Testament
ThZ	Theologische Zeitschrift
UNT	Untersuchungen zum Neuen Testament
VetTest	Vetus Testamentum
WMANT	Wissenschaftliche Monographien zum Alten und Neuen Testament
WUNT	Wissenschaftliche Untersuchungen zum Neuen Testament
ZAW	Zeitschrift für die alttestamentliche Wissenschaft
ZNW	Zeitschrift für die neutestamentliche Wissenschaft
ZSyTh	Zeitschrift für Systematische Theologie
ZThK	Zeitschrift für Theologie und Kirche

1. Problemstellung und methodische Erwägungen

Die Beschäftigung mit Ethik und Eschatologie in der frühjüdischen Apokalyptik leitet das Interesse auf ein Gebiet der Bibelwissenschaft, das in neuerer Zeit stärker in das Blickfeld exegetischer Forschung gerückt ist. Dies läßt sich am Erscheinen längst fälliger, kritischer Textausgaben, neuer Übersetzungen sowie einer kaum mehr überschaubaren Spezialliteratur eindrucksvoll ablesen. Dennoch ist die Forschung von eindeutigen, allgemein anerkannten Ergebnissen noch weit entfernt.

Eine Definition der Apokalyptik, die einhellige Zustimmung findet, ist noch nicht aufgestellt, obgleich es nicht an Versuchen fehlt, formale oder inhaltliche Merkmale der Apokalypsen aufzuzählen.[1] Umstritten ist bereits die Wertung der sog. Proto-Apokalyptik, also der *anonymen* apokalyptischen Partien innerhalb der kanonischen atl. Prophetenbücher wie Joel, Sach. 12 ff., Jes. 24 ff., in denen sich einige, aber nicht alle Merkmale der späteren *pseudonymen* Apokalypsen finden, zu denen Dan., 1. Hen., Test. Mos., 4. Esra, 2. Bar. sowie Jub. als Beispiel für die Schriftauslegung apokalyptischer Gruppen gehören. Es ist nicht nur kontrovers, welche Schriften der frühjüdischen Apokalyptik zugerechnet werden können, auch Fragen der Text- und Literarkritik, der Traditions- und Redaktionsgeschichte dieser Schriften beschäftigen die Forschung. Dabei geht es sowohl um ein besseres Verstehen der Texte als auch um ein präziseres Erfassen des „sozialen Subjekts", also derjenigen sozio-kulturellen Wirklichkeit, in der diese Texte entstanden sind und die durch diese Texte repräsentiert wird.

Die Apokalyptik ist als eine über den Zeitraum von mehr als 300 Jahren sich erstreckende Bewegung innerhalb des Frühjudentums anzusehen, die sich trotz mancher Gemeinsamkeiten von anderen frühjüdischen Gruppierungen unterscheidet. Diese Bewegung ist nur in literarischen Zeugnissen, den Apokalypsen, historisch greifbar, die etwa in der Zeit von 200 v. Chr. bis 100 n. Chr. entstanden sind und nicht nur hinsichtlich ihrer Entstehungszeit in engem Zusammenhang mit Krisensituationen der Geschichte des Frühjudentums stehen. Zu nennen ist vor allem die Errichtung des „verwüstenden Greuels" (Dan. 11,31) im Jerusalemer Tempel durch Antiochus IV. (167 v. Chr.) und die Auswirkungen der seleukidischen Kulturpolitik (vgl. Jub., 1. Hen.), ferner das Betreten des Allerheiligsten durch Pompejus (63 v. Chr.) sowie die Herodianische Zeit mit ihren Hellenisierungstendenzen

---

[1] Vgl. *S. B. Frost*, Old Testament Apocalyptic, London 1952; *D. S. Russell*, Method and Message of Jewish Apocalyptic, London 1964; *Ph. Vielhauer*, Die Apokalyptik, in: *E. Hennecke*, Neutestamentliche Apokryphen, hrsg. v. *W. Schneemelcher*, Bd. II, Berlin 1966, S. 407 ff.; *J. Schreiner*, Alttestamentlich-jüdische Apokalyptik, München 1969; *K. Koch*, Ratlos vor der Apokalyptik, Gütersloh 1970, S. 19 ff.

(vgl. die Bilderreden im 1. Hen., Test. Mos.), schließlich die Tempelzerstörung durch Titus (70 n. Chr., vgl. 4. Esra, 2. Bar.). Die Apokalypsen selbst stellen eine Literaturgattung sui generis dar, nämlich ein Konglomerat verschiedenster Formen, die in Weiterführung prophetischer Traditionen und unter Aufnahme weisheitlicher Traditionen ein spezifisches Bild von der Welt und vom Menschen angesichts der Erwartung des nahen Endes der Welt und des Heraufführens des endgültigen Heils durch Gott entfalten. Es ist also deutlich zu erkennen, daß die Apokalyptik ein zugleich sozial-historisches, literarisches und theologisches Phänomen darstellt.

Auch hinsichtlich des Stichwortes „Eschatologie" herrscht in der exegetischen Forschung keine Einigkeit, die theologische Sprachverwirrung läßt sich kaum mehr eindämmen.[2] Die Diskussion ist vor allem dadurch verworren, daß Bezeichnungen wie „apokalyptisch" und „eschatologisch" nicht deutlich genug umrissen und unterschieden werden. Im folgenden wird der Begriff „apokalyptisch" streng auf die Apokalyptik als literarische Erscheinung und historische Bewegung bezogen, also als religionsgeschichtlicher Begriff verwendet. Der Terminus „eschatologisch" hingegen soll nur im theologischen Sinn gebraucht werden, d. h. bezogen auf das, was man als die „Letzten Dinge", als das endgültige Heil oder Unheil bezeichnet. Bei diesem engeren Gebrauch von „eschatologisch" ist die Gegenwärtigkeit des Eschaton, des endgültigen Handelns Gottes dadurch als ein Sonderfall (besonders im Blick auf die Apokalyptik) gekennzeichnet, daß jeweils von „präsentisch" bzw. „gegenwärtig-eschatologisch" gesprochen werden soll.

Fragen zu Form und Inhalt der ethischen Belehrung in den Apokalypsen, zur Ethik und deren Verhältnis zur Eschatologie sind zwar noch ungeklärt, stehen aber nicht im Brennpunkt der Diskussion. Bisher wurden sie meist nur beiläufig behandelt oder in einer von systematischen Gesichtspunkten diktierten Ordnung dargestellt,[3] so daß oft schwer zugänglichen, minutiösen Spezialuntersuchungen generalisierende Urteile zu ethischen Sachverhalten in der apokalyptischen Literatur gegenüberstehen. Klischees und Vorurteile scheinen sich gerade in diesen Fragen mit besonderer Hartnäckigkeit zu behaupten.

Einige Forscher, besonders im englischen Sprachraum, haben zwar seit langem mit Nachdruck auf die ethische Ausrichtung der apokalyptischen Schriften hingewiesen. So schreibt W. Baldensperger im Jahre 1903: „Der Kernpunkt, in welchem die Apokalyptik wie das Judentum überhaupt bei allem synkretistischen Treiben

---

[2] Vgl. *G. Wanke*, „Eschatologie". Ein Beispiel theologischer Sprachverwirrung, KuD 16 (1970), S. 300–312; *W. G. Rollins*, The New Testament and Apocalyptic, NTS 17 (1970/71), S. 454–476; *A. Sand*, Zur Frage nach dem „Sitz im Leben" der apokalyptischen Texte des Neuen Testaments, NTS 18 (1971/72), S. 167–177.

[3] Vgl. *L. Couard*, Die religiösen und sittlichen Anschauungen der alttestamentlichen Apokryphen und Pseudepigraphen, Gütersloh 1907; *Hughes, M. H.*, The Ethics of Jewish apocryphal literature, London o. J. (1909); *Herford, R. T.*, Talmud and Apocrypha. A comparative study of the Jewish ethical teaching in the rabbinical and nonrabbinical sources in the early centuries, London 1933; *D. Rössler*, Gesetz und Geschichte. Untersuchungen zur Theologie der jüdischen Apokalyptik und der pharisäischen Orthodoxie (WMANT 3), Neukirchen 1960; kritisch dazu u. a. *A. Nissen*, Tora und Geschichte im Spätjudentum. Zu Thesen Dietrich Rösslers, NovTest 9 (1967), 241–277.

doch ihre Originalität wahrte, das ist die sittliche Tendenz, . . . welche sie mit den übernommenen Lehrstücken verfolgte."[4] Vielstimmig ist jedoch der Chor derjenigen, die das Vorhandensein von Ethik in der Apokalyptik bestreiten und behaupten, „daß die Apokalyptik keinerlei Interesse an einer konkreten ethischen Bestimmung des Gesetzesinhaltes hatte und sich deshalb an den innerjüdischen Auseinandersetzungen um die Konkretionen des Gesetzes nicht beteiligte, weil sie im Blick auf das Ende dieses Äons ohne Bedeutung waren . . . Apokalyptiker wie Gnostiker kennen keine Ethik. Ethik setzt eine heile Welt voraus, die erhalten, oder eine heilbare, die erneuert werden soll."[5] Im einzelnen äußern sich diese Stimmen unterschiedlich, teils wird das Interesse an konkreten ethischen Weisungen überhaupt bestritten, teils geht es um Schlußfolgerungen wie die Thesen zur Unvereinbarkeit von Gesetz und Eschatologie (A. Schweitzer[6]) oder zur Unvereinbarkeit von Naherwartung und Paränese (M. Dibelius und seine Schüler[7]), die dann die ntl. Exegese nachhaltig beeinflußt haben. Für andere Autoren hingegen steht das Vorhandensein von Paränesen und von Aussagen über menschliches Tun in den Apokalypsen nicht zur Debatte. Für sie ist allein fraglich, ob man hinsichtlich dieser Aussagen überhaupt von „Ethik" sprechen kann. Sie stellen die quaestio juris, die quaestio facti ist für sie beantwortet. Ihr (Vor-)Verständnis von Ethik gibt den Ausschlag zur Beantwortung der Frage, ob von Ethik in der apokalyptischen Literatur gesprochen werden darf. Daran wird deutlich, daß nicht allein das Problem der Ethik, sondern auch das Verhältnis der Ethik zur Eschatologie, also in welcher Beziehung diese beiden Größen zueinander stehen, kontrovers ist.

Aus den genannten Aporien und Problemfeldern der gegenwärtigen Forschung ergeben sich einige Grundsätze zum methodischen Vorgehen und zum Aufbau dieser Untersuchung:

1. Das Verhältnis von Ethik und Eschatologie soll an einigen ausgewählten apokalyptischen Schriften aufgewiesen werden. Die Beschränkung auf eine einzelne Schrift, so sehr dies im Interesse einer eingehenderen und stärker das Detail beachtenden Darstellungsweise wünschenswert wäre, ist nicht möglich, da zahlreiche

---

[4] W. Baldensperger, Die messianisch-apokalyptischen Hoffnungen des Judentums, Strasbourg ³1903, S. 193; vgl. R. H. Charles, The Apocrypha and Pseudepigrapha of the Old Testament in English, Oxford 1913, vol. II, p. IX: „Apocalyptic was essentially ethical"; vgl. ders., The Religious Development between the Old and New Testament, London ³1921, S. 16: „. . . apocalyptic no less than prophecy is radically ethical"; vgl. A. N. Wilder, Eschatology and Ethics in the Teaching of Jesus, New York 1939, S. 32: „Ethics was inextricably implied in the best apocalyptic . . ."; ferner W. D. Davies, Torah in the Messianic Age and/or the Age to come (JBL Mon. Ser., vol. VII), Philadelphia 1952, S. 3: „Apocalyptic was the outcome of a profound ethical seriousness, which was usually no less concerned with the observance of the Torah than was Pharisaism . . .".

[5] W. Schmithals, Die Apokalyptik. Einführung und Deutung, Göttingen 1973, S. 35 bzw. 82.

[6] Vgl. bes. A. Schweitzer, Die Mystik des Apostels Paulus, Tübingen ²1954, S. 186 f.

[7] Vgl. M. Dibelius, Der Brief des Jakobus (KEK 15), hrsg. v. H. Greeven, Göttingen ⁵1964, S. 17; ders., Die Geschichte der urchristlichen Literatur II, Berlin 1926, S. 67; K. Weidinger, Die Haustafeln (UNT 14), Leipzig 1928, S. 6 ff.; nach S. B. Frost, a.a.O., S. 212 f., ist das Interesse für Ethisches „not a marked characteristic of apocalyptic in general. The truth is that all apocalyptists are so sure of the imminent coming of the eschaton that there is neither time for moral inquisition nor need of moral directive."

Untersuchungen zur Apokalyptik eindeutig zeigen, daß gute Einzelbeobachtungen an einer Schrift, die dann als typisch für die Apokalyptik herausgestellt werden, letzten Endes doch nur für diese eine Schrift charakteristisch sind.

2. Auf die Darstellung des Verhältnisses von Ethik und Eschatologie in ausgewählten Apokalypsen soll der Versuch einer Zusammenschau folgen, um auf dem Hintergrund des für die einzelnen Schriften Typischen das gemeinsame Besondere darzustellen. Da die Auswahl der zu den Einzelanalysen herangezogenen Schriften (1. Hen., Jub., Test. Mos., 4. Esra, 2. Bar.) notwendig das Ergebnis des Gesamtüberblicks bestimmt, sollen für die Zusammenschau auch die sogenannten kleineren Apokalypsen sowie die Test. XII berücksichtigt werden, die wegen der besonders komplizierten, noch nicht eindeutig geklärten text- und literarkritischen sowie traditionsgeschichtlichen Probleme bei den Einzelanalysen bewußt übergangen wurden.

3. Obwohl die apokalyptische Bewegung nur auf Grund literarischer Zeugnisse historisch greifbar ist, geht es nicht an, die Apokalyptik als „eine wesentlich literarische Bewegung, die . . . im Bücherschreiben und Bücherlesen bestand"[8], zu charakterisieren. Die auf ein Pseudonym zurückgreifenden Verfasser bzw. Redaktoren der Apokalypsen repräsentieren einen Kreis, in dem die herangezogenen, älteren Traditionen überliefert wurden und lebendig waren. Daher ist es nicht möglich, die apokalyptische Bewegung soziologisch auf die Verfasser der literarischen Gattung „Apokalypsen" zu begrenzen, da die einzelnen Gruppierungen im Frühjudentum auf eine breitere Anhängerschaft angewiesen waren, wenn sie nicht an ihrer Isolierung vom Volk zugrunde gehen wollten. Trotz dieser komplizierten traditionsgeschichtlichen Verhältnisse ist es angeraten, von dem uns vorliegenden Textbestand der Apokalypsen auszugehen und literarkritische und traditionsgeschichtliche Erwägungen nur insoweit einzubeziehen, als sie tatsächlich zum besseren Verständnis der Texte hinsichtlich der speziellen Fragestellung dieser Arbeit beitragen. Da die zahlreichen literar-, text-, traditions- und redaktionsgeschichtlichen Fragen erst noch auf eine genauere Klärung warten und Spezialuntersuchungen nur zu einzelnen Motiven und Vorstellungskomplexen vorliegen (z. B. „Menschensohn"), ist die Beschränkung auf den vorliegenden Text und der Verzicht auf umfassende Berücksichtigung der zuvorliegenden Traditionsstufen nötig, um das Maß des Hypothetischen in einem vertretbaren Umfang zu belassen.

4. Zur Erhellung der Ethik in der apokalyptischen Literatur, also dessen, was das sittliche Wertbewußtsein der Apokalyptiker ausmacht, das in den Paränesen seinen Niederschlag findet, müssen auch diejenigen Textabschnitte berücksichtigt werden, die zwar der Form nach nicht als paränetische Texte bezeichnet werden können, die aber ebenso zur Klärung des Verständnisses der Ethik beitragen. Die Beschränkung auf eine Analyse und Interpretation nur der paränetischen Formen wie z. B. Mahnsprüche und Mahnreden ist nicht möglich. Die Texte müssen in ihrer ganzen Breite der Untersuchung zugrunde liegen, um auch die innerhalb anderer literari-

---

[8] R. *Bultmann* in der Rezension zu E. *Lohmeyer*, die Offenbarung des Johannes, Tübingen 1926, in: ThLZ 52 (1927), Sp. 506.

scher Formen begegnenden Aussagen zur Ethik zu erfassen. Da der Paränese auch andere literarische Gattungen dienstbar gemacht werden können, die ihr dem Ursprung nach fremd sind, ist dieser Indienstnahme anderer Formen zur Vermittlung ethischer Gehalte ein besonderes Augenmerk zuzuwenden.

5. Ein Exkurs „Apokalyptik und Gruppenbildung im Frühjudentum" ist der Frage gewidmet, inwiefern eine Besinnung auf Ethik und Eschatologie in der Apokalyptik zum präziseren Erfassen der Stellung der Apokalyptikergruppen in ihrer frühjüdischen Umwelt beitragen kann. Wirkung und Nachwirkung des Verständnisses von Ethik und Eschatologie in den Apokalypsen sind nicht nur in den verschiedenen Gruppierungen des Frühjudentums, sondern besonders auch im Neuen Testament zu spüren. Ein abschließender Ausblick auf das Neue Testament soll besonders in der Gegenüberstellung der paulinischen Theologie mit ausgewählten neutestamentlichen Briefen zeigen, daß die Beschäftigung mit dem Verhältnis von Ethik und Eschatologie in den frühjüdischen Apokalypsen sowohl das Verständnis dieser für das Frühjudentum ungemein geschichtswirksamen Bewegung als auch die sachgemäße Auslegung des Neuen Testaments zu fördern vermag.

2.   1. Henoch

Die unter dem Namen 1. Hen. bekannte Apokalypse, die vollständig nur äthio-
pisch, in Bruchstücken griechisch überliefert ist, stellt auf Grund der Vielschichtig-
keit des gebotenen Materials eine „kleine Bibliothek apokalyptischer Schriften"[9]
dar, die in sich Traditionen unterschiedlichen Alters, die an die Namen Noahs und
Henochs geknüpft sind, und verschiedenartige apokalyptische Vorstellungen in
Verbindung mit kosmologischen und astronomischen Betrachtungen vereinigt.
Der kompilatorische Charakter dieser Schrift hat zu zahlreichen literarkritischen
Hypothesen geführt, die teilweise durch die in Qumran gefundenen aramäischen
Fragmente widerlegt worden sind. 1. Hen. ist offenkundig nicht in Qumran entstanden, da im Unterschied zu den streng geheimgehaltenen, in Qumran entstandenen Schriften griechische, syrische und äthiopische Übersetzungen bekannt geworden sind, wodurch die weite Verbreitung des 1. Hen. wie auch der anderen
Apokalypsen im Gegensatz zur esoterischen Qumranliteratur eindrucksvoll belegt
wird. Daher wird man vermuten dürfen, daß 1. Hen. in der aus den Qumranfrag-
menten bekannten Form (ohne die Kap. 37–71) vor 150 v. Chr. entstanden und in
dieser Gestalt von apokalyptischen Kreisen innerhalb der asidäischen Sammelbewegung in den Bestand der Qumranbibliothek übernommen worden ist.[10] Im
Blick auf diese späteren Erweiterungen (auch Kap. 108) sowie auf die zugrunde-
liegenden Traditionen ist ein langer Entstehungsprozeß von 1. Hen. anzunehmen.
Die Qumranfragmente belegen die aramäische Ursprache des 1. Hen. Zugleich

---

[9] O. Plöger, Art. Henochschriften, in: RGG³ III, Sp. 222; zu Einleitungsfragen vgl. O. Eißfeldt, Einleitung in das Alte Testament unter Einschluß der Apokryphen und Pseudepigraphen sowie der apo-
kryphen- und pseudepigraphenartigen Qumran-Schriften, Tübingen ³1964, S. 836 ff.; A.-M. Denis,
Introduction aux pseudépigraphes grecs d'Ancien Testament (Studia in Veteris Testamenti Pseudepigrapha 1), Leiden 1970, S. 15 ff.; L. Rost, Einleitung in die alttestamentlichen Apokryphen und
Pseudepigraphen einschließlich der großen Qumran-Handschriften, Heidelberg 1971, S. 101 ff.; vgl.
ferner C. Clemen, Die Zusammensetzung des Buches Henoch, der Apokalypse des Baruch und des
vierten Buches Esra, ThStKr 71 (1898), S. 211–246; H. Appel, Die Komposition des äthiopischen
Henochbuches, Gütersloh 1906.

[10] J. T. Milik, Problèmes de la littérature Hénochique à la lumière des Fragments Araméens de
Qumran, HThR 64 (1971), S. 333–378, teilt den bemerkenswerten archäologischen Befund mit, daß
die Rollen der Henochschriften in Qumran offenbar vom allgemeinen Gebrauch zurückgehalten wurden und nicht zu den vielbenutzten Schriften gehörten (vgl. S. 335, 338). Da in den Bilderreden die
Zerstörung Jerusalems nicht vorausgesetzt wird, ist als terminus ante quem das Jahr 70 n. Chr. anzunehmen. K. Schubert, Die Entwicklung der Auferstehungslehre von der nachexilischen bis zur frührab-
binischen Zeit, BZ N. F. 6 (1962), S. 177–214, ebd. S. 205 Anm. 88, vermutet als Verfasser den Angehörigen einer Apokalyptikergruppe des 1. Jahrhunderts v. Chr.

bleibt die Möglichkeit der hebräischen Überlieferung einzelner Teile offen, da eine hebräische Quelle für die Noahtraditionen (und die Bilderreden) anzunehmen ist.

Auf Grund der komplizierten Überlieferungsgeschichte soll 1. Hen. in dem aus Qumran bekannten Umfang interpretiert werden, da hier eine relativ geschlossene Überlieferungsstufe auch hinsichtlich der Datierung faßbar wird. 1. Hen. ist in seiner vorliegenden Gestalt als Resultat bewußter schriftstellerisch-redaktioneller Arbeit anzusehen, freilich in Abhängigkeit und unter Aufnahmen von innerhalb eines Trägerkreises überlieferten Quellen und Traditionen. Um zu erfassen, was diese Einzelteile jeweils zum beabsichtigten Gesamtbild des 1. Hen. hinzubringen, empfiehlt sich ein Voranschreiten der Analyse entsprechend der Abfolge der Kapitel dieser Schrift.

2.1. Das Kommen Gottes zum Gericht (Kap. 1–5) als thematische Einleitung

Kap. 1–5 ist zu charakterisieren als eine kurze Einleitungsrede, die Hauptinhalt und Zweck des Buches anklingen läßt. Kap. 1 ist eine Henoch in den Mund gelegte (1,1–3b) Rede über die Theophanie (1,3c–7b) und deren Auswirkungen für Gerechte (1,8) und Ungerechte (1,9.7c). Auf eine Reihe von Imperativen (2,1–5,3) folgt die Anklage (5,4a–d) und die Unheilsankündigung an die Frevler sowie eine Heilsansage für die Auserwählten (5,4e–9). Kap. 1–5 stellt eine in sich geschlossene Einheit dar, die vermutlich vom Endredaktor des postulierten Grundbestandes des 1. Hen. im Rückgriff auf ältere Traditionen selbst gestaltet worden ist.

Der Wechsel von der dritten zur ersten Person in der Überschrift (1,2) signalisiert nicht das Einsetzen einer anderen Quelle, sondern entspricht Stilmerkmalen prophetischer Überlieferung bei Visionsschilderungen (vgl. Ez. 1,1–4; Sach. 1,8; 7,4). Es ist daher zu vermuten, daß der Anfang des 1. Hen. „in Analogie zu dem Anfang von Prophetenbüchern gestaltet worden ist"[11]. Die Theophanieschilderung hat ebenfalls atl. Vorbilder (Micha 1,3 ff.; Deut. 33,2 ff.), wobei die Erwähnung der für das Gericht wesentlichen himmlischen Heerscharen und der Wächter sowie des Weltuntergangs und Weltgerichts (1,4b ff.) als Erweiterung gegenüber atl. Vorbildern anzusehen ist. Die Umschreibung des Heilszustandes der Gerechten (1,8) und die abschließende Zusammenfassung der Theophanie mit dem Hinweis auf die Vernichtung der Ungerechten (1,9 vgl. Nah. 1,7–9; Hab. 3,12–14 u. ö.) zeigt die gezielte Ausrichtung dieser Theophanieschilderung auf das künftige Schicksal der Gerechten und Ungerechten. Insgesamt ist bemerkenswert, wie eine von prophetischen Traditionen abhängige Theophanieschilderung für die Apokalyptik typisches Gedankengut vermittelt, indem sie das kommende Gericht über

---

[11] E. *Rau*, Kosmologie, Eschatologie und die Lehrautorität Henochs. Traditions- und formgeschichtliche Untersuchungen zum äth. Henochbuch und zu verwandten Schriften, Ev.-theol. Diss., Hamburg 1970, S. 39; zum ff. vgl. *J. Jeremias*, Theophanie. Die Geschichte einer alttestamentlichen Gattung (WMANT 10), Neukirchen 1965, S. 52 f.; *J. Vander Kam*, The Theophany of Enoch I 3b–7,9, VetTest 23 (1973), S. 129–150; ferner *G. E. Ladd*, The Kingdom of God in I Enoch, Bibliotheca Sacra 110 (1953), S. 32–49.

Sünder und Gerechte sowie den eschatologischen Heils- und Unheilszustand
zur Sprache bringt.

Kap. 2–5 zeigt starke Anklänge an die prophetische Unheilsprophezeiung, die aus
Anklage und Gerichtsankündigung besteht und hier in der Heilsankündigung für
die Auserwählten gipfelt (5,7–9). Die Imperative 2,1 ff. sind nicht als Mahnung an
die Sünder zu verstehen, sondern als Anklage, auf die dann 5,4a–d (vgl. die Begründungspartikel 5,5a) zurückgreift. Da 1. Hen. 1,1 ff. als Segensrede Henochs
am Tag des eschatologischen Gerichts zu verstehen ist, an dem es für die Sünder
keine Umkehr mehr gibt, haben die Anklage und die Unheilsankündigung nur fiktiven Charakter: nicht die Frevler, sondern die Gerechten werden angeredet. Entsprechend sind die Imperative nicht als Aufrufe zur Umkehr, sondern als Anklage,
näherhin als negatives Korrelat zur Segnung der Gerechten aufzufassen. Die un-
veränderliche (5,2 f.) Ordnung der irdischen und kosmischen Naturerscheinungen
(2,1 ff.) bildet den Gegensatz zum Abfall und Nichtausharren der Sünder. Schöp-
fungsordnung und Übertretung der Sünder sind einander gegenübergestellt. Ein
Gedanke der älteren Weisheit, daß die Schöpfung in ungestörtem Verhältnis zu
Gott existiert und Verfehlungen gegenüber den Geboten nur in der Menschenwelt
begegnen, begründet hier die Anklage der Sünder. Weisheitliche Motive in Verbindung mit prophetischen Formen sind also die Grundbestandteile der Anklage innerhalb dieser Segensrede der Henochapokalypse.

Bei der Begründung für das eschatologische Unheil in 5,4 wird die enge Beziehung
zu 1,9 und damit die Zusammengehörigkeit von Kap. 1–5 deutlich: Hochmütige
Worte gegen den Herrn, Abfall und Nichterfüllung des Gesetzes bzw. die gottlosen Werke der Sünder, ihre Lästerreden und Schmähungen Gottes[12] werden genannt. In 5,8 f. dienen weisheitliche Motive (Verleihung von Weisheit und Verstand) zur Charakterisierung des Heilszustandes in einem von apokalyptischen
Vorstellungen geprägten Rahmen; denn erst für die eschatologische Zukunft wird
die Belohnung der Gerechten, also das Inkraftsetzen des Tun-Ergehen-
Zusammenhanges erwartet. Begriffe wie Sündlosigkeit, Schuldlosigkeit und Er-
leuchtung markieren die ethische Akzentuierung dieser Umschreibung der Heilszeit. Diese Heilsankündigung als Abschluß entspricht der Einleitung 1,1 ff., die
eine Segensrede über die Gerechten zu eröffnen vorgibt. Damit ist ein am eschatologischen Schicksal der Gerechten orientierter Rahmen für die Theophanieschilderung sowie für die Anklage und Unheilsankündigung an die Frevler geschaffen.
Für den Apokalyptiker wird das Heil offenbar besonders im Kontrast zum Unheil
der Sünder deutlich, so daß in diesem Kontext die Intention der Theophanie und
der Unheilsankündigung in der Heilszusage an die Gerechten liegt. Der Hinweis
auf die Belehrung in einer Vision (1,1–3) soll die Verläßlichkeit dieser Zusage begründen.

---

[12] Lästerung begegnet in den Apokalypsen oft als Anklage der Sünder (1. Hen. 27,1 ff.; 94,9; 95,6;
96,7; 100,9; 2. Bar. 67,7 u. ö.; Antiochus IV. gilt als Lästerer par excellence, vgl. Dan. 7,8.25; 11,36
u. ö.). Lästerung ist nach diesen Belegen „nicht irgendein partielles Vergehen, sondern die totale Ab-
wendung von Gott" (*E. Rau*, a.a.O., S. 94).

1. Hen. 1–5 als Heilsankündigung für die Auserwählten im Kontrast zum Unheil der Sünder gibt das Thema des gesamten Buches an: Belehrung über die eschatologische Wende durch das Kommen des letztendlich sich als Herrn erweisenden Gottes zum Gericht, das in Abhängigkeit vom ethischen Verhalten das Heil für die Gerechten und das Unheil für die Ungerechten bringen wird. Die Geschichte wird hier auf das Kommen Gottes zum Gericht reduziert. Die Einleitung zum 1. Hen. ist nicht als Paränese zu charakterisieren, denn es fehlen Mahnungen, die ein bestimmtes Verhalten nahelegen. Aber es werden Verhaltensweisen angesprochen, die das eschatologische Unheil nach sich ziehen. Zwar klingt das von den Gerechten geforderte Verhalten nicht positiv in den Mahnungen an, es werden jedoch die Taten genannt, die zum Heilsverlust führen. Die eschatologische Segensrede als Einleitung zum 1. Hen. spricht somit ethische Sachverhalte an und zeigt ein deutliches Gefälle zur ethischen Belehrung. Es klingen also in diesen Einleitungskapiteln die Thematik des 1. Hen. sowie Grundtendenzen des Verhältnisses von Ethik und Eschatologie an, die in den sich anschließenden Partien des Buches ausführlicher entfaltet werden.

2.2. Aussagen zur Ethik im Angelologischen Buch (Kap. 6–36)

Die Qumranfragmente bestätigen, daß die unter dem Namen „Angelologisches Buch" zusammengefaßten Kap. 6–36 seit der ersten Hälfte des 2. Jh. v. Chr. die aus der griechischen und äthiopischen Version bekannte Gestalt hatten. Vermutlich benutzte der Redaktor ein älteres, möglicherweise auch schriftlich vorliegendes Traditionsstück (Kap. 6–19), das er durch das Voranstellen von Kap. 1–5 sowie die Anfügung eines zweiten Reiseberichtes (Kap. 20 bzw. 21 ff.) rahmte. Das vermutete Traditionsstück ist in sich nicht einheitlich:
Kap. 6–11 bringt ältere Sintfluttraditionen mit ausführlichen angelologischen Belehrungen. Den Grundstock bildet eine Semjasatradition als Auslegung von Gen. 6,1–4 aus apokalyptischem Blickwinkel, indem der Fall und die Bestrafung der Engel typologisch auf das Eschaton bezogen werden. Der Koinzidenzpunkt der darin eingearbeiteten Asaseltradition liegt in der eschatologischen Gerichtsverkündigung, wie besonders deutlich 10,4–8 im Rückgriff auf Lev. 16 zeigt, womit der Verfasser vermutlich eine weitere biblische Begründung für seine eschatologischen Anschauungen geben will. Mit den Namen Semjasa und Asasel sind Belehrungen über himmlische Geheimnisse und magische Praktiken verbunden (7,1; 8,1–4; 9,6 ff.). Diese dritte Traditionsschicht innerhalb Kap. 6–11 erinnert wie die vom 1. Hen. unabhängige Tradition in Jub. 4,15, wonach ebenfalls die Wächter des Himmels die Menschen belehrten, an Traditionen über „Kulturbringer", die im Hellenismus geläufig waren.[13]

---

[13] Vgl. *P. D. Hanson*, Rebellion in Heaven, Azazel and Euhemeristic Heroes in 1 Enoch 6–11, JBL 96 (1977), S. 195–233; *G. W. E. Nickelsburg*, Apocalyptic and Myth in 1 Enoch 6–11, JBL 96 (1977), S. 383–405; vgl. *R. H. Charles*, The Book of Enoch, Oxford 1893, S. 25; *G. Beer* in: *Kautzsch* AP II, S. 225.

In Kap. 12–16 wird ergänzend zu Kap. 6–11 die Mittlerrolle Henochs bei der Bestrafung der gefallenen Engel geschildert. Als Kernstück dieses Abschnitts ist das „Buch der Worte der Gerechtigkeit und der Zurechtweisung der ewigen Wächter" (14,1 ff.) anzusehen. Diesem Kernstück wurden mit Kap. 6,1 ff. angelologische Traditionen vorangestellt und der Bericht von der Himmelsreise Henochs mit der Besichtigung der Straforte der gefallenen Engel (Kap. 17–19) angefügt, so daß dem Redaktor ein relativ geschlossenes Traditionsstück vorlag, das er, wie oben erwogen, rahmte.

Der Reisebericht Henochs (Kap. 17–36) bringt das Angelologische Buch zu Ende.[14] Da zwischen Kap. 17 ff. und 21 ff. auffällige Gemeinsamkeiten bestehen, ist auf zwei Reiseberichte zu schließen. Der zweite (Kap. 21–36) zeigt einen übersichtlicheren Aufbau. Er ist nach den vier Himmelsrichtungen geordnet. Die Engel übernehmen entsprechend der in Kap. 20 genannten Reihenfolge die Erklärung dessen, was Henoch schaut. Kurze hymnische Lobpreisungen beenden die jeweiligen Reiseabschnitte (22,14; 25,7; 27,5; 36,4). In Kap. 17–19 ist der Aufbau nicht so klar. Kap. 20 wird man als eine ursprünglich selbständige Engelliste ansehen dürfen. So ist zu vermuten, daß der Verfasser mittels der ersten vier Namen der Liste den zweiten Reisebericht als Vervollständigung des stärker fragmentarischen, zu dem Traditionsstück Kap. 6–19 gehörigen ersten Reiseberichts selbst geschaffen hat. Die ihm vorliegende Engelliste hat er vermutlich zwischen beide Reiseberichte gerückt, damit sie nicht unmittelbar aufeinanderprallen.[15]

2.2.1. Die Bedeutung der mit angelologischen Belehrungen verknüpften Sintfluttradition für das Verständnis der Ethik

1. Hen. 6–11 ist vermutlich nicht aus Interesse an der Biographie Noahs in die Henochtradition eingegliedert worden, sondern der angelologischen Belehrungen wegen, die bereits mit 1,5 vorbereitet worden sind. Das Böse in der Welt wird mit dem Fall der Engel auf Grund ihrer sexuellen Verunreinigung (6,1–7,2; vgl. 9,8; 10,11) erklärt. Die Verderbnis der Erde (10,7 f.), die Klagen der Erde über die Ungerechten (7,6) und die Klagen der Menschen sind die Folge (8,4 ff.; 9,9 f.). Das Verderben rührt daher, daß die gefallenen Engel den Menschentöchtern magische Praktiken enthüllten (7,1). 8,1 nennt die Anfertigung von Kriegsgerät, Metallbearbeitung, ferner Luxusgegenstände wie Armspangen, Schmuck, Schminke, Wimperntusche und Färbemittel, die zu Abfall von Gott und Unzucht führen.

---

[14] Genaugenommen wird der Abschluß der Reisen Henochs erst in 81,5 ff. erzählt. Da Kap. 37–71 unberücksichtigt bleiben soll, beginnt mit 72,1 ff., wie die Buchüberschrift des sog. Astronomischen Buches ausweist, eine in sich geschlossene, hier eingeschobene literarische Einheit. Kap. 36 und 72 ff. gehören also ursprünglich nicht zusammen. Das Astronomische Buch wurde aber durch den abschließenden Bericht von der Himmelsreise Henochs (81,5 ff., vgl. zuvor das innerhalb des Astronomischen Buches singuläre hymnische Stück 81,3 mit den Lobpreisungen in Kap. 21–36) mit dem vorhergehenden verknüpft; vgl. E. Rau, a.a.O., S. 128 f., 308; G. Beer, a.a.O., S. 229; zum folgenden vgl. ebd. S. 226; H. Appel, a.a.O., S. 20 ff.; Charles AP II, S. 168 f.; O. Eißfeldt, a.a.O., S. 837; L. Rost, a.a.O., S. 104.

[15] Vgl. G. Beer, a.a.O., S. 226 f.

Damit werden Vergehen im sexuellen wie im kulturellen Bereich angeprangert. Die Ablehnung von „Techniken" wie Metallbearbeitung, Kosmetik und Magie zeigt die Ablehnung der hellenistischen Kultur und Lebensweise, die innerhalb des Judentums um sich griffen und hier als gottlos und verderbenbringend gelten.

Bemerkenswert ist, daß 8,3 Astrologie, Wolkenkunde, Zeichen der Erde, der Sonne und des Mondes auf die Belehrung durch je verschiedene Engel zurückführt, obwohl diese Themen im 1. Hen. andernorts ausführlich dargestellt werden (bes. Kap. 72 ff.). Da gemäß 75,2; 80,7; 82,5 falsches kosmologisches Wissen als Ursache des Sündigens gilt, ist hier an falsches Wissen zu denken, das die gefallenen Engel den Menschen mitteilen.

Die Darstellung des Engelfalls zeigt, daß hier nicht nur der Ursprung des Bösen erklärt werden soll. Es wird auch gesagt, worin dieses Böse besteht, das die Erde zum Ort der Verderbnis macht. Man wird hier antihellenistische Polemik der Kreise sehen dürfen, aus denen die Traditionen stammen, die dem 1. Hen. zugrunde liegen. Ein „kulturpessimistisches" Gegenwartsbild wird in die Zeit vor der Sintflut projiziert, das als Folge eines vorzeitlichen himmlischen Geschehens erscheint. Die im Hellenismus verbreitete Anschauung von den kulturbringenden Heroen der Vorzeit wird dazu in ihr Gegenteil verkehrt und dient der Entfaltung eines pessimistischen Gegenwartsverständnisses.

Obwohl die gefallenen Engel die Erde verdorben haben (9,7 f.), kann man nicht von einem unausweichlich in die Menschenwelt eingedrungenen Sündenverhängnis sprechen. Nicht dieser Gedanke, sondern die Bestrafung der Engel und die Ankündigung des Heilszustandes (10,1–11,2) ist der Zielpunkt der Darstellung. Es wird vom Gericht und von der kommenden Wende gesprochen, damit nicht alle Menschen durch das Wissen der Geheimnisse der gefallenen Engel umkommen (10,1 ff. bzw. 7).

Die vier Erzengel erhalten den Auftrag, die gefallenen Engel vor dem endgültigen Gericht (10,6.12) ihrer vorläufigen Strafe zuzuführen. Diese wird zur Vorabbildung, zum Typus des Endgerichts. Die Sintflut wird typologisch auf das Endgericht gedeutet, wie auch 10,16b ff. nicht die Zeit nach der Sintflut, sondern die endgültige Heilszeit umschreibt.[16] Es zeigt sich daran die große Bedeutung der typologischen Betrachtungsweise in der Apokalyptik. 1. Hen. bringt das Sintflutgericht mit der Bestrafung der gefallenen Engel in Zusammenhang und macht so die zurückliegende, geschichtlich aufweisbare Verurteilung zur glaubhaften Vorabbildung des kommenden Gerichts über die Sünder.

Die endzeitliche Überwindung des Bösen umschreiben die Begriffe Gerechtigkeit, Wahrheit und Freude. Der Heilszustand ist ferner gekennzeichnet durch wunderbare Fruchtbarkeit, durch Frieden in der Natur- und Menschenwelt (10,16b vgl. 11,2; 10,17–19). V. 20 f. nennt die Reinigung der Erde von aller Gewalttat, Unge-

---

[16] Vgl. K. Schubert, a.a.O., S. 193; anders A. Dillmann, Das Buch Henoch, Leipzig 1853, S. 101 f. Die Anspielung auf die Sintflut in 10,22, die in der griechischen Version sowie in den äthiopischen Handschriften e, f fehlt, ist als lectio difficilior beizubehalten. Den klarsten Ausdruck hat das Verständnis der Sintflut als das „erste Ende" in 1. Hen. 91,5–11 gefunden, vgl. auch J. P. Lewis, A Study of the Interpretation of Noah and the Flood in Jewish and Christian Literature, Leiden 1968.

rechtigkeit, Sünde, Verachtung Gottes, Unreinigkeit, Verderbnis, Plage und Qual. Das endzeitliche Heil ist demnach die Aufhebung des durch diese negativen ethischen Begriffe gekennzeichneten gegenwärtigen Zustands der Erde.

1. Hen. 6–11 will über den Ursprung des Bösen und die Überwindung der notvollen Zustände durch den richtenden Herrn belehren. In der Hoffnung auf das endzeitliche Gericht und in dem pessimistischen Bild von der Gegenwart liegt der Koinzidenzpunkt der verschiedenen zugrunde liegenden Traditionskomplexe dieses Abschnitts. Diese Belehrung erfolgt nicht in Form eines Geschichtsabrisses, sondern ohne Berücksichtigung der Geschichte Israels vermittels der Darstellung des himmlischen und urgeschichtlichen Geschehens. Die Sintfluttraditionen dienen hier mit der Darstellung vom Fall und von der Bestrafung der Engel zur Explikation eines Weltverständnisses, das zwar unter Absehung von der Geschichte Israels entwickelt wird, zugleich aber deutlich zeitgeschichtliche Bezüge aufweist. Unverkennbar ist in diesem Abschnitt die Absicht, das abzulehnende menschliche Verhalten zur Sprache zu bringen, also Aussagen zum Verständnis der Ethik zu machen. Dies zeigt deutlich das Hinzuwachsen des dritten, letzten Traditionskomplexes über die verderbenbringende Belehrung durch die gefallenen Engel. Für das Verständnis der Ethik, genauer für die Motivation zum Handeln ist das Weltverständnis von Bedeutung, das in den Belehrungen über Ursprung, Charakteristik und eschatologische Überwindung des Bösen zum Ausdruck kommt und andernorts im 1. Hen. den Ausgangspunkt der Mahnungen abgibt. Neben dem Handeln Gottes, seinem Gericht und seinem Heraufführen des eschatologischen Heils, kommt auch in diesem Abschnitt des 1. Hen. das abzulehnende und das im Gegensatz dazu stehende notwendige Handeln des Menschen zur Sprache.

2.2.2. Henoch als Verkünder des Gerichts an die gefallenen Engel (Kap. 12–16)

Mit Kap. 12 tritt Henoch als zentrale Gestalt des Buches wieder in den Blick. Er wird beauftragt, den gefallenen Engeln das Unheil zu verkünden (12,4–6). Deren Schicksal kennt der Leser bereits aus Kap. 6 ff. Neu ist nun, daß Henoch hierbei eine entscheidende Funktion zukommt. Die Ausführung dieses Auftrags (13,1–3) führt dazu, daß die Wächter Henoch bitten, eine Bittschrift zu verfassen. Dieses Motiv verbindet Kap. 12 f. mit der nun folgenden Vision (15,2 ff.), die den Charakter einer Berufung zur Unheilsverkündigung an die gefallenen Engel trägt. Atl.-prophetische Traditionen sind in dieser Berufungsvision mit Händen zu greifen, so die Beauftragung mit dem Wort (vgl. Jes. 6; Ez. 1,2 f.). Die Vision Gottes inmitten seines himmlischen Heeres (1. Hen. 14,22 f.) erinnert an die Berufung aus dem göttlichen Thronrat heraus (vgl. 1. Reg. 22,19 f. bzw. Jes. 6). Die Anklage, zu der Henoch beauftragt wird, gipfelt in der komprimierten Unheilsankündigung: „Ihr werdet keinen Frieden haben!" (16,4; zu dieser Wendung vgl. 1,8; 5,4; 12,5; 13,1; 94,6; 98,11.15 u. ö., vgl. Jer. 16,5; 6,14; 8,10–12; Ez. 13,10.16). Die Ausführung dieses Auftrags wird zunächst nicht berichtet. Es schließt sich der Bericht von der Himmelsreise Henochs an. Die Beziehungen dieses Auftrags zu den Unheilsankündigungen an die Sünder (vgl. 1. Hen. 94,1 ff. bzw. 5,4) sind jedoch nicht zu übersehen. In der Begründung für die Unheilsankündigung bzw. für den Auftrag dazu wird das Verlassen des Himmels (12,4), die Vermischung mit den Menschentöchtern (vgl. 15,3 f.) sowie die Belehrung der Menschen über Gewalttätigkeit, Lästerung und Sünde genannt (13,2 vgl. 16,3). Dazu kommt, daß die Söhne der gefallenen Engel auf der Erde großes Unheil anrichten (15,8 ff.). Auch hier erklärt der Engelfall die beklagenswerten irdischen Zustände, die aber nur bis zum großen Gericht andauern werden (16,1). Die Übereinstimmungen mit dem Inhalt von Kap. 6 ff. sind offenkundig.

Das Neue in Kap. 12 ff. innerhalb des Gedankenzusammenhanges des 1. Hen. besteht darin, daß die Anklage und Unheilsankündigung Henochs als eine durch visionäre Berufung legitimierte Verkündigung aufgewiesen wird. Die Anklagen gegen die Engel nennen das unter dem Gericht Gottes stehende Verhalten. Es begegnen also auch in diesem Abschnitt in Form einer von prophetischen Traditionen geprägten Berufungsvision Aussagen zur Ethik. Inhaltlich führen sie wenig über das Kap. 6 ff. Gesagte hinaus: Die Sünde steht unter dem eschatologischen Gericht Gottes, bei dem es keine Vergebung mehr geben wird. Die geschilderte Berufungsvision zeigt das große Interesse der Apokalyptiker an der Legitimation und Autorisierung ihrer Verkündigung. In den nun folgenden Himmelsreisen Henochs wird die 1. Hen. 12 ff. angekündigte Vernichtung als vollzogene Realität dargestellt.

2.2.3. Aussagen zur Ethik in den Himmelsreisen Henochs (Kap. 17–36)

Der Bericht von *Himmelsreisen* ist eine für die apokalyptische Literatur, besonders für die Henochtradition typische Gattung, die folgende Gattungsmerkmale erkennen läßt:

a) Ankündigung der Entrückung, Abschied von den Zurückbleibenden mit Abschiedsbelehrung und Bericht der Entrückung (vgl. 2. Hen. 1,1–3,1; Test. Abr. 7,1 ff.; 2. Bar. 1,1 ff.; 1. Hen. 17,1 ff.),

b) Reisenotiz bzw. Dialog des Visionärs mit dem begleitenden Engel, der das Geschaute erklärt (1. Hen. 18,14; 21,5.9 u. ö.),

c) Bericht der Rückkehr und Belehrung nach der Rückkehr (vgl. 1. Hen. 81,5 ff.; 2. Hen. 38 ff.; Test. Abr. 12,12 ff. u. ö.).

Es zeigen sich zahlreiche Gemeinsamkeiten mit den Visionsschilderungen in den Apokalypsen sowohl hinsichtlich der Form (vgl. die Himmelsreise Asc. Jes. als Vision, 7,1 ff. bzw. 11,34) als auch hinsichtlich des Inhalts, denn das Geschaute erstreckt sich auf astronomisches bzw. kosmologisches Wissen, auf den vorläufigen oder endgültigen Strafort, auf das künftige Sein der Gerechten bzw. den Heilsort, auf Angelologisches oder auf Gott selbst. Der Unterschied zwischen Vision und Himmelsreise besteht in den unter a) und c) genannten Merkmalen sowie in den Bemerkungen zur Ortsveränderung des Visionärs auf seiner Himmelsreise.

Mit den formalen Unterschieden ist ein inhaltlicher verbunden: Bei Vision und Himmelsreise geht es jeweils um die Vergegenwärtigung von Zukünftigem. Was aber in den Visionen als zukünftig geschaut wird, sieht der durch den Himmel Reisende jetzt schon in der oberen Welt als real existierend. Die Vision überbrückt also vornehmlich die zeitliche Distanz, die Himmelsreise die räumliche, denn es wird deutlich, wo jetzt schon ist, was sein wird (z. B. Gerichts- und Heilsorte). Bemerkenswert ist, daß das Geschaute über Sachverhalte informiert, die für das ethische Verhalten von Bedeutung sind, denn an kosmischen Erscheinungen wird ethisch Relevantes ablesbar (vgl. 3. Bar. 8,5; Test. Abr. 8,10 ff. u. ö.).

Auch in 1. Hen. 17 ff. bzw. 20 ff. geht es nicht um weisheitliche, geographische und kosmologische Belehrung schlechthin, sie ist der Belehrung über das künftige Schicksal der Guten und der Bösen untergeordnet. Der Gerichtsvorgang wird zwar nicht geschildert, aber die Gerichtsvorstellung steht im Hintergrund, wenn das eschatologische Schicksal der Gerechten und Frevler zur Sprache kommt. Die Antworten auf die Fragen Henochs nach bemerkenswerten himmlischen Erscheinungen (19,1 f.; 21,3 f. 7. ff.; 22,1 ff.) bzw. nach deren Bestimmung (27,1) sprechen jeweils ethische Sachverhalte an, wenn es um die Bestrafung der gefallenen Engel und um die Begründung dafür, nämlich die Übertretung des Befehles Gottes, geht (21,6 vgl. 18,15).

Die Gleichsetzung der gefallenen Engel mit Sternen weitet die Faktizität der Sünde auf den gesamten Kosmos aus. Es gibt also Gebotsübertretung auch im kosmischen Bereich, die auch dort bestraft wird. Die Himmelsreise Henochs erweist die Realität des zuvor Verkündigten (vgl. 10,4 ff.), das Eintreffen des Gerichts. Dies ist deutlich ad hominem formuliert. In Form bildhafter Schilderung himmlischer Erscheinungen wird in Entsprechung zu den typologischen Aussagen von Kap. 6 ff. sowohl von der bereits vollzogenen Bestrafung der Sünde im kosmischen Bereich als auch von der noch ausstehenden Bestrafung der Sünde der Menschen im irdischen Bereich geredet. Kap. 22 nennt vier verschiedene Bereiche für verschiedene Gruppen von Seelen der Verstorbenen, die in Abhängigkeit von der Art des Todes in je verschiedener Weise zum Gericht in Beziehung gesetzt werden. Dem liegt zugrunde die Behauptung des Tun-Ergehen-Zusammenhangs, der, wenn er nicht im irdischen Leben ersichtlich wird, zum Endgericht zur Geltung gebracht wird. Da am eschatologischen Geschick der Gerechten bzw. Ungerechten der Tun-Ergehen-Zusammenhang wieder einsichtig gemacht wird, schließt ein ausdrücklicher Lobpreis Gottes als gerechten Herrn der Welt die einzelnen Stationen der Himmelsreise ab (22,14 vgl. 25,7; 26,5; 27,3).

Um Aussagen zur Ethik geht es auch, wenn Uriel erklärt, daß die grausige Schlucht für diejenigen bestimmt ist, die unziemlich über Gott und seine Herrlichkeit sprechen (27,2), konkrete Verfehlungen werden also genannt. Der wohlriechende Baum hingegen wird den Gerechten und Demütigen übergeben werden (25,4), die dieses für das Endheil notwendige Verhalten gezeigt haben. Ferner kommt das Leben in der Gegenwart dadurch in den Blick, daß 22,7 ff. von der Bedrückung der Gerechten die Rede ist und das Heil der Gerechten als Freisein von Trübsal und Leid, Mühe und Plage beschrieben wird (25,6).

Die Aussagen zur Ethik sind verschränkt mit kosmischen Erscheinungen, die der Himmelsreisende real sieht. Das ethische Verhalten hat also Relevanz für den gesamten Kosmos, so daß man von einer Ethisierung kosmologischer Vorstellungen zu sprechen hat. Kosmische und ethische Sachverhalte sind dem gleichen Gesetz unterworfen. Dieses Verständnis der Tora als ethisches und zugleich kosmisches Gesetz ist als eine Weiterbildung weisheitlicher Vorstellungen unter Aufnahme von Gedanken der stoisch-platonisch geprägten Popularphilosophie zu verstehen. Die verschiedenen, meist der Weisheit entlehnten Bildungselemente dienen also nicht nur mehr der Belehrung in wissensmäßiger Hinsicht, sondern der Belehrung mit ethischer Absicht, eingebettet in den apokalyptischen Geschichtsentwurf, der auf das eschatologische Handeln Gottes blickt.

2.3. Der Zusammenhang von astronomischer und ethischer Belehrung im Astronomischen Buch (Kap. 72–82)

Das Astronomische Buch enthält die ausführlichsten astronomischen und damit verbundenen kalendarischen Ausführungen in der frühjüdischen Literatur. Dem in sich geschlossenen Komplex (72,1–80,8) folgen „Rahmenausführungen" (81,2–82,8), denen ein Nachtrag über die Ordnung der Sterne angeschlossen ist (82,9–20). „Obwohl dieser Nachtrag in 72,1–79,6 hineingehört, ist seine jetzige Stellung keineswegs sekundär."[17] Der Auftrag der sieben Heiligen (81,5b ff.) verweist auf Kap. 83 ff. Außerdem versteht sich 93,1 ff. als Kundgabe des in den Tafeln Enthaltenen, die 81,1 erstmals erwähnt werden. Die „Rahmenausführungen" stellen somit ein Bindeglied zwischen dem Angelologischen Buch (vgl. 36,4 mit 81,3) und Kap. 83 ff. dar und verankern das ursprünglich selbständige Astronomische Buch in diesem Gesamtrahmen. Es ist daher anzunehmen, daß 81,1–82,8 dem Kompilator des 1. Hen. zuzuschreiben ist.[18]

Für unsere Fragestellung ist vor allem bemerkenswert, daß gemäß der Überschrift (72,1) die in diesem Buch dargestellte Ordnung der Gestirne und kosmischen Erscheinungen terminiert, bis zur neuen Schöpfung begrenzt ist. Dem entspricht der ursprüngliche Abschluß des vom Verfasser des 1. Hen. übernommenen Traditionsstückes, das 80,1 ff. den Zusammenbruch der zuvor beschriebenen kosmischen Ordnung erwähnt. Was 80,1 ff. mit dem abschließenden Gerichtshinweis in V. 8 als unheilvolle Vernichtung ankündigt, faßt 72,1 als heilvolle Erneuerung auf: die Ordnung gilt, „bis geschaffen wird das neue Werk, das bleibt bis in den Olam". Mit den astronomischen und meteorologischen Traditionen in 72,1 ff. liegt älteres weisheitliches Gut vor, das vermutlich schon vor der Aufnahme des Astronomi-

---

[17] *E. Rau*, a.a.O., S. 305, vgl. S. 131–279; dadurch werden Umstellungs- bzw. Interpolationshypothesen hinfällig, z. B. *A. Dillmann*, a.a.O., S. 248 f.; *G. Beer*, a.a.O., S. 228.

[18] In 76,14 bzw. 79,1 ist redaktionelle Überarbeitung zu vermuten, da hier Henoch das Geschaute seinem Sohn Methusalah vermittelt, wozu er erst 81,5 aufgefordert wird. Auf die Herkunft der verschiedenen kosmologischen Traditionen im Astronomischen Buch kann nicht näher eingegangen werden, vgl. dazu *W. Bousset – H. Greßmann*, Die Religion des Judentums im späthellenistischen Zeitalter (HNT 21), Tübingen [3]1926, S. 490 ff.; *H. L. Jansen*, Die Henochgestalt, Oslo 1939, S. 66 ff.; *P. Grelot*, La légende d'Hénoch dans les Apocryphes et dans la Bible, RScR 46 (1958), S. 5–26, 181–210; *ders.*, La géographie mythique d'Hénoch et ses sources orientales, RB 65 (1958), S. 33–69, bes. S. 34 ff. Zur astronomischen Thematik vgl. 1. Hen. 33–36; 17 f.; ferner 41,(3).5–9; 43; 59.

schen Buches in den Bestand von 1. Hen. mit 72,1 und 80,1 ff. einen eschatologischen Rahmen erhielt und so ohne Mühe anderen apokalyptischen Traditionen ein-
zugliedern war. Die dadurch mögliche Zusammenschau der kosmischen Ordnung
und des apokalyptischen Geschichtsverständnisses wird durch die ethische Akzentuierung der kosmologischen Erörterungen ergänzt, denn kosmologische Erkenntnis trägt keinen neutralen Charakter, sondern ist Voraussetzung für die Erfüllung
der Gebote Gottes.[19]

In 74,1–75,3 begegnen Aussagen über die Bedeutung der astronomischen Belehrung für das Tun der Menschen: Es kommt auf das richtige astronomische Wissen
an, denn nur die vier hinzugefügten Tage garantieren die Funktionsfähigkeit des
Kalenders von 364 Tagen (vgl. 75,2 f.; dazu 82,4–8.9 ff.). Die Belehrung über die
Ereignisse „in den Tagen der Sünder" nennt Veränderungen der irdischen Natur
(Verkürzung der Jahre, Ausbleiben von Regen, Wachstum und Früchten, 80,2 f.)
sowie im Bereich der Gestirne (V. 4 ff.). V. 7 f. lenkt dann den Blick auf die Sünder. Die ihnen verschlossene Ordnung der Sterne (vgl. 82,4 f.9 ff.) führt zum völligen Irrtum, zum Götzendienst, zur Zunahme von Plagen, Unheil und Vernichtung für die Sünder. Die hier aufgezählten Ereignisse gehören zur Topik der End-
zeitbeschreibung in den Apokalypsen, aber eine so enge Verknüpfung der Veränderungen in der Natur mit denen in der Gestirnwelt ist in anderen Apokalypsen
nicht nachweisbar.

Bereits im Grundbestand des Astronomischen Buches lassen sich markante Bezugspunkte zur Ethik aufdecken. Mit der kosmologischen Belehrung ist die ethische Belehrung über die Sünde als Nichtwissen der Ordnung der Sterne verbunden. Das Wissen der kosmischen Ordnung bezieht sich auch auf deren zeitliche
Begrenztheit (72,1). Diese Bezugspunkte zur Ethik und zur Eschatologie nimmt
der Verfasser in dem von ihm hinzugefügten Abschnitt auf und läßt sie deutlicher
hervortreten.

In den Rahmenausführungen (81,1 ff.), die verschiedenartige Elemente wie zwei
Makarismen (81,4; 82,4), biographische Notizen mit einer Belehrung Henochs
sowie astronomische Erörterungen enthalten[20], verkoppelt der Verfasser mit dem
Hinweis auf die himmlischen Tafeln und auf das „Buch aller Taten der Menschen"
(81,1 f.) zwei ursprünglich verschiedene Vorstellungen. Der Hinweis auf *die himmlischen Tafeln* dient in den Apokalypsen vor allem der Autorisierung des durch den
Visionär Mitgeteilten und ersetzt eine Vision bzw. bezieht sich auf diese zurück.
Hier scheint ein Verweis auf alles das beabsichtigt zu sein, was zuvor im Astronomischen Buch mitgeteilt und 80,8 zu einem Abschluß gebracht wurde (vgl. 81,1

---

[19] Der These von *R. H. Charles*, AP II, S. 169 und *M. Hughes*, a.a.O., S. 173, daß 72,1 ff. eine rein wis-
senschaftliche Abhandlung sei, der mit 80,1 ff. ein ausgesprochen ethisches Stück folge, ist darum zu
widersprechen, vgl. dazu und zum ff. *E. Rau*, a.a.O., S. 223 ff., ferner 210 ff.

[20] Diese einzelnen Elemente stehen in so engem Zusammenhang, daß aus dem Fehlen astronomischer
Traditionen sowie aus dem formalen Unterschied der zwei Makarismen nicht auf zwei Quellen für
Kap. 81 bzw. 82 geschlossen werden muß, vgl. E. Rau, a.a.O., S. 310 f. kritisch zu *R. H. Charles*, AP
II, S. 169 bzw. 245 f.

mit 74,2; 79,1; 80,1). Das *Tatenbuch* dient der Aufzeichnung der Taten der Sünder
bzw. der Gerechten für das Endgericht (vgl. 1. Hen. 90,14.17; 106,19 f.;
Dan. 7,10; 10,21 u. ö.). Die Anspielung auf das „Buch aller Taten der Menschen"
bezieht sich vor allem auf die Bedeutung des Verhaltens der Menschen im Blick
auf das Eschaton, da die Taten „bis zum Geschlecht der Ewigkeit" verzeichnet
werden (vgl. 81,2). Dem Zusammenhang nach geht es dabei offenkundig auch um
den Irrtum der Sünder hinsichtlich des astronomischen Wissens (vgl. 80,7 bzw.
75,2). Die Rahmenausführungen verbinden also ebenso den kosmologischen mit
dem ethischen Aspekt. Folgerichtig bezieht sich der anschließende Lobpreis Gottes (81,3) sowohl auf Gott als den Schöpfer der Welt (vgl. 72,1 ff.) als auch auf
den richtenden Gott, der langmütig ist (vgl. 80,8). Dieser zweite Teil des Gottes-
lobs steht in Zusammenhang mit dem zuvor erwähnten Tatenbuch. Die darin
sich manifestierende ethische Akzentuierung nimmt auch der folgende Makarismus auf.

In der Weisheitsliteratur gilt der Makarismus demjenigen, der entsprechend der
von Gott geschaffenen und dem Weisen einsichtigen Ordnung der Welt verstän-
dig lebt (vgl. Spr. 3,13; Sir. 48,11; 50,28). Die Makarismen sind als „Sonderform
der weisheitlichen Aussagesätze im Tat-Folge-Schema bzw. im Haltung-Ergehen-
Zusammenhang"[21] anzusehen. Während die atl. Makarismen selbstevident sind
und keiner Autorisierung bedürfen, werden in den frühjüdischen Texten hervorragende Gestalten wie Henoch, die Patriarchen oder ein Engel als Sprecher ange-
führt. Charakteristisch ist ferner, daß in den Apokalypsen eine ausdrückliche Begründung hinzutritt (vgl. 1. Hen. 99,10; 58,2; 2. Hen. 42,11). Die Makarismen
1. Hen. 81,4 und 82,4 sind ähnlich geformt, indem jeweils ausführlich derjenige
charakterisiert wird, dem das eschatologische Heil autoritativ zugesprochen
werden kann. Nach 82,4 ist derjenige selig, der in Entsprechung zur kosmischen
Ordnung auf dem „Weg der Gerechtigkeit" sein Leben führt. Die Klassifizierung
als Gerechter oder Sünder entscheidet sich an der Stellung zum 364tägigen Jahr
bzw. dessen astronomischen Grundlagen, die in den folgenden Versen noch einmal dargelegt werden. Gemäß 81,4 ist selig, wer dem Gericht entnommen ist
und kein „Buch der Ungesetzlichkeit" fürchten muß. Im Zusammenhang mit dem
V. 2 genannten „Buch aller Taten der Menschen" geht es vor allem darum, den
Gerechten zu vergewissern, daß der Tun-Ergehen-Zusammenhang auch über den
Tod hinaus in Geltung bleibt und der Sünder dem Unheil, der Gerechte dem
Heil entgegengeht. Der Makarismus ist also erst im Blick auf das eschatologische
Handeln Gottes evident. Die Makarismen in den Apokalypsen setzen das apoka-
lyptische Geschichtsverständnis voraus. Sie sind deskriptiv, indem sie benennen,
wem auf Grund welchen Verhaltens das eschatologische Heil zugesprochen
werden kann. Insofern läßt sich an ihnen die Norm des notwendigen ethischen
Verhaltens ablesen.

---

[21] *Chr. Kähler*, Studien zur Form- und Traditionsgeschichte der biblischen Makarismen, Diss. theol.
Jena 1974, I.II., Bd. I, S. 69, vgl. S. 1–71 u. ö.; *K. Koch*, Was ist Formgeschichte?, Berlin 1971
(Nachdr. der 2. Aufl.), S. 8 f.

Die Rahmenausführungen zum Astronomischen Buch weisen auf die für die Apokalyptik charakteristische Verkoppelung von ethischer und eschatologischer Belehrung. So zielt ein eschatologisches Trostwort (81,7–9) als Teil des Auftrags an Henoch zur Unterweisung seiner Nachkommen auf das künftige Heil der Gerechten und Unheil der Sünder. Dieser Hinweis ist wichtig, da V. 9 den durch die Sünder verursachten Tod der Gerechten beklagt. Angesichts dieser Not der Gegenwart soll der Blick in die Zukunft trösten. Belehrung und Paränese (vgl. 81,5 ff.) haben gegen die notvolle Erfahrung der Gegenwart anzukämpfen und mit dem Hinweis auf die endzeitliche Wende einen Ausweg aufzuzeigen. Dies ist aber nur möglich im Rückgriff auf autorisierte Offenbarung, die dann für alle Generationen gültig ist (82,1; vgl. die Wahrhaftigkeitsbeteuerung V. 7 bzw. den Hinweis auf die himmlischen Tafeln in 81,1 f.).

In seiner Gesamtheit zeigt das Astronomische Buch die enge formale wie inhaltliche Verknüpfung von astronomischer mit eschatologischer und ethischer Belehrung. Die von weisheitlichen Traditionen abhängige Unterweisung über das kosmische Geschehen wird durch einen Rahmen eschatologischer und ethischer Aussagen interpretiert. Die gleichsam „geschichtslosen" schöpfungstheologischen Erörterungen, die im Gedanken der Ordnung des Kosmos begründet sind, bilden den Ausgangspunkt, um die eschatologischen Erwartungen und deren ethische Voraussetzungen darzutun. Die kosmologischen Traditionen sind daher kein Fremdkörper im 1. Hen., sondern für das Heil notwendig, um sich in die von Gott gesetzte kosmische Ordnung einfügen zu können. Dabei geht es im 1. Hen. nicht wie in der Weisheit um die Gegenüberstellung von Ordnung im kosmischen und Sünde im irdischen Bereich. Beide Bereiche sind der Möglichkeit des Sündigens und des Gerechtseins unterworfen, dies zeigt die für die letzte Zeit erwartete Verkehrung der kosmischen Ordnung bzw. das Verfallen in Sünde, Gestirndienst und Astrologie auf Grund des Nichtwissens der kosmischen Ordnung (vgl. 80,2 ff. bzw. 7).

Auch hinsichtlich des Astronomischen Buches im 1. Hen. kann man von der Ethisierung kosmologischer Vorstellungen sprechen. Dies geschieht hier nicht anhand angelologischer Erörterungen wie in Kap. 6 ff., sondern vermittels weisheitlich geprägter astronomisch-kosmologischer Traditionen. Deren eschatologische und ethische Akzentuierung fand der Verf. in den zugrunde liegenden Traditionsstücken bereits vor. Mit seinen Rahmenausführungen hat er diese Tendenz deutlich verstärkt.

2.4. Aussagen zur Ethik im Geschichtsbuch (Kap. 83–90)

Das sog. Geschichtsbuch thematisiert erstmals im 1. Hen. den Geschichtsverlauf, nachdem bisher lediglich die Ur- bzw. Endgeschichte in den Blick kam. Kap. 83 bzw. 85 ff. stellen zwei ursprünglich selbständige Visionen dar, die sekundär miteinander verklammert wurden (vgl. 83,1 f.; 85,1 bzw. 90,42). Die sog. Tiervision ist mit 90,37–39 sekundär durch Einführung einer Messiasgestalt erweitert worden.[22] Die vom Bildmaterial her einfache erste Vision (die versinkende Erde, Berg und Bäume als Metapher für den Untergang der Erde, 83,5.7) deutet Henochs Großvater dahingehend, daß Gott einen Rest auf Erden übriglassen und nicht die gesamte Erde vernichten möchte (83,6 ff.). Da diese Deutung nicht vom Bildmaterial der Vision vorbereitet ist, hat der Verfasser vermutlich mit 83,3b–4 auf eine ältere Tradition zurückgegriffen, die er anschließend deutet. Da das Gebet Henochs (Kap. 84) die gleiche Tendenz wie die Deutung verrät, ist auch dieses dem Verfasser zuzuschreiben.

Die Sintflutvision hat ihr Ziel in der Bitte Henochs um das Übrigbleiben eines Restes (83,8.10; 84,1 ff.). Um die Rettung eines Restes, d. h. der „ewigen Samenpflanze" Israel, geht es auch in der folgenden Tiervision, so daß eine zielstrebige Gedankenführung hervortritt. Die Anspielungen auf die Sintflut in Vision und Gebet zeigen eine gewisse Transparenz für das Endgericht, obschon der Verfasser beide Ereignisse nicht in eins setzt. Bemerkenswert ist, daß sowohl in der Deutung der Vision als auch in der Einleitung zum Gebet Gott als Schöpfer und Richter gepriesen wird (vgl. 83,11 mit der Gottesprädikation „Herr des Gerichts"; 84,2 bzw. 3b f.). Kap. 83 f. trägt wenig zum Verständnis der ethischen Anschauungen im 1. Hen. aus, sondern dient vorab der Vorbereitung und Einführung der folgenden Tiervision. Die Einheit beider Visionen liegt darin, daß sie jeweils das souveräne Handeln Gottes, sein Gericht und das Überleben eines Restes thematisieren. Die Tiervision tut dies in einer umfassenden Geschichtsschau, während Kap. 83 f. die Sintfluttraditionen heranzieht und damit eine Verbindung zu den vorangegangenen angelologischen Erörterungen schafft (vgl. bes. 84,4 mit Kap. 6–11).

Die Tiervision als Antwort auf das voraufgehende Gebet spricht bei der Darstellung der Sintflutperiode (89,1 ff.9 ff.) und der Endzeit (bes. 90,34 ff.) akzentuiert vom Übrigbleiben eines Restes. Auffällig ist die Genauigkeit, mit der (abgesehen von der midraschartigen Erweiterung 85,6 f.) die Vision der Pentateuchüberlieferung folgt. Dennoch macht diese Vision charakteristische Aussagen zum Verständnis von Ethik und Eschatologie.

Das Interesse an der Erklärung des Übels in der Welt verdeutlicht der Bericht vom Brudermord Kains. Indem von dem schwarzen Rind und den vielen Farren die Rede ist, die von ihm hervorgingen und ihm ähnlich waren und folgten (85,5), wird hier die Entstehung und Verbreitung der Sünde auf einen menschlichen Ursprung und nicht auf eine metaphysische Ursache zurückgeführt. Neben dieser ungewöhnlichen Erklärung des Bösen in der Welt nimmt die Darstellung des Engelfalls, deren (vorläufige) Bestrafung sowie des Untergangs der Menschheit (89,5) einen breiten Raum ein. Diese Ausführlichkeit (86,1–89,8 bzw. 11) erklärt sich aus der großen Bedeutung der typologisch verstandenen Sintflutüberlieferungen im 1. Hen. Der Hauptakzent liegt dabei auf dem Gedanken, daß die auf den Engelfall

---

[22] Vgl. *G. Beer*, a.a.O., S. 298; *G. Reese*, Die Geschichte Israels in der Auffassung des frühen Judentums, Diss. theol. Heidelberg 1967, S. 53 f.; *U. B. Müller*, Messias und Menschensohn in jüdischen Apokalypsen und in der Offenbarung des Johannes (StNT 6), Gütersloh 1972, S. 69 ff.; vgl. *E. Rau*, a.a.O., S. 433.

zurückzuführende Sünde dem Strafgericht des souveränen Gottes unterliegt. Die vorläufige Bestrafung bei der Sintflut wird transparent für die endgültige Vernichtung im Endgericht, das gemäß 90,24 bei den gefallenen Sternen beginnt. Die Bewahrung eines Restes im ersten Gericht weist auf das Endheil (vgl. 89,1 ff.; 90,29 ff.). Diese Sicht der Urgeschichte gibt die Hauptgesichtspunkte für die sich anschließende Schilderung der Geschichte Israels an die Hand, die mit 89,12 einsetzt: Die Welt ist zwar eine Welt der Sünde, wie 89,11 als Abschluß der Urgeschichte bildhaft verdeutlicht. Die Sünde ist aber dem Gericht Gottes unterworfen. Daher entfaltet sich letztlich die Geschichte Israels als die „Geschichte der Führung Israels zum Heil"[23].

Charakteristisch ist die nun begegnende, auf Israel bezogene Metapher „Schafe", aus der sich die Bildersprache der Vision ergibt, z. B. die Erwähnung der „kleinen Lämmer" als Anspielung auf die Entstehung der asidäischen Bewegung (90,6 u. ö.) und die Gottesbezeichnung „Herr der Schafe" (89,30 u. ö.). Im Verlauf der Geschichtsdarstellung geht es einerseits um Schafe, die ihre Augen aufmachen bzw. deren Augen geöffnet werden (vgl. 89,28.41.44; 90,6.10.35), andererseits um verblendete Schafe, die blind sind, abfallen und vom Weg des Herrn der Schafe abirren (89,32 f.41.54.74; 90,7.26 vgl. 89,51). Dem Kontext nach steht diese Metapher für das richtige bzw. falsche Verhalten Gott gegenüber. Gemäß 89,28 gehen den Schafen erstmals nach der Führung durch das Meer die Augen auf, also wird unter „offenen Augen" das Erkennen der Führung Gottes bzw. des Abfalls von Gott verstanden (vgl. 89,41 bzw. 44). Der Besitz geöffneter Augen, der die Lämmer auszeichnet, ist eine eschatologische Heilsgabe, die im Verlauf der Geschichte nur wenigen als Ausdruck der Gemeinschaft mit Gott zu eigen ist. Das Blindsein hingegen ist als Abfall von Gottes Wegen und Ungehorsam zu interpretieren.

Diese die gesamte Darstellung der Geschichte Israels durchziehende Bildersprache unterstreicht die Bedeutung des richtigen ethischen Verhaltens für den Verlauf der Geschichte und Endgeschichte, denn der Ungehorsam[24] ist die Ursache der Preisgabe des Volkes und führt zur eschatologischen Vernichtung (90,26). Die Metapher der blinden bzw. offenen Augen thematisiert zudem die Spaltung bzw. Polarisierung innerhalb Israels[25], die bis zum erwarteten Ende andauern und ein je verschiedenes Ergehen im Endgericht zur Folge haben wird.

---

[23] *G. Reese*, a.a.O., S. 32. In der Tiervision geht es also nicht um die Weltgeschichte, vgl. ebd., S. 22; anders *Ph. Vielhauer*, a.a.O., S. 410; *U. B. Müller*, a.a.O., S. 65.

[24] Vgl. 89,32b–35.54 ff. Die mit der Reichsteilung beginnende Darstellung der Unheilsgeschichte (V. 51 ff.) zeigt, daß Gott das Übel nur zuläßt. Er bleibt dennoch Herr der Geschichte und fordert Rechenschaft, wenn das von ihm zugelassene Maß der Bedrückung Israels überschritten wird (89,61 ff. bzw. 90,17.22). Dies wird aber erst vom Eschaton her einsichtig.

[25] Vgl. bes. 90,6; dazu *C. P. van Andel*, De structuur van de Henoch-Traditie en het Nieuwe Testament, Utrecht 1955, S. 26 ff.117; zur Kritik am Tempel und an der Priesterschaft vgl. 89,72–77; 90,28 f.; die 90,6 beginnende Schilderung der asidäischen Bewegung läßt keine offene Kritik an den Makkabäern erkennen, obwohl andererseits von ihnen nicht das Heil erwartet wird (vgl. 90,9a ff. mit der Polemik Dan. 2,34; 11,34; vgl. *G. Reese*, a.a.O., S. 46 kritisch zu *O. Plöger*, Theokratie und Eschatologie (WMANT 2), Neukirchen ²1962, S. 16 f.

In 90,13 eröffnet die Vision die Schilderung der Endzeit mit der Wende von der letzten Drangsal zum siegreichen eschatologischen Krieg. Das Motiv der Übergabe des Schwertes (90,19; vgl. 91,12; 98,12; 99,6.16; Jub. 24,29 u. ö.) als Ausdruck einer akut-militanten Zukunftserwartung bezieht sich auf die militante Aktion der Frommen *nach* dem das Endgeschehen eröffnenden Eingreifen Gottes, die daher dieses nicht herbeizwingen kann. Die einzige ausführliche Darstellung des Endgerichts in den bisher besprochenen Partien des 1. Hen. beginnt 90,17. Durch die Aufnahme traditioneller Motive, z. B. der Tatenbücher (V. 17), der Vorführung, Verurteilung und Bestrafung der Sünder erhält die Gerichtsdarstellung eine deutliche ethische Akzentuierung. Bestimmte Verhaltensweisen, nämlich die der Sterne, der 70 Hirten und der verblendeten Schafe, ziehen die Verurteilung im Gericht nach sich, wie die stereotype Wendung „. . . wurden gerichtet, schuldig befunden" mit der Nennung des Strafortes in V. 24–26 darlegt. Obschon einzelne Taten nicht ausdrücklich genannt werden, läßt sich die Bedeutung des Tuns für das eschatologische Geschick klar ablesen.

Die 90,29 beginnende Schilderung der Heilszeit als Rückkehr zu Gott (V. 33), Versiegelung des Schwertes und Gemeinschaft der Gerechten mit Gott (V. 36, vgl. Sach. 10,10) zielt darauf, daß nach der Verurteilung der verblendeten Schafe der Rest zu weißen Schafen wird, die mit geöffneten Augen das Gute zu sehen vermögen. Daher bildet V. 35 f. „nicht nur den Zielpunkt der Darstellung der letzten Dinge, sondern hier endet der Spannungsbogen, dessen Anfang im Grunde schon in dem Gebet Henochs . . . (84,5 f.) gesetzt war"[26].

Die Tiervision thematisiert mit der Metapher der offenen bzw. blinden Augen die große Bedeutung des ethischen Verhaltens für das geschichtliche und eschatologische Ergehen. Die Geschichtsdarstellung hebt ab auf die in der Geschichte sich vollziehende ethische Bewährung, die das Heil zugänglich macht trotz der in die Welt eingebrochenen Sünde (85,4 ff.; 86,1 ff.). Dabei tritt die exemplarische Geschichtssicht in den Blick, der die typologische Betrachtungsweise des Sintflutgeschehens zugeordnet ist: Da Gott schon einmal den Weg des Heils mit den Seinen gegangen ist, bietet die geschichtliche Vergangenheit einen festen Anhaltspunkt dafür, daß nicht das Unheil der notvollen Gegenwart das Ziel der Geschichte darstellt, sondern daß die vergangene Heilsgeschichte und Errettung eines Restes die Gerechten des künftigen Heils versichern kann. Die Vergangenheit vermag trotz der angesprochenen ständigen Verschlimmerung der irdischen Zustände die Hoffnung auf das Heil begründen. Ob der Mensch aber das von Gott herbeizuführende Heil erlangen kann, ist von seinem Verhalten abhängig. Insofern zeigt sich die enge Zusammengehörigkeit dieser ethischen Akzentuierung in der Geschichtsdarstellung mit der nun folgenden Paränese.[27]

---

[26] *G. Reese*, a.a.O., S. 35; vgl. *U. B. Müller*, a.a.O., S. 71.

[27] Die Erwähnung des Engelfalls bzw. kosmologische Erörterungen (da 86,1 ff., 90,24 nicht von Engeln, sondern von Sternen spricht) sind durch das Angelologische bzw. Astronomische Buch gut vorbereitet. Da sich die Paränese organisch anschließt, ist zu vermuten, daß der Verfasser die verschiedenen, ihm vorliegenden Teile des 1. Hen. um die Tiervision gruppierte und mit den von ihm geschaffenen Abschnitten zu einem Ganzen formte.

2.5. Das Paränetische Buch (Kap. 91–107)

Die in Qumran gefundenen Fragmente des 1. Hen. haben die Umstellung innerhalb der Wochenapokalypse (93,1–14; 91,12–17) sowie die sekundäre Anfügung
von Kap. 108 bestätigt und die Versuche einer Spätdatierung des Paränetischen
Buches hinfällig gemacht. Die vor der makkabäischen Erhebung entstandene Wochenapokalypse, die im jetzigen Kontext nicht fest verankert ist, wurde mit
Kap. 92 als Einleitung[28] dem Paränetischen Buch *94,1–103,13 bzw. 105,1 f. vorangestellt. Dieser Komplex macht einen in sich geschlossenen Eindruck, dessen
Abschluß in 104,11–13 (105,1 f.) zu sehen ist. Die Kap. 106 f. stellen einen biographischen Anhang dar, der die Henoch- und Noahüberlieferung in einen ge-
nealogischen Zusammenhang bringt. Es fällt auf, daß sich 94,1b ff. an die Gerechten und Frevler wendet, 91,1 f.18 (92,1; 93,1) hingegen an die Söhne Henochs,
d. h. an Methusalah und seine Brüder. Daher ist 94,1b–104.13 als eine ursprünglich selbständige Henochparänese anzusehen. Der Verfasser des zugrunde gelegten
Bestandes des 1. Hen. hat sie vermittels des von ihm geschaffenen Kap. 91 dem
biographischen Rahmen dieser Schrift eingegliedert.[29]

Für den Abschnitt 94,1–104,9 ist charakteristisch, daß an die Gerechten gerichtete
Ermahnungen, eschatologische Belehrungen, Schwurworte sowie Weherufe über
die Sünder einander ablösen. Aus der Rahmung (91,1 ff.) sowie aus der Schlußnotiz (104,10 ff.) geht hervor, daß die Paränese für Methusalah und seine Brüder
bzw. für die Gerechten und Weisen bestimmt ist. Sie ist daher nicht als Abbild
einer wie auch immer gearteten Umkehrpredigt aufzufassen. Die Anrede der Sünder in der Paränese ist nicht wörtlich zu verstehen. Die Sünder werden nicht zur
Umkehr aufgerufen, sondern als Trost für die Gerechten wird über ihnen die
eschatologische Verurteilung ausgesprochen.

Die Gliederung des Paränetischen Buches nach inhaltlichen Gesichtspunkten ist
problematisch, da hierbei die obengenannten charakteristischen Grundbestandteile
dieser Paränese zu wenig Beachtung finden.[30] Diese Grundbestandteile begegnen
in 94,1 ff. ohne eine auf den ersten Blick erkennbare Ordnung. Jedoch zeigt sich
immer wieder die Tendenz zu Reihenbildungen besonders bei Imperativen und
Weherufen. Erhebt man solche Reihungen zum Gliederungsprinzip, so gelingt es,
besonders unter Berücksichtigung der Weherufe als ein strukturierendes Element,

---

[28] Vgl. 4 Q Hen g; *J. Becker*, Das Heil Gottes. Heils- und Sündenbegriffe in den Qumrantexten und im
Neuen Testament (StUNT 3), Göttingen 1964, S. 32 ff.; anders R. H. *Charles*, AP II, S. 170.

[29] Vgl. 91,1 ff. als Ausführung des Befehls von 81,5 ff. Durch die Formel „alles was über euch kommen
wird bis in Ewigkeit" (91,1) wird der Bogen zur Tiervision geschlagen, vgl. 90,41; dazu *E. Rau*,
a.a.O., S. 438 f. Die Nennung der Söhne Henochs als Adressaten (94,1a) ist redaktionelle
Angleichung.

[30] Vgl. *G. Wied*, Der Auferstehungsglaube des späten Israel in seiner Bedeutung für das Verhältnis von
Apokalyptik und Weisheit, Diss. theol. Bonn 1967, postuliert S. 71 u. ö. eine „paränetische Weis-
heitsgattung" aus Paränese, eschatologischer Belehrung und Abschlußparänese; kritisch dazu *E. Rau*,
a.a.O., S. CIII f. Anm. 8; vgl. ebd. die Dreiteilung in Paränese (91,1–94,5) und zwei Trostreden
(94,6 ff.; 102,4 ff.).

eine innerhalb des Paränetischen Buches immer wieder zu erkennende Grundform von Mahnung (als Vetitiv oder Imperativ), anschließender Begründung und abschließendem Weheruf zu isolieren.[31] Innerhalb dieser Reihen können die einzelnen Bestandteile auf verschiedene Weise erweitert werden.

Die der Mahnung folgende Begründung kann durch Hinweise auf das Endgeschehen erweitert oder in die Form eines Schwures gekleidet sein (98,1 ff.; 99,6 ff.; 103,1 ff.). Als Begründungen können ferner weisheitliche Vergleiche (101,4 ff.), eine Belehrung in dialogischer Form (102,6 ff.) sowie ein Peristasenkatalog mit abschließendem Schwur (103,9b ff.) dienen. Die einzeln oder in Reihen stehenden Weherufe können Begründungen als eine Erweiterung bei sich haben (z. B. 94,10 ff.) oder durch eschatologische Belehrungen unterbrochen werden (vgl. 97,7 ff. sowie 98,9 ff. mit 98,1–8). Der Reichtum und die Variabilität der Begründungen zeigt, daß ihnen bei den Mahnungen bzw. bei der Ansage des eschatologischen Heils oder Unheils das besondere Interesse gilt.

Motivierende Mahnsprüche, die nur einen geringen Teil des gesamten Textbestandes im Paränetischen Buch ausmachen, stehen meist an exponierter Stelle, indem sie selbst in Reihen vorkommen (94,1 ff.; 104,2 ff.) oder eine paränetische Reihe eröffnen. Nach der Anredeformel mit der Nennung der Adressaten folgt jeweils ein Imperativ oder Vetitiv, der erweitert sein kann.[32] Es wird gemahnt zur Liebe zur Gerechtigkeit (94,1), zum Festhalten des Wortes Gottes (94,5) und zur Beobachtung seiner Schöpfung (101,1). Im Zwei-Wege-Schema begegnet die Warnung vor dem Weg der Bosheit und die Ermahnung zum Weg des Friedens (94,3 f.). Ferner wird gewarnt, Böses in der Gegenwart Gottes zu tun (101,1).

Daneben stehen Mahnungen zu zuversichtlichem Glauben trotz der gegenwärtigen mißlichen Lage für die Gerechten, so z. B. „fürchtet euch nicht" (95,3; 102,4; 104,6), „hofft" (96,1; 104,2 u. ö.), „trauert nicht" (102,5). Konkreteren Charakter tragen die Mahnungen zu einem wahrhaftigen Leben ohne Lüge (104,9), zur Fürbitte in der Endzeit (99,3) sowie die Warnung vor der Gemeinschaft mit den Sündern (94,3b; 104,6).

Deutlich fehlt die kasuistische Auffächerung der Mahnungen auf konkrete Situationen. Dies liegt offenkundig nicht im Blickfeld des Paränetischen Buches.

Die Begründungen der Mahnungen nennen als Folge des jeweils empfohlenen oder abzuwehrenden Tuns die künftige Übereignung des Heils oder Unheils, sie haften also an der Erwartung des Gerichts und an der eschatologischen Wende für die Gerechten, die in der Gegenwart Trübsal zu erdulden haben (104,3; 102,4 ff.). Daher erhalten auch die Angaben über die Endereignisse begründenden Charakter (vgl. 94,2.5b u. ö.). Ausführlichere eschatologische Belehrungen, etwa in Form der Darstellung der „Zeichen der Endzeit", die mit der Formel „in jenen Tagen..." eingeleitet werden (97,5; 99,3 ff.) und allgemein verbreitete apokalyptische Tradi-

---

[31] Vgl. am deutlichsten 95,3–7; Neuansätze von Reihen in 94,1; 95,3; 96,1; 97,1; 99,3; 101,1; 102,4; 104,2; zu Reihenbildungen vgl. bereits *A. Dillmann*, a.a.O., S. 305 ff.

[32] Zur Grundform (Anrede und Mahnung) vgl. 96,1; 97,1; zur erweiterten Form als motivierender Mahnspruch vgl. 94,1 ff.; 95,3; 99,3; 101,1; 102,4.

tionen aufnehmen, dienen der Begründung von Mahnungen. Hierbei tritt vor allem die kommende Wende und das Gericht, weniger die darauffolgende Heilszeit in den Blick, die nur beiläufig erwähnt wird (94,1.3 f.; 103,2 ff.; 104,2 ff.). Ferner fällt auf, wie stark das Ergehen der Gerechten im Kontrast zum Geschick der Sünder dargestellt wird. Dieses Kontrastmotiv ist für die ethische Unterweisung in den Apokalypsen typisch.

Die Mahnungen richten sich auf ein Tun wie auf eine Glaubenshaltung, wobei letztere sich im Tun niederschlagen soll. Beide Formen der Mahnung sind daher als untrennbare Einheit zu sehen, wie sich auch in den Begründungen für die Mahnungen zu einem konkreten Tun oder zu einer Glaubenshaltung keine gravierenden formalen oder inhaltlichen Unterschiede finden lassen. Die Einheit von tröstendem Zuspruch und konkreter Mahnung widerrät einer Unterscheidung von Paränesen und Trostreden dieses auf Grund seiner Form als Paränese zu bezeichnenden Abschnitts des 1. Hen.

Weherufe mit deutlicher Tendenz zur Reihenbildung begegnen im Paränetischen Buch 31mal. Die im AT häufig in Reihen begegnenden Weherufe sind als „Varianten des Prophetischen Gerichtswortes"[33] anzusehen, mit denen die Anklage eingeleitet wird, auf die dann die Gerichtsankündigung folgt. Das „Wehe" gilt jeweils einem bestimmten Tun, meist verbunden mit sozialer Anklage (Jes. 5,11 ff.) oder mit der Anklage der Feinde Israels (Hab. 2).

Die Weherufe im 1. Hen. begegnen in Reihen und erheben Anklage vorwiegend sozialer Art. Vorherrschend ist die Anrede in der 2. pers. pl. („Wehe euch, die ihr . . ."), nur vereinzelt begegnet die 3. pers. pl. („Wehe denen, die . . ." vgl. 94,6 f. u. ö.). Dem Wechsel der Form der Anrede innerhalb einer Reihe kommt keine besondere Bedeutung zu (vgl. 94,7/8; 98,15/99,1; 99,2/3.13.14). Auf den am Anfang stehenden Weheruf folgt die Charakteristik der Angeredeten auf Grund eines Vergehens (94,4 f.; 98,13 f.; 99,11 u. ö.) oder mit einer allgemeineren Bezeichnung als „Sünder" (z. B. 95,7), „Mächtige" (96,8), „Reiche" (94,8), „Toren" (98,9), „Hartherzige" (100,8). In der sich anschließenden Begründung wird die Ursache für diese Bezeichnung genannt, d. h., auf den jeweiligen Weheruf folgt zunächst die Anklage mit der Nennung des Vergehens der Sünder und dann die Unheilsankündigung. Im Unterschied zu den verwandten Fluchsprüchen in den atl. Fluch- und Segenreihen trifft in den apokalyptischen Weherufen das Unheil erst in der Endzeit ein.

Die Unheilsankündigungen nennen die kommende Vergeltung sowie das Umkommen im Gericht (94,9 bzw. 94,7 u. ö.). Der Ausschluß vom eschatologischen Heil wird auch häufig mit der geprägten Wendung „ihr werdet keinen Frieden haben" (94,6 u. ö.) dargelegt. Bemerkenswert ist auch hier die Verschränkung des eschatologischen Unheils der Sünder mit dem Heil der jetzt leidenden Gerechten, wobei die in 1. Hen. 85 ff. beobachtete militante Enderwartung anklingt (vgl. 98,12;

---

[33] *C. Westermann*, Grundformen prophetischer Rede (BevTh 31), München ²1964, S. 137; vgl. *W. Baumgartner*, Die literarischen Gattungen in der Weisheit des Jesus Sirach, ZAW 34 (1914), S. 161–198, bes. S. 188.

95,7; 96,8; 99,15). Die Ausformung der Unheilsankündigungen zeigt, besonders hinsichtlich der ausführlicheren Ausführungen 94,10 ff.; 100,1 ff. 10 ff., daß die Paränese in der eschatologischen Belehrung verankert ist, die in Form von Begründungen im Paränetischen Buch und zusammenhängend in den voraufgehenden Abschnitten des 1. Hen. vorgetragen wird.

Wesentliche Hinweise zum Verständnis der Ethik geben die Anklagen, die jeweils Verhaltensweisen nennen, die zum Verlust des eschatologischen Heils führen: Sünden gegen Gott (94,8; 96,6); Götzendienst und Verachten der Traditionen der Väter, der Worte der Gerechten sowie Niederschreiben von Lügenworten und Frevelreden (98,14 f.; 99,14 vgl. 1 f.). Unwillkürlich kommen hier die Auseinandersetzungen im Frühjudentum um die hellenistische Lebensweise in den Blick. Ferner werden soziale Vergehen angeprangert, mit denen die Bedrängnis der Gerechten zur Sprache kommt: Ungerechtigkeit, Gewalt, Betrug (94,6.8 u. ö.), Reichtum (94,7 f.; 98,11), durch Unrecht erworbener Besitz (99,13 u. ö.) sowie die Bedrückung der Niedrigen und Gerechten (95,5.7; 96,5.8; 98,13; 99,11.15; 100,7).

Auffälligerweise nennen nicht die motivierenden Mahnsprüche, sondern die Weherufe konkrete Verhaltensweisen, die anstatt in Form der Mahnung nun als Proklamation des eschatologischen Unheils erscheinen. Die ethische Belehrung geschieht also nicht primär als Gesetzesbelehrung, sondern im Rahmen der eschatologischen Verkündigung, bei der in den Weherufen als Abschluß der paränetischen Reihen die Bedeutung des konkreten ethischen Verhaltens für das Ergehen im Eschaton aufgezeigt wird. Hervorstechend ist dabei das Kontrastmotiv, da die inhaltliche Konkretion zu den Mahnungen am Beginn der Reihen in negativer Form, d. h. als Darstellung des abzuwehrenden Verhaltens gegeben wird.

Die Mahnungen wenden sich an die Gerechten, so daß die Anklage der Sünder eine nur fiktive ist. Dieser Kontext macht das der prophetischen Verkündigung entstammende Wehewort zur apokalyptischen Heilsansage für die Gerechten. Es handelt sich nicht um eine Umkehrpredigt. Nur mehr das Gericht vermag die Wende zu bringen. So dient das über dem konkreten Verhalten der Sünder ausgesprochene „Wehe" dem Kontrast des Heils, das für die Gerechten aussteht und ihnen auf diese Weise verheißen wird. Die Intention der Weherufe ist also in der Apokalyptik eine andere als im AT. Die Unheilsankündigungen werden im 1. Hen. zudem nicht (wie meist in der atl. Prophetie) als Gottesrede eingeführt. Damit stellt sich die Frage nach der Autorisierung der Paränese in den Apokalypsen.

Schwurworte und Rückverweise auf Offenbarungen sollen die Paränese autorisieren. Bereits die Einleitung des Paränetischen Buches legt dar, daß Henoch, der seine Söhne belehren will, himmlische Offenbarungen empfangen hat (91,1 ff.). Die Schlußnotiz unterstreicht die besondere Autorität des vorliegenden Buches (104,10 ff.). Diese Bemerkungen im Rahmen zeigen das Anliegen, den Inhalt der Paränese als durch göttliche Offenbarung autorisiert auszugeben. Diesem Zweck dienen im Paränetischen Buch vor allem die Schwurworte an die Gerechten bzw.

Sünder, die in dieser Form nur im Paränetischen Buch nachweisbar sind.[34] Eingeschoben in erweiterte Begründungen von Mahnungen (z. B. 99,6) oder in die Reihe von Weherufen (z. B. 98,1 ff.) beschwört der Visionär Belehrungen über das künftige Ergehen der Gerechten oder Sünder. Zum Verständnis des Schwures verhilft besonders 103,1 ff., da hier der Schwur im Zusammenhang mit den himmlischen Tafeln genannt wird. Der Schwur und die himmlischen Tafeln weisen auf göttliche Offenbarung hin und autorisieren damit die eschatologischen Aussagen. In ähnlicher Weise unterstreicht das betonte „ich weiß" die besondere Herkunft der Mitteilungen des Visionärs.[35]

Der beschworene Rekurs auf die himmlischen Visionen bzw. Tafeln vermag dem Zuspruch des Heils bzw. Unheils den höchsten Grad an Gewißheit zu geben und die Glaubwürdigkeit des Redenden zu unterstreichen. Damit ist die Paränese mit ihren Mahnungen und Begründungen der Beliebigkeit entnommen und eng mit den übrigen Visionen und Belehrungen im 1. Hen. verbunden. Die Paränese ist nicht das Wort eines einzelnen Menschen, sondern der Visionär ist ermächtigt, den folgenden Generationen weiterzugeben, was ihm selbst offenbart worden ist. Die Paränese enthält somit nicht die Ratschläge einzelner Menschen oder Menschengruppen, sondern die von Gott autorisierte Offenbarung an einen autorisierten Visionsempfänger.

Die Wochenapokalypse bestimmt den Standort in der Geschichte für die hinter dieser Apokalypse stehende Gruppe.[36] Daher liegt der Akzent auf dem zweimaligen erwählenden Handeln Gottes, an Abraham bzw. an den Asidäern (93,5 bzw. 10). Auch diese Geschichtsdarstellung sieht die Geschichte deutlich unter ethischem Aspekt, denn auf Grund des ethischen Fiaskos in der bisherigen Geschichte war die neue Erwählung notwendig (93,8 f.). Diese Apokalypse soll nun den Auserwählten als Legitimation dienen, damit sie ihre Erwählung in Analogie zur Erwählung Abrahams als besondere Gruppe innerhalb Israels rechtfertigen können.

Die geraffte Darstellung nennt neben den zwei Erwählungen die Übergabe des noachitischen Gesetzes sowie des Sinaigesetzes als „Gesetz für alle Generationen" (93,4.6). Ziel der Erwählung ist der Empfang siebenfacher Belehrung über die gesamte Schöpfung (93,10). Das Sinaigesetz korrespondiert also den besonderen Belehrungen der Gruppe der Asidäer in der letzten Zeit vor dem baldigen Ende. Die

---

[34] Vgl. 98,1 ff. (der äthiopische Text ist hier nach der griechischen Version zu verbessern); 103,1 ff.; 104,1 bzw. 98,4.6; 99,6; Schwurformeln in den Apokalypsen lehnen sich sonst stärker an das atl. Vorbild („so wahr Gott lebt") an: vgl. 2. Hen. 49,1; Asc. Jes. (gr) 1,8; 3,18; 3. Bar. 1,7 u. ö., vgl. *K. Berger*, Die Amen-Worte Jesu. Eine Untersuchung zum Problem der Legitimation in apokalyptischer Rede (BZNW 39), Berlin 1970, S. 20 ff.

[35] Vgl. 94,5b; 104,10.12; ferner 91,5 ff.; 106,19 ff. u. ö. Es handelt sich hier vermutlich um eine traditionelle, formelhafte Wendung, vgl. *E. Rau*, a.a.O., S. 312 ff., bes. 349. Die Begründungen für das beschworene Unheil wenden sich gegen eine hellenistisch geprägte Lebensweise: Luxus, Reichtum, Pracht und Ehre fallen unter das Gericht (vgl. 98,1 ff.). 99,6 ff. nennt Götzendienst und Traumgesichte als für die Endzeit typisch.

[36] Vgl. *G. Reese*, a.a.O., S. 83; zu traditionsgeschichtlichen Fragen vgl. bes. *F. Dexinger*, Offene Probleme der Apokalyptikforschung und die Zehnwochenapokalypse, Diss. phil. Wien 1973.

weisheitliche Terminologie (93,11 ff.) läßt an solche Belehrungen denken, wie die im 1. Hen. mitgeteilten: nämlich eschatologische Belehrungen, in die weisheitliche Traditionen aufgenommen sind. Wesentlich ist, daß der Empfang solcher Offenbarungen als Merkmal der Endzeit gilt, die ab 91,12 ff. mit dem Hinweis auf das Gericht über verschiedene Personengruppen, entsprechend den drei Wochen, und jeweils mit einem Ausblick auf die Heilszeit erwähnt wird.

Die Einleitung zur Wochenapokalypse (Kap. 92) versteht diese als „Lehre für die künftigen Geschlechter, die Rechtschaffenheit und Friede beobachten werden" (V. 1). Entgegen der Betrübnis in der Gegenwart wird mit der ausführlichen Heilsansage für die Gerechten und mit dem Hinweis auf die Vernichtung der Sünde (V. 3–5) auf Gottes künftiges Handeln verwiesen. Die Wochenapokalypse nimmt diese thematische Zielsetzung auf, da sie das besondere Sein der Gerechten auf Grund der Erwählung und besonderen Belehrung darstellt.

Die Bedeutung der Wochenapokalypse für das Paränetische Buch steht im Zusammenhang mit der Verbindung von Tiervision und Paränetischem Buch. Die enge Zusammengehörigkeit wird an der textlichen Zuordnung, besser: Vorordnung der Geschichtsdarstellung zur Paränese deutlich. Die Geschichtsdarstellung entwirft ein Geschichtsbild, das die Grundlage für die Paränese abgibt. Die für die Begründungen und eschatologischen Belehrungen wichtigen Verweise auf die Geschichte bzw. Endgeschichte begegnen dort nur ausschnittweise, gleichsam atomisiert. Die Gesamtdarstellung der Geschichte ermöglicht es hingegen, die einzelnen Aussagen dem Gesamtbild der Geschichte zuzuordnen. Dies erleichtern inhaltliche Übereinstimmungen zwischen der Wochenapokalypse und der folgenden Paränese.[37] Die Tiervision wird durch das vom Verfasser des 1. Hen. geschaffene Kap. 91 mit dem Paränetischen Buch verbunden.

Diese Paränese Henochs zeigt auf, was bis in den Olam eintreffen wird (91,1.18). Sie ist damit der Geschichtsbelehrung zugeordnet. Sie wird nach dem Aufmerkruf (V. 3) mit motivierenden Mahnsprüchen eröffnet und abgeschlossen (V. 3 fin. 4.19), die allgemein gehaltene Mahnungen zur Rechtschaffenheit und Gerechtigkeit darbieten, die am Zwei-Wege-Schema ausgerichtet sind. Die ausführliche Begründung des einleitenden Mahnspruchs V. 5 ff. gibt nach der formelhaften Wendung „denn ich weiß" einen geschichtlichen Überblick vom Strafgericht der Sintflut zu neuem Anwachsen der Sünde bis zum letzten Gericht mit der Auferstehung und Verleihung von Weisheit an die Gerechten. Deutlich ist die typologische Deutung der Sintflut als eschatologische Tradition, und zwar in Korrespondenz zur Absicht der Geschichtsdarstellung der Tiervision, in der Vergangenheit einen Anhaltspunkt für das zukünftige Ergehen des Volkes zu finden. Kap. 91 bringt mit der typologischen Betrachtungsweise sozusagen den Extrakt der Tiervision in das Paränetische Buch ein. Die zukunftsbegründende Funktion des Heilshandelns Gottes nach der Tiervision bzw. Kap. 91 kann man nicht gegen den Gedanken der

---

[37] Vgl. die militante Enderwartung (91,12 mit 95,3; 96,1; 98,12), ferner die innerisraelitische Trennung in der Apokalypse und die Trennung von Sündern und Gerechten in 94,1 ff.

notwendigen neuen Erwählung auf Grund des Abfalls des Volkes in der Wochenapokalypse ausspielen, obwohl damit die Kontinuität des Handelns Gottes in der
Geschichte Israels bezweifelt wird.[38] Da sich das Paränetische Buch an eine
Gruppe innerhalb Israels wendet, wird die Einfügung der kurzen Wochenapokalypse verständlich, weil sie den Standort dieser Gruppe innerhalb der Geschichte
aufweist. Trotz gewisser Unterschiede im Detail geben beide Geschichtsdarstellungen den umfassenden geschichtlichen Rahmen ab, in den die Paränese einzuordnen
ist. Die Abfolge von Geschichtsbelehrung und Paränese (Kap. 83 ff. und 91 ff.)
wiederholt sich in kleinerem Maßstab im Paränetischen Buch (92,1 ff. und
94,1 ff.). Daran ist die enge Zusammengehörigkeit von Geschichtsbelehrung, die in
der Apokalyptik immer zugleich eschatologische Belehrung ist, und Paränese abzulesen.

2.5.1. Das Verständnis der Ethik im Paränetischen Buch

Obwohl auch in anderen Apokalypsen die Verknüpfung von Visionen bzw. eschatologischen Belehrungen mit der Paränese begegnet, stellt das Paränetische Buch
mit seinen aus verschiedenen Grundelementen gebildeten paränetischen Reihen
einen Sonderfall dar. Es ist deutlich zu sehen, daß das Interesse an der Ethik weniger auf der Handlungsebene (was zu tun sei) als auf der Begründungs- bzw. Motivierungsebene (warum etwas zu tun ist) liegt. Auffallend sind die inhaltlichen
Übereinstimmungen der verschiedenen, jeweils zur Begründung der Aussagen in
den verschiedenen Grundelementen herangezogenen Traditionen, die sich auf das
gegenwärtige Ergehen der Gerechten, auf ihr Leiden und Betrübnis auf Grund des
Tuns der Sünder sowie auf das entsprechende eschatologische Ergehen beziehen.
Diese beklagenswerten Lebensumstände der Gerechten widersprechen der Einsich-
tigkeit des Zusammenhanges von Tun und Ergehen, der im AT vorausgesetzt
wird. Da der Sünder jetzt in Lebensfreude frei von Sorge und Not lebt (97,8;
103,5), der Gerechte aber zu leiden hat, als wäre er ein Sünder (102,5), stößt die
hier vorausgesetzte, sog. synthetische Lebensauffassung auf Grund der erfahrbaren
Wirklichkeit an ihre Grenze. Alle Hoffnung richtet sich daher auf die eschatologische Wende, die den Ausgleich schaffen und den Tun-Ergehen-Zusammenhang
wiederherstellen wird. Daher ist die gesamte Ethik stark am Gericht ausgerichtet
(vgl. bes. 104,2 ff.).
Die Transponierung des atl. geschichtsimmanenten Tat-Folge-Zusammenhangs auf
das apokalyptische Geschichtsbild mit der Hoffnung auf den eschatologischen Ausgleich ist aber nur möglich, weil zugleich die Eigenverantwortlichkeit des Menschen festgehalten wird, denn von sich aus haben die Menschen die Sünde geschaffen (98,4). Dies ist die Voraussetzung dafür, daß das Gericht als gerecht bezeichnet

---

[38] Zu Unterschieden der Geschichtsdarstellung in der Tiervision und Wochenapokalypse vgl. *G. Reese*,
a.a.O., S. 58 ff.; 82 ff., 69 f.; *K. Müller*, Geschichte, Heilsgeschichte und Gesetz, in: Literatur und Religion des Frühjudentums, Hrsg. *J. Maier* u. *J. Schreiner*, Würzburg 1973, S. 73–105, S. 82 ff. Entsprechend der Rahmung geht es aber auch in der Tiervision um das Geschick einer besonderen Gruppe,
d. h. eines Restes in Israel, vgl. o. § 2.4.

werden kann (91,12.14). Im Blick auf diese eschatologische Wende, wobei das Heil für die Gerechten im Kontrast zum Unheil der Sünder, der Heilszuspruch als Weherufe über die Frevler proklamiert wird, lassen sich Mahnungen aussprechen. Die Charakterisierung des eschatologischen Heilszustandes schlägt sich aber nicht im Inhalt der Mahnungen nieder. Die Eschatologie ist also für die Mahnungen zwar nicht hinsichtlich ihres Inhaltes, aber hinsichtlich der Begründung der Mahnungen von großer Bedeutung. Die Traditionen, die zur Begründung der Aussagen in den einzelnen Grundelementen der paränetischen Reihen herangezogen werden, stehen in engem Zusammenhang mit andernorts im 1. Hen. begegnenden Traditionen, so daß sich im Blick auf die Paränese im 1. Hen. ein Gesichtspunkt für die Einheit und den Gesamtzusammenhang der verschiedenen, anscheinend so disparaten Traditionen in dieser Apokalypse abzeichnet.

2.6. Zusammenfassung

2.6.1. Das Gesetzesverständnis im 1. Henoch

Der zusammenfassende Überblick zu Fragen um Ethik und Eschatologie im 1. Hen. soll mit Erwägungen zum Gesetzesverständnis beginnen, das in den einzelnen Abschnitten dieser Schrift eine Rolle spielt, wenn auch zum Teil von untergeordneter Bedeutung. Die Darstellung des Gesetzesverständnisses ist bereits vom lexikalischen Befund her schwierig, da in den griechischen Fragmenten der Begriff *nomos* gänzlich fehlt. In der äthiopischen Version fehlt *cheg*, das Äquivalent für hebr. *choq*, ferner fehlt *'erit*, das im äth. Sprachgebrauch dezidiert die lex mosaica bezeichnet. Mit großer Häufigkeit und in auffälliger Bedeutungsbreite begegnen in der äth. Version a) *schere'at* sowie b) *te'ezaz*, denen ein breites Feld griechischer Äquivalente entspricht.[39] Keines von ihnen läßt sich eindeutig einem der beiden äthiopischen Begriffe zuordnen, für die sich besonders im Blick auf deren Austauschbarkeit in 80,4 ff. kein Bedeutungsunterschied finden läßt. Die genannten griechischen und äthiopischen Begriffe werden in großer Bedeutungsbreite verwendet

1. im Zusammenhang mit der kosmischen Ordnung (zu a: vgl. 106,14 bzw. 41,5; zu b: vgl. 18,15; 21,6 u. ö.)
2. in weniger spezifischem Sinn zur Bezeichnung der Befehle Gottes ohne ausdrücklichen Bezug zum Gesetz (zu a: vgl. 89,69; zu b: vgl. 89,62 f.65; 102,3 u. ö.)
3. in absolutem Sinn auf das Gesetz bezogen (zu a: vgl. 93,4.6; 99,2.10 – griech. –; zu b: vgl. 5,4).

Die Eingrenzung des Gesetzesverständnisses auf eine der genannten Gruppen ist nicht möglich. Auch angesichts der wenigen Belege zu 3. ist das Urteil nicht ge-

---

[39] Zu a) vgl. *taxis* (2,1), *diathäkä* (99,2 bzw. 106,13), *ethos* (106,14); zu b) vgl. *epitagä* (21,6 bzw. 5,2), *entolä* (5,4; 14,1; 99,10), *prostagma* (18,15 bzw. 106,13), *to synachthen autois* (102,3); vgl. auch *A. Dillmann*, Lexicon linguae aethiopicae, Lipsiae 1865, Sp. 742 bzw. 131 f., 243 f., 793 f.

rechtfertigt: „Im Bewußtsein jener Kreise, deren Denken sich in 1. Hen. zu Wort meldet, spielte die Thora offensichtlich keine derart dominierende Rolle, daß sich der einzelne ausschließlich durch sie von Gott in Anspruch genommen verstanden hätte."[40] Die Entsprechung von Sinaioffenbarung und besonderer siebenfacher Belehrung (93,6.10) sowie die Belege der Gruppe 1. bzw. 2. widerraten, die kosmische Ordnung mit ihrer von Gott gesetzten Regelmäßigkeit und die Mosetora vom Sinai derart voneinander abzusetzen. Da es Manifestationen der Sünde auch im kosmischen Bereich gibt, da himmlische bzw. kosmische Erscheinungen sozusagen als „Aufhänger" für die Mitteilung auch ethischer Sachverhalte dienen, ist nun auch die Mitteilung der kosmischen Gesetzmäßigkeiten als Mitteilung von Tora anzusehen. In Korrespondenz zum weitgefaßten Offenbarungsbegriff in den Apokalypsen (vgl. 93,10) ist von einem weitgefaßten Torabegriff zu sprechen. Das Fehlen von Zitaten aus der Mosetora ist nicht Ausdruck dafür, daß die Apokalyptik nur einen ganz allgemeinen Gesetzesbegriff ohne konkreten Inhalt kenne.[41] Die Mahnungen (sieht man von den begründenden Erweiterungen ab) können wohl nur deshalb so ‚allgemein' gehalten sein, weil sie sich auf Vorgegebenes und Bekanntes, d. h. auf die Mosetora, beziehen, ohne diese expressis verbis anzuführen. Die Apokalypsen verstehen sich als Offenbarungen in Entsprechung zur Mosetora, so daß nicht wie in Qumranschriften zum Studium der Mosetora gemahnt wird (vgl. 1 QS VIII,15 ff. vgl. VI,18; CD XV,12 ff. u. ö.), sondern nun den „Worten der Gerechten" (98,14), den „Worten der Wahrheit" (99,2; 104,10), den „Worten dieses Buches" (100,6) sowie den „Worten der Weisheit", die es anzunehmen gilt (99,10), eine besondere Bedeutung zukommt.

Ohne die Mosetora als einen zitierten Text aufzunehmen, überliefert die Apokalyptik verschiedene Traditionen, die zum Tun des in der Tora Gebotenen motivieren wollen. Zu dem Bekannten tritt neu hinzu die kosmische Aufweitung des Gesetzesbegriffs, die das Gesetz und die Ordnung des Kosmos mit dem apokalyptischen Weltbild verbindet, so daß es im Unterschied zum weisheitlichen Denken Sünde nun auch im kosmischen Bereich gibt und daß im Unterschied zu stoischen Gedanken das Wissen um Ordnung und Sünde im kosmischen Bereich nicht auf die Physis des Menschen, sondern auf besondere göttliche Offenbarungen zurückzuführen ist. Die ethische Belehrung in der Apokalyptik ist also nicht Tradition des Mosegesetzes, sondern verschiedenartige Traditionen entfalten das für die Apokalyptik typische Gottesverständnis (auf das in diesem Rahmen nicht näher eingegangen werden kann) und Geschichtsverständnis, das die Grundlage abgibt, um das Handeln zu motivieren und zum Tun entsprechend der Tora aufzurufen. Deshalb ist die ethische Unterweisung stärker deskriptiv als präskriptiv ausgerichtet und streng auf das kommende Ende und die Wende des Gerichts bezogen.

---

[40] *M. Limbeck*, Die Ordnung des Heils. Untersuchungen zum Gesetzesverständnis des Frühjudentums, Düsseldorf 1971, S. 72.

[41] Gegen *D. Rössler*, a.a.O. (Anm. 3), S. 45; zur Ausweitung des Toraverständnisses vgl. *J. Maier*, Geschichte der jüdischen Religion, Berlin 1972, S. 70 ff., 21 f.

2.6.2. Das Verhältnis von Eschatologie und Ethik im 1. Henoch

In allen bisher besprochenen Abschnitten des 1. Hen. ließ sich mit unterschiedlicher Deutlichkeit die Verknüpfung von ethischen und eschatologischen Aussagen nachweisen. Für den Apokalyptiker ist offenbar der eschatologische Rahmen notwendig, um ethisches Gedankengut überliefern zu können. Die Zuwendung zur Ethik beruht auf einer Geschichtskonzeption, die den Ursprung und die Faktizität des Bösen in der Welt ernst nimmt und zugleich dessen Überwindung durch Gott ins Auge faßt. Die dem Apokalyptiker erfahrbare Gegenwart verspricht keine Besserung, sondern Verschlimmerung, so daß auf die eschatologische Wende, die allein eine Änderung herbeiführen kann, die gesamte Ethik ausgerichtet ist. Das apokalyptische Weltbild, das Gott als den Schöpfer und Richter, seine Allmacht über den Verlauf der gesamten Geschichte und Endgeschichte sowie seine ausgleichende Gerechtigkeit voraussetzt, gibt mit seiner theozentrischen Ausrichtung den theologischen Rahmen für die Tradierung ethischer Aussagen ab, in den sich nun aus der prophetischen Tradition stammende Gattungen wie Theophanieschilderungen, Unheilsankündigungen, Weherufe und Berufungsvisionen sowie weisheitliches Traditionsgut[42] einordnen lassen. Nicht nur im Paränetischen Buch, auch in den charakteristischen Formen der apokalyptischen Literatur wie Himmelsreise, Visionsbericht bzw. visionäre Geschichtsdarstellung läßt sich ein bemerkenswertes Gefälle zur Ethik hin entdecken, auch astronomische und angelologische Erörterungen sind in diesem Zusammenhang zu nennen.

Die Reichhaltigkeit der im 1. Hen. enthaltenen Traditionen verschiedensten Alters und differierender religionsgeschichtlicher Provenienz erscheint unter diesem Blickwinkel nicht als Symptom „einer bizarren und zuchtlos phantastischen Form"[43]. Sie dienen der Verdeutlichung eines Gottes- und Geschichtsverständnisses, das eine ethische Konzeption ermöglicht, die das Handeln des Gerechten in einer bedrückenden Gegenwart im Blick auf das Eschaton motiviert. Zu diesem Zweck weist der Apokalyptiker auf visionär geschaute Realitäten hin, die jetzt oder in Zukunft vorhanden sind. Somit legt er seiner Paränese materielle Haftpunkte zugrunde. Diese Ethisierung kosmologischer Vorstellungen dient dem gegenwärtigen Erfahrbarmachen noch ausstehender Ereignisse. Der gleiche Gedanke bestimmt die typologische Betrachtungsweise, die vergangenes Geschichtshandeln als Vorabbildung des künftigen Handelns Gottes versteht.

In dem zugrunde liegenden Textbestand des 1. Hen. wurde die Handschrift eines Verfassers sichtbar, der als Kompilator vorgegebener Quellenstücke, die schon teilweise traditionell miteinander verknüpft waren, besonders durch die von ihm geschaffenen Textabschnitte die eschatologische Ausrichtung der einzelnen Traditionen verstärkt, das typologische Verständnis der Sintflut- bzw. Noahtraditionen deutlicher herausgestellt und damit auch die ethische Absicht dieser Apokalypse unterstrichen hat.

---

[42] Zu weisheitlichen Traditionen im Paränetischen Buch vgl. bes. 91,10; 98,1.3; 99,10; 100,6; 101,2 ff.8; 104,12.

[43] *W. Bousset – H. Greßmann*, a.a.O., S. 213.

Abschließend ist die Aufmerksamkeit auf Gesichtspunkte zu lenken, die nicht der Motivierung der Ethik dienen. So kommt Henoch als Vorbild ethischer Korrektheit kaum in den Blick; es wird nicht gesagt, daß er sich durch ein besonderes Tun als Empfänger himmlischer Offenbarungen empfohlen habe (anders 67,1 ff. bzw. 71,11 f.). Eine messianische Gestalt spielt im 1. Hen. abgesehen von den Bilderreden keine Rolle. Sie ist den Texten ohne eine ausdrückliche Profilierung der Funktion des Messias zugewachsen. Obschon das Ende unmittelbar bevorsteht, wird weder die kurze, noch verbleibende Zeit zur Motivierung des Tuns herangezogen noch die Verzögerung des Endes zum Thema der Erörterungen. Die Auferstehungslehre klingt nur am Rande an, die Erwartung der Auferstehung wirkt sich nicht wesentlich auf die Begründung der Paränese aus.[44] Ferner prägt die eschatologische Heilserwartung nicht den Inhalt der Mahnungen.

Insgesamt wird erkennbar, daß die apokalyptische Literatur nicht grundsätzlich neue Formen der Paränese schafft. Ihr Charakteristikum liegt in der Zuordnung verschiedener Traditionen, die neben dem spezifischen Gottes- und Geschichtsbild ein Verständnis von Ethik aus sich heraussetzen, das in einer für den Gerechten bedrückenden Gegenwart Hoffnung ermöglicht, weil es zum Ausharren und Handeln im Blick auf das Eschaton motiviert.

---

[44] Vgl. *K. Schubert*, a.a.O., S. 197; anders *G. Wied*, a.a.O., S. 71.

3. Jubiläenbuch

Das Jubiläenbuch ist in einer äthiopischen Übersetzung vollständig überliefert. Diese ist auf eine griechische Übersetzung des hebräischen Originals zurückzuführen, da die in Qumran gefundenen hebräischen Fragmente die These eines griechischen Originals[45] hinfällig machen. Neuere Versuche, einzelne Abschnitte des Jub. als spätere Erweiterungen zu erweisen bzw. verschiedene Schichten einer redaktionellen Bearbeitung herauszukristallisieren[46], sind nicht hinreichend überzeugend, so daß die Einheitlichkeit des Jub. vorausgesetzt wird. Für die Datierung dieser Schrift wird in der Literatur die frühe Makkabäerzeit, sogar die frühe nachexilische Zeit sowie die Zeit der Herrschaft Joh. Hyrkans oder wenig später genannt.[47] Da Jub. mit großer Wahrscheinlichkeit nicht in Qumran entstanden ist, sondern in die Qumranbibliothek übernommen wurde, ist die Abfassung um bzw. vor 150 v. Chr. anzusetzen, denn Jub. 23,21–23 hat als ein frühes Zeugnis antihasmonäischer Polemik (ab Jonathan) zu gelten.[48]

Auch in neuerer Zeit ist bestritten worden, Jub. als Apokalypse zu bezeichnen, aber die Argumente sind nicht durchschlagend. In der Tat ist diese Schrift „un ouvrage de genre composite"[49], da sie unterschiedliche Gattungen umfaßt, so z. B.

---

[45] So *A. Büchler*, Studies in the Book of Jubilees, REJ 82 (1926), S. 253–274, bes. S. 265 ff.

[46] *M. Testuz*, Les idées religieuses du Livre des Jubilés, Paris 1960, S. 39 ff., weist 1,7–25.28; 23,11–32; 24,28b–30 einem späteren Redaktor zu. *G. L. Davenport*, The Eschatology of the Book of Jubilees, Leiden 1971, unterscheidet eine Grundschrift (2,1–50,4; Anfang des 2. Jh. v. Chr.) von einem Redaktor R₁ (1,4b–26.29; 23,14–31; 50,5; 166–160 v. Chr.) sowie R₂ („the sanctuary-oriented redaction", 1,27.28.29c; 1,10b.17a; 4,26; 23,21; 31,14; 50,6–13; 140–104 v. Chr.), ebd. S. 10 ff., 72 ff. u. ö.

[47] Vgl. neben den genannten Einleitungen (Anm. 9) *M. Testuz*, a.a.O., S. 25 ff.; *H. H. Rowley*, Apokalyptik. Ihre Form und Bedeutung zur biblischen Zeit, Einsiedeln ³1965, S. 80 ff.

[48] Vgl. *K. Schubert*, a.a.O., S. 194 Anm. 65; vgl. ferner *B. Noack*, Qumran and the book of Jubilees, Svensk Exegetisk Årsbok 12/13 (1957/58), S. 191–207; *R. Deichgräber*, Fragmente einer Jubiläenhandschrift aus Höhle 3 von Qumran, RQ 5 (1965/66), S. 415–422; *M. Baillet*, Remarques sur la manuscrit du livre des Jubilés de la Grotte 3 de Qumran, ebd., S. 423–433; *J. T. Milik*, Fragment d'une source du Psautier (4Q Ps 89) et fragments des Jubilés, du Document de Damas, d'un Phylactère dans la Grotte 4 de Qumran, RB 73 (1966), 94–106; *A. S. van der Woude*, Fragmente des Buches Jubiläen aus Qumran Höhle XI (11Q Jub), in: Tradition und Glaube, Festgabe K. G. Kuhn z. 65. Geb., hrsg. v. *G. Jeremias, H.-W. Kuhn, H. Stegemann*, Göttingen 1971, S. 140–146.

[49] *M. Testuz*, a.a.O., S. 12; gegen die Zuordnung des Jub. zu den Apokalypsen vgl. *D. Rössler*, a.a.O., S. 44; *B. Noack*, Spätjudentum und Heilsgeschichte, Stuttgart 1971, S. 39; *K. Koch*, a.a.O. (Anm. 1), S. 31 u. Anm. 43; kritisch hierzu *A. Nissen*, a.a.O., S. 246 Anm. 6; *J. G. Gammie*, Spatial and Ethical Dualism in Jewish Wisdom and Apocalyptic Literature, JBL 93 (1974), S. 356–385, bes. S. 369; vgl. *D. S. Russell*, a.a.O., S. 54: „Jubilees is not, strictly speaking, an apocalyptic book; but it belongs to the same milieu."

Abschiedsreden, Belehrungen, gesetzliche Bestimmungen sowie chronologische
Angaben zur Gliederung des Buches. Auch wenn sich nicht alle in der exegetischen Literatur für die apokalyptischen Schriften postulierten Gattungsmerkmale
in Jub. wiederfinden lassen, so legen der Rahmen, die Zuordnung, Verknüpfung
und eschatologische Ausrichtung der einzelnen übernommenen Traditionen, ferner
das Offenbarungs- und Traditionsprinzip nahe, diese Schrift der apokalyptischen
Literatur zuzurechnen. Die Abhängigkeit von der biblischen Vorlage macht es unmöglich, Jub. als Apokalypse im strengen Sinne zu bezeichnen, jedoch gehört auch
diese Schrift zu der in apokalyptischen Kreisen entstandenen Literatur. Der Vergleich mit Beispielen der jüdischen Auslegungstradition zeigt, daß Jub. eine (nicht
die) für die Apokalyptik typische Auslegungsform eines biblischen Textes darstellt,
die auf ihre Aussagen zur Ethik und zur Eschatologie befragt werden soll.

3.1. Die Mosetradition und die Tafeln des Himmels

3.1.1. *Die Vorstellung von den Tafeln des Himmels als Hinweis auf das Anliegen und die Theologie des Jub.*

Jub. stellt eine Rede Gottes dar, der Mose auffordert, den Berg zu besteigen und
die Gesetzestafeln entgegenzunehmen. Dann erzählt ihm der Engel des Angesichts
die Geschichte vom Anfang der Schöpfung (2,1 ff.) bis zur Gesetzesübergabe an
Mose (50,1 ff.). Der im wesentlichen chronologisch voranschreitende Bericht von
der Urgeschichte, den Erzvätern und den Ereignissen in Ägypten, der im Vergleich zur biblischen Vätertradition Korrekturen, Erweiterungen und Auslassungen aufweist, ist durch das Einleitungskapitel mit seiner Überschrift der Mosetradition untergeordnet, auf die das Buch hinsteuert.
Mit der Übergabe der von Gott geschriebenen Gesetzestafeln, die Jub. 1,1–4a in
Anlehnung an Ex. 19,1; 24,12 ff. berichtet, ist über die Vorlge hinausgehend eine
visionäre Belehrung über die „früheren und künftigen Worte der Einteilung aller
Tage des Gesetzes und des Zeugnisses" (V. 4b) verbunden. Die Gesetzesübergabe
schließt im Jub. also auch die Offenbarung vergangener und künftiger Geschichte
ein, über die Mose das Volk belehren soll, damit es bei seinem künftigen Frevel die
bleibende Heilszuwendung Gottes erkennt (V. 5 ff.). Entsprechend versteht die
Überschrift das Buch als „Worte der Einteilung der Tage des Gesetzes und des
Zeugnisses". Diese geprägte Wendung, an die sich eine für Jub. typische Reihung
von Zeitangaben anschließt (1,26.29; 6,34; 50,13 u. ö.), ist in V. 4b mit der Formel „was war und was sein wird" verbunden, „durch die ein Geschichtsausblick
zusammengefaßt werden kann"[50]. Der Überschrift und den einleitenden Versen
zufolge empfängt Mose mit den Gesetzestafeln einen visionären Einblick in die
vergangene und künftige Geschichte. Die Offenbarung bezieht sich also auf das
Gesetz und auf die Geschichte.
Jub. 1,26 als Abschluß der Gottesrede stellt eine Kombination von 1,4 mit der
Überschrift dar. Während in der Überschrift die Kalendereinteilung „in allen Jah-

---

[50] Vgl. *E. Rau*, a.a.O., S. 363 bzw. S. 388 f. zu Jub. 4,19.

ren des Olam" gilt, hat diese nach 1,26 „bis in den Olam" Gültigkeit. Damit erstreckt sich die Einteilung der Zeit nicht nur auf den Bereich der erfahrbaren Geschichte, sondern auch auf deren Ende. Auch in der Fortsetzung V. 27 f. geht es um die Gültigkeit der Zeiteinteilung „vom Anfang der Schöpfung" bis zum Eschaton. Anschließend berichtet 1,29 im Rückgriff auf V. 4.26 f., daß der Engel des Angesichts die „Tafeln der Einteilung der Jahre von der Schöpfung des Gesetzes und des Zeugnisses an" nimmt.

Dem Einleitungskapitel zufolge versteht sich das Jub. als Offenbarung der vergangenen und künftigen Geschichte von deren Anfang bis zum Ende. Die Offenbarung von kalendarischem (d. h. in der Interpretation von Jub. geschichtlichem) Wissen und damit verbundenem ethischem Wissen, da das Verlassen der auch ethisch zu verstehenden Ordnung Gottes Auswirkungen auf das Ergehen hat (V. 5 ff.), geht auf Mose zurück. Trotz der Variabilität der Aussagen, mit denen besonders V. 26 ff. das Endheil beschrieben wird, koinzidiert dieser genannte Inhalt der bis zum Eschaton gültigen Offenbarung. Charakteristisch ist dabei jeweils der Rekurs auf die Tafeln des Himmels, der auch in 2,1 ff. häufig begegnet. Dies zeigt, daß mit der Vorstellung von den Tafeln des Himmels eine für das Jub. wesentliche theologische Konzeption verbunden ist.

Die Identifikation der Steintafeln des Mose und der Tafeln des Himmels stellt dabei eine wesentliche Voraussetzung dar, denn die Überschrift nennt zunächst die „Tafeln des Gesetzes und des Gebotes", während 1,1 im Anschluß an die atl. Mosetradition ausdrücklich von Steintafeln spricht (vgl. Ex. 24,12 u. ö.). Während sich 1,29 auf die „Tafeln der Einteilung der Jahre" bezieht, begegnet sonst im Jub. die Wendung „Tafeln des Himmels". Gemäß Jub. 6,17 ff., einer zusammenfassenden Belehrung über die kalendarische Ordnung unter Bezug auf die Tafeln des Himmels, kommt den Tafeln des Himmels die gleiche Funktion zu wie den mosaischen Steintafeln, nämlich das Bewahren der kalendarischen Ordnung als Heilssetzung Gottes für kommende Zeiten, um dann die Frevler, die diese Ordnung übertreten, ihres Tuns zu überführen (vgl. 6,32.35 mit 1,5 f.). Der Offenbarungscharakter der Tafeln des Himmels ist ein Hinweis auf die Verbindung dieser Vorstellung zur Mosetradition. Zugleich wird eine Brücke zur Vätertradition geschlagen, in der den himmlischen Tafeln eine große Bedeutung zukommt.

Der Inhalt der Offenbarung auf den Tafeln des Himmels umfaßt a) gesetzliche Bestimmungen, also kultische, kalendarische sowie ethische Anweisungen, ferner b) einzelne Ereignisse vergangener oder künftiger Geschichte. Zu nennen sind die Festsetzung des Namens für Isaak (16,3), ferner Aufzeichnungen, die das kommende Gericht (5,13 ff.), die Nachkommen Lots (16,9) und die Kittim (24,33) betreffen. Auf den Tafeln ist das künftige Geschick Jakobs und seiner Söhne „in alle Ewigkeiten" festgehalten (32,21), ferner die Worte des eschatologischen Ausblicks zum Zeugnis für „ewige Generationen" (vgl. 23,32 mit V. 11 ff.). Die Tafeln des Himmels verbürgen also die bleibende Gültigkeit der auf die künftige Geschichte oder auf das Eschaton bezogenen Offenbarung.

Die Tafeln des Himmels verzeichnen schließlich c) die Taten der Menschen entsprechend ihrer Stellung zu Gott und zu seinem geoffenbarten Willen. Abraham ist beispielsweise auf den Tafeln als Freund Gottes eingeschrieben (19,9). Segnungen bzw. Unheilsproklamationen richten sich nach den Aufzeichnungen auf den Tafeln (vgl. 5,13; 24,33; 30,19 ff.; 31,32). Dieses Verständnis der Tafeln des Himmels im Sinne von Tatenbüchern entspricht dem, was sonst im Judentum an Traditionen über die himmlischen Bücher begegnet (vgl. 30,22). Zu den Voraussetzungen der Theologie des Jub. gehört, daß im Gegensatz zum AT die synthetische Lebensauffassung zerbrochen ist. Der Hinweis auf die Tafeln des Himmels bzw. auf die himmlische Buchführung garantiert, daß das positiv oder negativ zu bewertende Tun des Menschen auch tatsächlich die Grundlage des Gerichts auf Grund des auf den Tafeln verzeichneten Strafmaßes bildet (vgl. 4,6; 28,6b; 39,6). Mit der Vorstellung der Tafeln des Himmels wird also der Tun-Ergehen-Zusammenhang wiederhergestellt. Die Tafeln verbürgen nicht nur die bleibende Geltung der Offenbarung, sondern auch die bis zum Gericht bleibende Geltung des Tuns des Menschen.

Der Überblick zum Inhalt der auf den Tafeln des Himmels enthaltenen Offenbarungen zeigt, daß es sich hier sowohl um halachische (vgl. a) als auch um haggadische (vgl. b und c) Traditionen handelt. Die Offenbarungen erstrecken sich auf Ethisches wie Geschichtliches, wobei Geschichte wesentlich unter dem Blickwinkel der Entsprechung bzw. Nichtentsprechung zu den gesetzlichen Anordnungen der Tafeln gesehen wird. Die Herkunft von geschichtlicher und ethischer Offenbarung aus der gleichen Offenbarungsquelle, nämlich den Tafeln, spricht gegen die herkömmliche These von der Normierung der Ethik (Halacha) und Freigabe der „Dogmatik" (Haggada) im Frühjudentum. Die umfassende Weise, mit der in Jub. die Tafeln des Himmels die Grundlage der gesamten Offenbarung als auch der Aufzeichnung des Tuns der Menschen bilden, ist in der frühjüdischen Literatur singulär.[51] Der Hinweis auf die Tafeln soll diese für das Eschaton relevanten Offenbarungen zur Ethik und zur Geschichte (als Raum der ethischen Bewährung) autorisieren.

Das Traditionsverständnis im Zusammenhang mit den Tafeln des Himmels ist nicht nur für die Legitimierung der Offenbarung wichtig, sondern auch für die Autorisierung des mit der Offenbarung einsetzenden Traditionsvorgangs. Im Jub. wird berichtet *a)* daß Gott die Tafeln beschrieben hat und Mose übergibt (1,1); *b)* daß Mose den gezeigten Inhalt der Tafeln für kommende Generationen aufzeichnen soll (1,5.7a vgl. 26); *c)* daß ein Engel die Tafeln schreibt (1,27–2,1 vgl. 50,13) und ihren Inhalt Mose kundtut, damit er ihn seinerseits aufschreibe (23,32; 33,18 u. ö.).

Angesichts der Variationsbreite der angeführten Vorstellungen vom Aufschreiben lassen sich die einzelnen Varianten kaum je verschiedenen Quellen bzw. Redaktoren zuweisen.[52] Es geht in erster Linie nicht um die Person des Schreibenden, sondern um die Authentizität des Geschriebenen. Damit wird aber zugleich der Tradent der Offenbarung selbst legitimiert, so daß Mose als legitimer Tradent legitimierter Tradition erscheint, da er den Auftrag zur Belehrung kommender Gene-

---

[51] Vgl. *F. Nötscher*, Himmlische Bücher und Schicksalsglaube in Qumran, in: Vom Alten zum Neuen Testament, Ges. Aufs. (Bonner Biblische Beiträge 17), Bonn 1962, S. 72–79; ferner *R. Eppel*, Les tables de la loi et les tables célestes, RHPhR 17 (1937), S. 401–412 (Unterschiede zu rabb. Denken).

[52] Vgl. *E. Rau*, a.a.O., S. 368; anders *G. L. Davenport*, a.a.O., passim.

rationen erhielt (vgl. 1,1; 6,13.20.32.38; 15,28; 28,7; 30,11.21; 33,13 u. ö.).
Instruktiv ist in diesem Zusammenhang 32,21–29: Jakob werden in einer Vision
sieben Tafeln gezeigt. Er erhält ausdrücklich den Auftrag zum Aufschreiben des
Gesehenen und Gelesenen. Daran wird deutlich, daß der Verweis auf die Tafeln
des Himmels Visionsberichte ersetzen kann, weil das Wissen des Inhalts der Tafeln
auf eigene Visionen des Tradenten bzw. auf Belehrungen durch Gott oder einen
Engel zurückgeht. Ferner läßt sich an der Betonung des Aufschreibens ablesen,
daß der Autorisierung dieser Überlieferungen als von Gott herstammend großes
Gewicht zukommt. Die Tafeln des Himmels und die zahlreichen im Jub. genannten, von Offenbarungsempfängern verfaßten Bücher[53] stehen demnach in einer
engen Beziehung, an reale Bücher ist dabei nicht zu denken. Bemerkenswerterweise läßt sich das hier dargestellte Offenbarungs- und Traditionsverständnis in allen
Teilen des Jub. nachweisen, so daß sowohl das Einleitungskapitel für sich wie auch
im Zusammenhang mit 2,1 ff. als ein einheitliches Ganzes gelten kann.

3.1.2. Die Bedeutung der Tafeln des Himmels für die ethische Unterweisung

Die mit den Tafeln des Himmels verbundenen Traditionen haben auch für das
Verständnis der Ethik im Jub. eine große Bedeutung, da die Tafeln häufig der darauf angeordneten Gebote wegen erwähnt werden. Der formale Aufbau dieser Abschnitte ist meist gleich: Es wird entweder von einem Tun Gottes berichtet, so die
Bekleidung Adams (3,30 f.) oder das Setzen des Regenbogens (6,16 ff.), oder ein
vorbildliches bzw. nicht zu billigendes Verhalten eines der Patriarchen wird erwähnt (16,21 ff.; 18,18 f.; 32,37 ff.; 34,17 ff.; 28,2 ff.; 32,9 ff. bzw. 4,31 f.;
30,1 ff.; 33,2 ff.; 41,23 ff.). Jeweils schließt sich der Hinweis an, daß dieses Ereignis oder Tun einem Gebot ent- (bzw. wider-)spricht, das darum auf den Tafeln des
Himmels verzeichnet sei. Die gesetzliche Bestimmung wird also jeweils mit einer
Begründungspartikel angefügt (3,10.31; 4,32; 6,17; 16,29; 34,18 u. ö.).
Diese Hinweise auf die Anordnungen in den Tafeln des Himmels unterbrechen jeweils den Fortgang im Erzählungszusammenhang. Ihr Umfang richtet sich nach
der Anzahl und Ausführlichkeit der zu nennenden gesetzlichen Bestimmungen, so
daß die Einschübe in einfachster Form (z. B. 3,30 f.; 18,18 f.) oder als in sich geschlossene, durch Einleitung und Schluß vom Kontext deutlich abgehobene Einheiten begegnen (3,10–14; 32,10–15). Sowohl in den einfacheren als auch in den
reicher ausgestalteten Einschüben finden sich gleichartige Formulierungen über die
ewige Geltung des Gesetzes (2,33; 3,14; 6,14; 16,30 u. ö.), ferner der Auftrag an
Mose, das Volk in diesem Gesetz zu unterweisen.[54]

---

[53] Als Verfasser werden genannt Mose, Noah (10,13), Jakob (45,16), vgl. Henoch (4,19.21) bzw. die
„Worte Abrahams" (39,6 bzw. 22,16; 25,5), ferner die Erwähnung des „Buches der Vorväter", der
„Worte Henochs" bzw. Noahs (21,10). Zu 32,21 ff. vgl. E. Rau, a.a.O., S. 364.

[54] Einige gesetzliche Bestimmungen sind nicht mit einem ausdrücklichen Hinweis auf die Tafeln des
Himmels verbunden. Da jedoch die gleichen Formelelemente wie bei den oben genannten Einschüben begegnen, sind auch diese Abschnitte in diesem Zusammenhang zu berücksichtigen (vgl. 3,8;
2,25 ff.; 6,12 ff.; 13,25 f.). E. Rau, a.a.O., S. 375, spricht von einer „mosaischen Theorie", die auch
diesen Abschnitten zugrunde liege.

Die Nennung der Tafeln des Himmels im Zusammenhang mit den gesetzlichen Bestimmungen schafft eine Korrelation zwischen der geschichtlichen Verwirklichung
des Gebotes durch einen der Patriarchen und dem himmlischen Urbild dieses Gebotes, das ewige Gültigkeit besitzt und darum von Mose an Israel weitergegeben
werden soll. Das Entsprechungsverhältnis von Urbild und Abbild zeigt sich darin,
daß das Wochenfest im Himmel begangen wurde, ehe Noah es einführte (6,18).
Die Engel hielten im Himmel Sabbat, ehe die Sabbatgebote den Menschen gegeben
wurden (2,30). Im Zusammenhang mit dem Beschneidungsgebot wird erwähnt,
daß die Engel seit Anfang der Schöpfung ebenfalls beschnitten sind (15,27). Diese
Urbild-Abbild-Korrelation bewirkt die geschichtliche und kosmische Verankerung
der gesetzlichen Bestimmungen, die der göttlichen Einteilung und Ordnung für
den Kosmos und die Geschichte entsprechen und daher nicht der Zufälligkeit,
schriftgelehrter Auseinandersetzung oder menschlicher Übereinkunft entstammen.
Die Einschübe mit gesetzlichen Bestimmungen unterbrechen zwar den Erzählungszusammenhang, die Aufforderung an Mose zur Belehrung Israels schlägt jedoch den Bogen zur Mosetradition im Rahmen von Jub. (1,1 ff. bzw. Kap. 47–50).
Die Vätertradition unterstreicht durch die Urbild-Abbild-Korrelation sowie durch
die vormosaische Geltung der gesetzlichen Bestimmungen deren besonderes Alter
und deren Dignität. Die Mosetradition hingegen ist wichtig für die Weitergabe der
Vätertradition: Sie macht die Vätertradition tradierbar, indem Mose, der im Judentum als Tradent par excellence gilt (vgl. Test. Mos.; 4. Esra 14,3 ff.; 2. Bar. 59),
als Garant der Überlieferung erscheint.
Diese „Mosaisierung" der Vätertraditionen mag man traditionsgeschichtlich als
sekundär bezeichnen.[55] Für die Mosetraditionen läßt sich aber keine eigene Quelle
postulieren, da sie derart in die Vätertraditionen verwoben sind, daß sie ohne diese
nicht existieren können. Die Vätergeschichte ist ihrem Ursprung nach ein Para-
digma für Gehorsam und Ungehorsam den Gesetzen der Tafeln des Himmels gegenüber. Diese Bestimmungen werden durch die Mosetradition hinsichtlich ihrer
Weitergabe zusätzlich autorisiert.
Die Einschübe mit den gesetzlichen Bestimmungen nennen nicht allein deren Inhalt, sondern zugleich Lohn und Strafe bei Beachtung bzw. Mißachtung sowie die
Anordnung der Strafe im Himmel (30,5 u. ö.). Die Tafeln des Himmels enthalten
also nicht nur die Ordnung der Gebote, sondern auch die Ordnung des kommenden Gerichts entsprechend dem Tun der Gebote. Teilweise läßt die Terminologie
bei einigen Ankündigungen von Strafe bzw. Segen auf den ersten Blick an ein in-
nergeschichtliches Gericht denken (vgl. 4,31; 30,6; 2,27 f.). Die Stellung im Kontext zeigt jedoch, daß auch diese Aussagen auf einen eschatologischen Verstehens-
horizont tendieren.
Die Verbindung der Gerichtsvorstellung mit den Tafeln des Himmels wird besonders deutlich in Jub. 5,13 ff., wo das Flutgericht als Typos des Endgerichts verstanden wird. Ähnlich ist es mit dem Gericht über Sodom und Gomorrha
(16,5 ff.), zumal auch andernorts im Jub. das eschatologische Gericht mit dem Er-

---

[55] Vgl. *E. Rau*, a.a.O., S. 373 bzw. 376.

gehen Sodoms parallelisiert wird (vgl. 36,10; 22,22; ferner 20,5). Das Gericht gilt als Folge des Gebotes in den Tafeln des Himmels (16,9 vgl. 5,13 ff.; 24,28 ff.; 36,10). Mit der Offenbarung der gesetzlichen Bestimmungen ist also auch die Offenbarung deren eschatologischer Relevanz verbunden. Daher ist nicht möglich, die Abschnitte mit den gesetzlichen Stoffen im Zusammenhang mit den Tafeln des Himmels von den Abschnitten zu trennen, in denen im Rückgriff auf die Tafeln des Himmels eschatologische Sachverhalte zur Sprache kommen. Es liegt ein geschlossener Vorstellungszusammenhang vor. Die Tafeln enthalten also sowohl Gesetzes- als auch Geschichtsoffenbarung, wobei deren ethische und eschatologische Akzentuierung deutlich hervortritt: Die Tafeln des Himmels führen die eschatologische Relevanz der Gesetze vor Augen, die geschichtlich im Leben der Patriarchen sowie kosmisch in der auf den Tafeln des Himmels festgehaltenen göttlichen Ordnung verankert sind. Der Hinweis auf die besondere Offenbarung durch die Tafeln des Himmels unterstreicht die Zusammengehörigkeit der geschichtlichen, eschatologischen und ethischen Offenbarung. Daraus erhellt auch die hohe Bedeutung der Tafeln des Himmels für die ethische Unterweisung.

Mit der Vorstellung von den Tafeln des Himmels ist für das Jub. eine umfassende theologische Grundkonzeption verbunden, die auf Grund besonderer Offenbarungen die unlösbare Zusammengehörigkeit von Eschatologie und Ethik herausstellt. Keine der beiden Komponenten ist von der anderen zu trennen, da sie im gleichen, mit den Tafeln des Himmels begründeten Offenbarungsgeschehen wurzeln. Diese Zusammengehörigkeit ist für das Verständnis der Ethik im Jub. konstitutiv.

3.2. Die Vätertradition im Jubiläenbuch

3.2.1. Die Bedeutung der Patriarchenerzählungen für die ethische Belehrung

Die normative Bedeutung der Vätertraditionen läßt sich daran ablesen, daß mit dem Leben der Patriarchen die Proklamation der gesetzlichen Bestimmungen verbunden ist und die Patriarchen als erste die von Mose überlieferten Gesetze entsprechend den Tafeln des Himmels verwirklichen. Um die Patriarchen in dieser Weise als vorbildlich herauszustellen, nimmt Jub. im Vergleich zur Pentateucherzählung zahlreiche Veränderungen als Erweiterungen oder Auslassungen vor. Neben *Noah*, der nichts von dem ihm Gebotenen außer acht ließ (5,5.19; 10,17), werden *Henoch* und *Abraham* als Vorbilder genannt. Abraham beachtete zuerst die Festordnung (16,21.28). Er betet um Befreiung von den zur Sünde verführenden Geistern (12,19 f.). Die als haggadische Ergänzung zu bezeichnende Erzählung über Abrahams Jugend berichtet seine Feindschaft gegen fremde Götter (11,16–24 vgl. 23,9). Im Vergleich zu Gen. 19,4–6 fehlt die Fürbitte Abrahams für die Leute von Sodom, da das dem typologischen Verständnis des Gerichts über Sodom und der im Jub. geforderten Abgrenzung von den Heiden widerspräche. Auch die Darstellung des Motivs der „Gefährdung der Ahnfrau" zeigt besonders im Vergleich zu 1Q GenAp XIX,8–XXI,4, daß im Jub. alles Anstößige gemildert oder getilgt wird. Die Darstellung des vorbildlichen Lebens *Jakobs*, das besonders in der Selbstcharakteristik anklingt (25,4–10), retuschiert im Vergleich zur Genesis besonders die Erzählung vom Erstgeburtssegen.[56] *Joseph* wird ebenfalls als Vorbild hingestellt, indem einzelne Erzählungszüge die Schwere der Versuchung durch Potiphars Weib hervorheben (bes. 39,8 f.). Andererseits wird der Traum Josephs, der die mindere Achtung der Brüder beinhaltet, ausgelassen, um die Söhne Jakobs als Stammväter Israels nicht in ungünstigem Licht erscheinen zu lassen (vgl. Gen. 37,2 ff.). Ferner verschweigt Jub. 43,10, daß Joseph aus dem Becher wahrsagt (vgl. Gen. 44,5.15). Hingegen wird hervorgehoben, daß sich Joseph an Gott und die von den Vätern überlieferten Worte erinnert (Jub. 39,6 f.) und selbst der himmlischen Strafordnung untersteht.

Da die Patriarchen in Übereinstimmung mit den Geboten leben, wird an ihnen der Segen Gottes sichtbar, der als Hinweis auf das eschatologische Heil gelten kann.[57] Es geht nicht lediglich um erbauliche Erzählung, sondern um die Vermittlung von Aussagen zu den Forderungen der Ethik. Dieser im Vergleich zur Genesis signifikanten Ethisierung tritt eine Eschatologisierung an die Seite (vgl. bes. 39,6), da die Patriarchen selbst der himmlischen Strafordnung unterstehen und in ihren Mahnreden die eschatologische Relevanz der (an ihrem Leben ablesbaren) Mahnungen darlegen.

3.2.2. Die Mahnreden der Patriarchen

Innerhalb des Jub. nehmen die Mahnreden der Patriarchen einen wichtigen Platz ein. Sie sind näher spezifiziert als Segens- bzw. Abschiedsrede und weisen traditionsgeschichtlich auf die weisheitliche Lehrrede, die in der frühjüdischen Literatur bevorzugt in die zur Tradition verschiedenartigen Materials geeignete Form der Abschiedsrede gekleidet ist. Die Beliebtheit der Abschiedsreden im Jub. zeigt sich darin, daß sie über die Genesisvorlage hinausgehend hinzugefügt wurden.[58]

Bei der Gattung *„Abschiedsrede"* ist zwischen dem Rahmen und der Abschiedsrede im engeren Sinne zu unterscheiden. Im Rahmen wird meist einleitend der Tod des Redenden angekündigt (Jub. 22,1; 21,1.7; 31,4; 35,6; 36,1). Abschließend steht

---

[56] Vgl. 24,2 f. als rationalisierende Begründung durch Erzählung des in Gen. 26,1 Berichteten vor Gen. 25,29; vgl. Gen. 27,19 mit Jub. 26,13; Gen. 27,24 mit Jub. 26,19; dazu bes. *F. Martin*, Le livre des Jubilés, RB 8 (1911), S. 321–344. 502–533, bes. S. 327 ff. Die Auslassung von Anstößigem im Leben der Patriarchen interpretiert *M. Hughes*, a.a.O., S. 50 f., als „a certain moral sensitiveness".

[57] Vgl. die Segnung Abrahams (12,23 f.; 14,5; 15,6 ff.), Isaaks (15,19; 21,24; 24,10 f.), Jakobs (19,21 ff.; 22,11 ff.; 25,16 ff.; 27,23; 32,17 ff.), Levis (31,13 ff.), Judas (31,18 ff.).

[58] Vgl. bes. Jub. 20,9b f.; 21,25; 22,11b–15.23 f.; 31,13–22; vgl. 45,14; ferner 25,11–23 sowie dazu Gen. 28,1–4. Vgl. *B. Lang*, Die weisheitliche Lehrrede. Eine Untersuchung von Sprüche 1–7 (SBS 54), Stuttgart 1972; *H.-J. Michel*, Die Abschiedsrede des Paulus an die Kirche Apg. 20,17–28 (StANT 35), München 1973 S. 48–57; *J. Munck*, Discours d'adieu dans le Nouveau Testament et dans la littérature biblique, in: Aux sources de la tradition chrétienne, Mélanges offerts à M. Goguel, Neuchâtel 1950, S. 155–170; *P. Weimar*, Formen frühjüdischer Literatur, in: Literatur und Religion des Frühjudentums, hrsg. v. *J. Maier* u. *J. Schreiner*, Würzburg 1973, S. 117–162; ferner *J. Becker*, Untersuchungen zur Entstehungsgeschichte der Testamente der Zwölf Patriarchen, Leiden 1970, S. 158 ff., *H. P. Aschermann*, Die paränetischen Formen der „Testamente der zwölf Patriarchen" und ihr Nachwirken in der frühchristlichen Mahnung, Diss. theol. Berlin 1955, S. 1–24.

die Todesnotiz bzw. ein Hinweis auf die Bestattung oder Entrückung (Jub. 23,1; 35,27; 36,18 u. ö.). Bei der Abschiedsrede i. e. S. wird der Einfluß der weisheitlichen Lehrrede besonders deutlich. Am Beginn begegnet die Aufforderung zum Hören (vgl. 4. Esra 14,28; 2. Bar. 31,3; 1. Hen. 91,3 u. ö.). Der sich anschließende Lebensrückblick gibt auf Grund des Berichteten häufig die Stichworte für die Paränese an die Hand (vgl. bes. Test. XII, ferner Jub. 21,2.3). Die folgenden Mahnungen sind oft verbunden mit Rückblicken auf die bisherigen Taten Gottes, mit einem Hinweis auf die Untreue oder Bestrafung des Volkes (z. B. Jub. 20,5–8). Mahnungen allgemeinen Charakters werden entweder durch konkrete Einzelmahnungen näher erläutert oder mit Heils- bzw. Unheilsankündigungen bei Befolgung bzw. Nichtbefolgung motiviert. In diesem Zusammenhang sind auch die Segensverheißungen zu erwähnen (z. B. Jub. 20,10; 21,24 f.; 22,10 ff.). Das sog. Ausblickswort thematisiert in Form einer kleinen, in sich geschlossenen eschatologischen Belehrung die mit der Heils- oder Unheilsankündigung verbundenen eschatologischen Erwartungen (vgl. Jub. 36,9 ff.; 45,14; 21,21 u. ö.).

Die Beliebtheit von Abschiedsreden in einer größeren literarischen Einheit sowie von Testamenten, wenn also die Abschiedsrede mit ihrem Rahmen eine in sich geschlossene, selbständige literarische Einheit darstellt, erklärt sich daher, daß im Rückgriff auf atl. bzw. weisheitliche Vorbilder eine Form gefunden wurde, in der von der Erzählungssituation her (vgl. Jub. 45,14) sowohl ethische als auch eschatologische Belehrungen ihren Platz finden, die als Vermächtnis der scheidenden Väter eine besondere Dignität beanspruchen.

Einzelne Elemente der weisheitlichen Lehrrede, z. B. der Hinweis auf die Folgen weisen oder unweisen Verhaltens (vgl. u. a. Prov. 1,17 f.; 2,21 f.; 3,32 ff.), begegnen nun in einem eschatologischen Kontext und sind auf das apokalyptische Geschichtsbild bezogen, wie die Begründungen der Mahnungen bzw. das Ausblickswort erweisen. Die Abschiedsrede bringt daher die für die Apokalyptik wesentliche Verbindung von ethischer und eschatologischer Belehrung deutlich zum Ausdruck.

Die Mahnrede Noahs (Jub. 7,20–39) wird charakterisiert als Belehrung über „die Ordnungen und die Gebote und alles Recht" (V. 20). Dieses Anliegen konkretisieren die Mahnungen zum Bedecken der Nacktheit, zur Elternehrung und zur Nächstenliebe sowie die Warnung vor sexuellen Vergehen in einer dekalogartigen Zusammenstellung von Geboten. Mahnungen allgemeiner Art (V. 20.34), konkrete Gebote (20b.28 ff.36 ff.) sowie geschichtliche (21 ff.) und eschatologische Belehrungen (26b ff.29) lösen in loser Folge einander ab. Die einleitende Charakteristik der Belehrung Noahs als Unterweisung über „die Ordnungen, die Gebote und alles Recht" (V. 20) steht offenbar als „Kurzformel" für die verschiedenen thematischen Bereiche dieser Paränese: für allgemeine und konkrete Mahnungen sowie geschichtliche und eschatologische Belehrung. Da Mahnungen sozialen Charakters wie auch kultischer Ausrichtung begegnen, wird die Einheit von kultischen und sozialen Geboten erkennbar (vgl. V. 20 mit 28 ff.36 ff.).[59]

---

[59] Wenn man nicht nur 7,20, sondern die gesamte Mahnrede betrachtet, läßt sich hinsichtlich dieses Textes kein Gegensatz von kultischen und sozialen Geboten entdecken noch die These erhärten, daß im Judentum der Nomos-Begriff vorwiegend sozial geprägt sei (vgl. *K. Berger*, Die Gesetzesauslegung

Die Mahnrede Abrahams (Jub. 20,2–10) entfaltet die Mahnung, den Weg Gottes einzuhalten, als Mahnung zu Gerechtigkeit, Nächstenliebe, Beschneidung und Warnung vor sexuellen Vergehen. Die geschichtliche Belehrung über das Gericht über die Riesen und die Bewohner von Sodom (V. 5 f.) sowie die abschließende Segensankündigung (9 f.) läßt die eschatologische Thematik anklingen. Wie in 7,21 ist in V. 5 f. die Warnung vor Unzucht mit dem Engelfall in Verbindung gebracht. Insgesamt zeigt auch diese Mahnrede die Verquickung von allgemeinen Mahnungen, deren Konkretisierung in Einzelgeboten, geschichtlicher und eschatologischer Belehrung.

Die Abschiedsrede Abrahams an Isaak (Jub. 21) konkretisiert die Mahnung zum Einhalten von „Gottes Gebot, Ordnung und Gericht" als Warnung vor Götzendienst und Blutgenuß, wie aus dem einleitenden biographischen Rückblick hervorgeht (V. 2 ff.5 f.). Die folgenden Opfervorschriften, die auf dem AT beruhen, zeigen gravierende Differenzen zu sadduzäischen bzw. pharisäisch-rabbinischen Bestimmungen.[60] Der eschatologische Ausblick als Weissagung künftigen Frevels, die mit einem betonten „ich sehe" eingeleitet wird (V. 21; vgl. 7,26b.27), sowie die Ankündigung des Segens bei Beachtung der Anordnungen nach Mahnungen allgemeiner Art (V. 22–25) entnehmen die Mahnrede der engen, durch den biographischen Rahmen vorgegebenen Beziehung Abraham–Isaak und erheben sie zu umfassender Gültigkeit. Auch hier konkretisieren verschiedene Einzelgebote unter Hinweis auf Zeiten kommenden Frevels die Mahnungen allgemeineren Charakters.

Die Abschiedsrede Abrahams (Jub. 22,11b–25) mahnt zur Absonderung von den heidnischen, götzendienerischen Völkern (V. 16–19) und warnt mit dem Hinweis auf die Bestrafung der Bewohner Sodoms vor den Töchtern Kanaans (V. 20–22). Die Ausweitung der Paränese zu einer Gerichtsparänese verdeutlicht, daß die Mahnung nicht speziell auf Jakob, sondern auf alle Götzendiener bezogen ist. Allgemeine Mahnungen werden konkret entfaltet.[61] Der Ausblick auf das Gericht sowie der abschließende Segenswunsch (V. 23) unterstreichen die eschatologische Bedeutung der Mahnungen und die Verquickung von ethischer, geschichtlicher (Erwähnung Sodoms!) und eschatologischer Lehre.

Jesu I [WMANT 40], Neukirchen 1972, S. 394; vgl. ebd. S. 40, wo angesichts solcher Gebotszusammenstellungen wie in diesen Mahnreden „soziale Reihen" definiert werden als „Reihungen von Forderungen sozialen Inhalts . . .", an deren Beginn und Ende allgemeine Formulierungen über Gerechtigkeit und Ungerechtigkeit und über das Verhältnis zu Gott begegnen. Das von *K. Berger* festgestellte „hohe Maß an formgeschichtlicher und inhaltlicher Beständigkeit", ebd. S. 369, beruht hauptsächlich auf inhaltlichen Übereinstimmungen innerhalb der für die Paränese überhaupt typischen Reihenbildungen, so daß man kaum von der „sozialen Reihe" als einer eigenen Gattung sprechen kann, vgl. auch *K. Kürzdörfer*, Der Charakter des Jakobusbriefes, Diss. theol. Tübingen 1966, bes. S. 87 ff.).

[60] Zu Jub. 21,7–20 vgl. Lev. 3,3.6.9; 4,26 u. ö.; *M. Testuz*, a.a.O., S. 106 f., urteilt hinsichtlich der Verwendung von Wasser gemäß Jub. 21,16, daß keine gesetzliche Bestimmung dem späteren Brauch so heftig widerspreche.

[61] Zum zeitgeschichtlichen Bezug vgl. u. a. 1. Makk. 1,47; 2. Makk. 6,7; vgl. *G. L. Davenport*, a.a.O., S. 54: „The function of the eschatological reference is to warn those who are tempted to follow the practices of hellenism that they too will be destroyed."

Die Abschiedsrede Isaaks (Jub. 36,1–11) konkretisiert die allgemeinen Mahnungen zu Recht und Gerechtigkeit als Mahnung zur Bruderliebe, zur Verehrung des Gottes Abrahams und als Warnung vor Götzendienst. Bei der Parallelisierung des Geschicks Sodoms mit dem eschatologischen Gericht (V. 10) handelt es sich nicht um eine thematisch selbständige Gerichtsbelehrung. Hiermit und mit der Nennung der himmlischen Bücher im Zusammenhang mit dem Gebot der Bruderliebe (V. 9–11) soll die Paränese eindringlich gemacht und die Bedeutung des Tuns für das eschatologische Geschick dargestellt werden.

Die Mahnreden im Jub., die als Abschiedsrede bzw. als Verknüpfung von Abschieds- und Segensrede gestaltet sind, zeigen die deutliche Absicht, ethische Mahnungen als Belehrung durch die Patriarchen weiterzugeben. Dadurch wird die zugrunde liegende Pentateucherzählung wesentlich erweitert. Auf Mahnungen und Warnungen allgemeineren Charakters folgt jeweils die Konkretisierung in Einzelgeboten, die teilweise auch in die Form offensichtlich geprägter Rechtssätze gekleidet sind (vgl. 7,28.33 bzw. 20,4 u. ö.). Der Ausblick des Ermahnenden auf die Zukunft, der inhaltlich wie formal als eschatologischer Ausblick zu gelten hat, verdeutlicht die Bedeutung der Erfüllung bzw. Nichterfüllung des Gebotenen für das Eschaton. Diese Zukunftsausblicke sind nicht Thema für sich, sondern dem paränetischen Anliegen untergeordnet, indem sie von der Belohnung oder Bestrafung durch den sich letztlich als Herrn erweisenden Gott sprechen.

Die Paränesen selbst werden autoritativ von den Patriarchen gegeben, die sich selbst wieder auf Vätertraditionen berufen (7,38 f.; 21,10; 22,16). Auffällig ist, daß die Patriarchen sich in ihren Mahnreden nicht auf die Tafeln des Himmels berufen. Die Traditionen der Väter bedürfen offensichtlich keiner weiteren Legitimierung, da die Väter selbst als Täter des auf den Tafeln des Himmels Gebotenen dargestellt werden. Das Wissen um das künftige Geschehen in Abhängigkeit von der Erfüllung oder Mißachtung der Gebote beruht hingegen auf besonderer Offenbarung. Dadurch werden die Mahnungen nicht bezüglich ihrer Herkunft, sondern auf ihre eschatologische Relevanz hin autorisiert. Die eschatologischen Ausblicke lösen die Mahnungen als Belehrung der Nachkommen der Patriarchen aus dem engen, vom Erzählungszusammenhang vorgegebenen Rahmen und erheben sie zu umfassender Bedeutung für die Endzeit, so daß auch auf diese Weise die Verbindung von ethischer und eschatologischer Belehrung in den Blick kommt.

3.3. Grundzüge der Eschatologie

Die Hinweise auf das Gericht im Zusammenhang der Belehrung über die Tafeln des Himmels und der Mahnreden der Patriarchen sind nicht am äußeren Verlauf, sondern an der Faktizität des Gerichts interessiert. Der „Tag des Gerichts" (4,19; 5,10; 9,15 u. ö.) stellt für die ethische Belehrung einen wichtigen Termin dar. Es ist der Zeitpunkt der Vernichtung aller Bosheit und Unreinheit, da er der Verführung der Menschen zur Sünde ein Ende setzt (10,8). Bis zum Gericht dauert die Sprachenverwirrung, die Ankündigung künftiger Geschichte sowie die Zeit der ethischen Bewährung im Halten der Gebote, die vor dem eschatologischen Unheil bewahren (vgl. 4,24; 10,17.22; 21,20 ff. u. ö.).

Bei den bisher herangezogenen Partien des Jub. war die Eschatologie nicht Thema für sich, sondern der ethischen Belehrung untergeordnet. Nun sind diejenigen Texte heranzuziehen, die nicht innerhalb paränetischer Abschnitte stehen, bei denen also die Eschatologie das beherrschende Thema ist, das jedoch auch auf seine ethische Tragweite hin entfaltet wird.

Jub. 23,11–23 als der eschatologische Haupttext des Jub. begründet in V. 11–15 die Situation der Menschen in Leid, Not und Betrübnis mit der Kürze des Lebens. Mit diesen Plagen ist das Hereinbrechen der Sünde als Unreinheit, Hurerei, Befleckung und Frevel verbunden. Diese Reflexionen entfalten die Erörterungen über die Verkürzung der Lebenszeit nach der Sintflut (V. 8 ff.) und verschränken die auf Grund des Gerichtshinweises mit V. 11 beginnende Apokalypse mit dem Vorhergehenden. V. 16–25 folgen detaillierte Ausführungen zur Lage der Menschen, die das „böse Geschlecht" (V. 15) durch seine Taten und deren Folgen charakterisieren. Die aufgeführten Verhaltensweisen und Ereignisse stehen wie in 1. Hen. 91,12–17 nicht in einer zeitlichen Abfolge. Es handelt sich um gleichzeitige Ereignisse[62], um eine Auswahl aus dem großen Reservoir gängiger Charakteristika zur Schilderung der „Zeichen der Endzeit". Wegen der Verwendung geprägten Materials bereitet die Auflösung zeitgeschichtlicher Anspielungen große Schwierigkeiten.

Bemerkenswert ist der unvermittelte Einsatz der Beschreibung der Heilszeit in V. 26. Auch hier geht es nicht um eine Abfolge der Ereignisse, sondern um eine Charakterisierung der Heilszeit durch die Nebenordnung verschiedenartiger Umschreibungen.[63] In diesem Zusammenhang begegnet wieder die eingangs erörterte Thematik des Lebensalters, da im Eschaton die Menschen nicht dem Alterungsprozeß unterworfen sind (vgl. V. 27 ff. mit 8 ff.).

Auffällig ist die Verwendung ethisch akzentuierter Begriffe zur Umschreibung der Zeit vor dem Ende sowie der Heilszeit. Naturhafte Charakteristika treten gegenüber dieser Konzentration auf Ethisches merklich zurück, zumal auch Veränderungen in der Natur in der Sünde der Erdenbewohner begründet sind (V. 18). Als Sünde wird genannt das Verlassen des Bundes (V. 16), die Mißachtung der kalendarischen Ordnung (19b), die im Jub. als ein Charakteristikum der Zeit der Bedrängnis vor dem Ende gilt, sowie Befleckung, Unreinheit und Verderben (V. 17). Diese in gewissem Sinne kultisch geprägte Terminologie ist typisch für die Beschreibung der Verfolgung unter Antiochus IV. und seinen Nachfolgern (vgl. 1. Makk. 1,43 ff.63; 4,43 ff.; 2. Makk. 4,2.19.25; 5,27 u. ö.). Zu beachten ist ferner die katalogartige Zusammenstellung synonym gebrauchter Termini, die als Verlas-

---

[62] Vgl. *K. Schubert*, a.a.O., S. 194 f.; zum ff. vgl. *P. Volz*, Die Eschatologie der jüdischen Gemeinde im neutestamentlichen Zeitalter, Tübingen ²1934, S. 147 ff.332 ff.; *L. Hartman*, Prophecy Interpreted, Lund 1966, S. 28 ff.77 ff.

[63] *R. H. Charles*, The Book of Jubilees or the Little Genesis, London 1902, konstatiert S. 145 bzw. 150 einen Widerspruch in der Eschatologie: in Jub. 23,11 gehe das Gericht dem messianischen Reich voran, in V. 30 folge es. Jub. 23,26 ff. stellt aber nicht den Ablauf des Enddramas dar, sondern charakterisiert die Heilszeit inhaltlich, weiteres s. u.

sen von „Gebet, Ordnung und Gesetz" (Jub. 23,16) bzw. „Gesetz, Gebot und Bund" (V. 19) das für die Drangsal der Endzeit ausschlaggebende Tun nennen.

Die Heilszeit wird umschrieben als Zeit in Frieden und Freude, in Segen und Heil, in der es „keinen Satan und keinen Bösen" (23,29 vgl. 50,5; 40,9; 46,2) gibt. Die Heilszeit steht also im Gegensatz zur Zeit vor dem Ende mit den V. 11 ff. beschriebenen Plagen, wie bereits am Problem des Lebensalters gezeigt wurde. Während die Mißachtung von Gebot, Ordnung und Gesetz die Ursache für die Plagen der Endzeit ist, wird die Suche nach dem Gesetz und dem Gebot sowie die Umkehr auf den Weg der Gerechtigkeit zum Charakteristikum der Heilszeit (V. 26 ff.). Hieran wird deutlich, daß innerhalb der von Gott determinierten Zeit (vgl. 1,4.26 ff. u. ö.) dem Verhalten des Menschen eine besondere Bedeutung zukommt. Das Endgeschehen rollt nicht automatisch ab, sondern ist abhängig von der Stellung zu Gottes Gebot, über das Jub. an anderer Stelle belehrt. Jub. 23,11 ff. hat darum weder die Darstellung des Geschichtsablaufs noch des äußeren Hergangs des Gerichts zum Ziel, denn der Gerichtshinweis V. 31 dient hier weniger der Motivierung des Handelns als dem Hinweis auf die Treue und Gnade Gottes, als i. e. S. theologische Aussage. Es geht also um einander zugeordnete Beschreibungen der Endzeit und der Heilszeit jeweils in Abhängigkeit von der Stellung zum Gesetz.

Der Zukunftsausblick *Jub. 1,7b–25* expliziert die in 1,5 f. begegnende Gegenüberstellung von Gottes bleibender Heilssetzung und der Auflösung seiner Ordnung durch die Menschen in Form einer Übersicht über die Geschichte Israels in Anlehnung an das deuteronomistische Geschichtsbild.[64] Der Geschichtsüberblick reicht von der Landgabe (V. 7) bis zur Wiedererrichtung des 2. Tempels (V. 17). Der Verfasser will anhand dieses Ausschnittes aus der Geschichte Israels seine Zeit und die erwartete Heilszeit typologisch darstellen, indem der Geschichtsabriß zur Weissagung des künftigen Abfalls Israels und der bleibenden Heilssetzung Gottes dienen soll. Nach V. 8b dient das von Mose Aufgeschriebene zum Zeugnis gegen die Apostaten, die sich fremden Göttern zuwenden, die Gebote Gottes vergessen und den Heiden nachlaufen (V. 8a.9 ff.). Die katalogartige Umschreibung der Sünde nennt wieder den Kalenderfrevel (V. 10). Für die gesamte Darstellung ist wesentlich, daß die Bedrängnis innerhalb der Geschichte im Ungehorsam dem Gebot Gottes gegenüber wurzelt (V. 9b.10a.13 vgl. 9a.10a). Mit V. 15 beginnt die Ankündigung des kommenden Heils als Rückwendung des Volkes zu Gott und als Heilshandeln Gottes. Traditionsgeschichtlich als eine besondere Einheit anzusehen ist das V. 19–21 eingeschobene Gebet Moses, daß Gott sein Volk nicht verlassen möchte, das mit der erneuten Bekräftigung der Heilszusage sowie dem erneuten Befehl zur Niederschrift der auf dem Berg geoffenbarten Worte beantwortet wird (V. 22–26). Diese Zuordnung von Gebet und Offenbarung entspricht der Beob-

---

[64] Vgl. *O. H. Steck*, Israel und das gewaltsame Geschick der Propheten (WMANT 23), Neukirchen 1967, S. 159 ff.; *E. Rau*, a.a.O., S. 364 f.; *G. L. Davenport*, a.a.O., S. 20 ff.; vgl. ferner die Sin-Exil-Return-Stücke in den Test. XII, dazu *J. Becker* (vgl. Anm. 58), a.a.O., S. 172 ff.; *O. H. Steck*, a.a.O., S. 149 ff.

achtung, daß auch sonst in Apokalypsen dem Offenbarungsempfang ein Gebet des Empfängers vorangeht.

Der Bezug zur Endzeit ergibt sich aus der Hervorhebung des kalendarischen Frevels sowie aus der inhaltlichen Charakterisierung des Abfalls, bei der Anspielungen auf die Hellenisierung des Judentums und auf die Religionsnot offenkundig sind (bes. V. 9.11). Anhand eines Ausschnitts aus der Geschichte Israels will der Autor seine eigene Zeit und die Erwartung der kommenden Heilszeit veranschaulichen.[65] Er versteht die vergangene Geschichte typologisch, damit am geschichtlichen Beispiel das Unheil durch Mißachtung der Gebote sowie das Heil im Befolgen der Gebote abgelesen werden können (vgl. V. 9.10.14 bzw. 12b.24). Die Geschichte interessiert vor allem als ein Bereich, in dem sich die ethische Bewährung zu vollziehen hat. Da der Rahmen dieses Geschichtsüberblicks die Gültigkeit des Gesetzes bis in den Olam unterstreicht (1,1 ff.26 ff.), wird festgehalten, daß das Gesetz die Möglichkeit zur Teilhabe an der eschatologischen Heilsetzung Gottes gibt.

In die Ausgestaltung der eschatologischen Erwartungen in Jub. ist eine Vielzahl von Traditionen eingeflossen, so auch Aussagen über die Neuschöpfung (1,29; 4,26) wie auch Zionstraditionen[66], die das Heil mit Jerusalem und dem Berg Zion in Verbindung bringen. Eine messianische Gestalt spielt im Jub. keine Rolle. Daher ist auch der Anschauung zu widersprechen, daß der Verfasser seinem Selbstverständnis nach am Beginn des bereits eingetroffenen messianischen Reiches lebe[67], sonst wären die Aussagen über den Frevel der Endzeit und die Erwartung des baldigen Endes der Drangsal unverständlich. Anzumerken ist ferner die außerordentliche Zurückhaltung des Jub. bei der Schilderung der eschatologischen Zustände[68], besonders im Vergleich zu anderen Apokalypsen. So nennt 7,29; 22,22 nur den „Ort des Gerichts" ohne eine Beschreibung der Orte der Seligen oder Verdammten. Insgesamt tritt das Vorherrschen der ethischen Begrifflichkeit sowie der Bezug der eschatologischen Aussagen zum abzuwehrenden oder zu erwartenden Handeln des Menschen deutlich zutage. Damit soll die Bedeutung des Gesetzesgehorsams für das eschatologische Heil unterstrichen werden, weil nur derjenige, der das Gesetz beachtet, durch das Gesetz vor dem Abfall und damit vor dem

---

[65] Vgl. *G. L. Davenport*, a.a.O., S. 46: „In 1,4b-26 the biblical texts are interpreted as having been promises of their own day as the time of return from exile."

[66] Es ist kaum möglich, mit *G. L. Davenport*, ebd., S. 70 u. ö., alle Erwähnungen Zions (1,10b.17a.27 f.29c; 4,26; 23,21; 31,14) einem Redaktor zuzuweisen, da die Verbindung zum Kontext sehr eng ist. Die herausgestellten Differenzen in der Eschatologie (einerseits die Reinheit des Landes, 50,5 bzw. 23,29 ff. u. ö., andererseits die Erneuerung mit Jerusalem und dem Zion als Mittelpunkt) schließen einander nicht aus, wie die Verbindung in 4,26 zeigt (vgl. *E. Rau*, a.a.O., S. 395).

[67] So *R. H. Charles*, a.a.O. (Anm. 63), S. LXXXVII; *M. Testuz*, a.a.O., S. 169.177.

[68] Von der Totenauferstehung wird nicht explizit gesprochen, vgl. *G. F. Moore*, Judaism in the first centuries of the christian era, I–III, Cambridge 1927 ff.; II, S. 308 Anm. 4; *H. H. Rowley*, a.a.O., S. 56; anders *K. Schubert*, a.a.O., S. 195, mit Bezug auf 23,30a bzw. die Gerichtsdarstellung 5,13 ff. Von dem Gerichtsgedanken läßt sich nicht direkt auf eine Auferstehungshoffnung schließen, vgl. *J. J. Collins*, Apocalyptic Eschatology as the Transcendence of Death, CBQ 36 (1974), S. 21–43, bes. S. 37 bzw. 35: „Here no resurrection is promised, but the just are assured that they will transcend death at a future time."

eschatologischen Unheil bewahrt werden kann. Dieser in den eschatologischen Belehrungen oft nur allgemein umschriebene Gesetzesgehorsam konkretisiert sich im
Tun der im Jub. geoffenbarten Einzelgebote.

3.4. Aussagen zur Ethik

3.4.1. Das Gesetzesverständnis

Die Begriffe „Gesetz" und „Gebot" werden im Jub. ohne einen bemerkenswerten
Unterschied verwendet, sie sind austauschbar. Auch der Begriff „Ordnung" kann
mit „Gesetz" parallel gebraucht werden, wobei dann katalogartige Zusammenstel-
lungen dieser drei Begriffe für das Jub. charakteristisch sind, die teilweise durch
Hinweise auf die kalendarische Ordnung erweitert werden.[69] Das Gesetz enthält
kultische wie soziale Bestimmungen sowie die kalendarische Ordnung, die Ordnung der Natur und der künftigen Geschichte. Diese bis zum Olam reichende Ordnung umfaßt den kosmischen wie den irdischen Bereich als Manifestation des Bun-
deswillens Gottes, der in dieser trotz Israels Sünden bewahrten Ordnung seine
Bundestreue erweist (Jub. 1,15; 15,1 ff.13). Das Bewahren dieses Gesetzes bewahrt
andererseits den Menschen vor der Auflösung des Bundes mit Gott.
Die Gemeinschaft Israels mit Gott (vgl. Jub. 2,19 ff.; 15,29 ff.), die wesentlich an
die für Israel gültige Gesetzesoffenbarung geknüpft ist, wird im Jub. auf das apokalyptische Geschichtsbild bezogen, das den Abfall vom Gesetz als ein Zeichen der
Endzeit vor der erneuten Zuwendung zum Gesetz in der Heilszeit versteht. Daher
ist die Rede von der bewahrenden Funktion des Gesetzes und vom Heil als Folge
des Gehorsams (vgl. Jub. 21,23 f. u. ö.) nicht innergeschichtlich zu verstehen, sondern als eine eschatologische Aussage. Das Gesetz ist also nicht Ausdruck eines
unbedingten Heilswillens Gottes. Bedingung für das Heil ist das Bewahren des Gesetzes, das davor bewahrt, das eschatologische Heil zu verlieren. Die eschatologischen Ausblicke schärfen unabweisbar den Ernst und die Unerbittlichkeit der Forderung Gottes ein.[70] Im Rahmen eines solchen Geschichtsbildes erfahren atl.
Theologumena wie die Bundesvorstellung eine weitreichende Umprägung.

3.4.2. Zur materialen Ethik

In den bisherigen Darlegungen kamen einzelne Aspekte zur materialen Ethik
sowie die antithetische Formulierung der Einzelgebote zur Sprache: Dem Gebot,
Gott zu lieben, entspricht die Aufforderung, die Götzen zu hassen (z. B. 21,2 f.).

---

[69] Gesetz (äth. *cheg*) begegnet 27mal; Gebot *(te'ezaz)* neunzehnmal; zur Austauschbarkeit vgl. die Überschrift, 1,1.14; 3.10 mit 14; 15,25 mit 29; 23,16.19.26; 49,7 mit 15; zu „Ordnung *(schere'at)* und Gesetz" vgl. 13,25 f.; 15,25.33 f.; 32,10 f.; 49,7 f.; zu den katalogartigen Aufzählungen wie 1,14 (Gesetz, Gebote, Recht, Neumonde, Sabbate, Feste, Jubiläen und Ordnung) vgl. 1,10; 7,20; 21,5;
23,16.19; 24,11; 33,16 u. ö.

[70] Die eschatologische, verschärfende Komponente im Gesetzesverständnis beachtet *M. Limbeck*, a.a.O.,
S. 84, zu wenig, der vor allem Gottes Güte und Milde betont sieht, vgl. auch *K. Baltzer*, Das Bundes-
formular (WMANT 4), 1960, S. 142 ff.

Dem Gebot der Bruderliebe ist die Mahnung, die Götzen zu verachten, zugeordnet
(36,4 ff.). Diese antithetischen Formulierungen sind Ausdruck der scharfen Abgrenzung von den Heiden, die im Jub. vollzogen wird. Das Hebräische ist die
Sprache der Schöpfung (12,25 f.). Die Sabbatgebote gelten nur für Israel (2,31).
Die Beschneidung ist das Erkennungszeichen für den Bund Gottes mit Israel
(15,11 ff.29 ff.). Auch die Kalenderordnung unterscheidet Israel von den Heiden
mit ihren Festen (6,35). Das auf den Tafeln enthaltene Gesetz ist Israel gegeben
(vgl. 2,33; 3,14; 6,13; 16,29 u. ö.) als Ausdruck seiner Vorzugsstellung und Erwählung. Über Israel haben die Geister, die andere Völker verführen, keine Macht
(15,31 vgl. 19,28). Als Folge der Abgrenzung von den Heiden wird das Verbot der
Mischehen dem Verbot der Unzucht subsummiert und die Reinheit Israels als Zielpunkt einiger formal gleich aufgebauter paränetischer Abschnitte hervorgehoben.[71]
Diese Verengung hinsichtlich der Stellung Israels zu den Völkern fällt vor
allem im Vergleich zum AT auf, wo der Fremdling durch besondere Gesetze ge-
schützt und in das Gebot der Nächstenliebe einbezogen wird (vgl. Lev. 19,18 mit
10,33). Der Abgrenzung von den Heiden entspricht hingegen, daß im Jub. Bestimmungen betreffs der Proselyten fehlen. Dem Gedanken der Abgrenzung korrespondiert die außerordentliche Betonung der Erwählung im Jub., deren Ziel die
Gemeinschaft Gottes mit seinem Volk ist (1,25.27 f. u. ö.), die an das rechte
ethische Verhalten gebunden ist. Wer den Bund Gottes durch Mißachtung des Gesetzes übertritt, erhält den Status eines Heiden (15,34 vgl. 6,35). Die Zugehörigkeit
zum erwählten Volk ist also ethisch und nicht ethnisch bedingt. Da das Endheil
Israels nicht an die Erwählung schlechthin, sondern an das Beachten der Gebote
gebunden und der Erwählungsgedanke damit in gewisser Weise eingeschränkt ist,
betont das Jub. den Erwählungsgedanken im Zusammenhang der Gesetzesübergabe an Israel, so daß die Erwählung zwar nicht aufgehoben, aber dezidiert mit
dem Verhalten des Menschen verkoppelt wird.
Eine innerisraelitische Spaltung kommt nur andeutungsweise zur Sprache
(23,16 ff., vgl. aber V. 23). Es finden sich zwar zahlreiche Bestimmungen über das
Verhalten zu den Völkern, aber es fehlen Anordnungen hinsichtlich derer in
Israel, die den Bund nicht bewahren. Die Tatsache, daß es auch innerhalb Israels
die Übertretung des Bundes gibt, wird durch den beherrschenden Gegensatz
Israel – Völker überlagert. Statt auf einer innerisraelitischen Scheidung liegt der
Akzent auf dem Unterschied des erwählten Volkes zu den anderen Völkern.[72] Die
Schärfe der Abgrenzung von den Heiden ist ein Hinweis auf die Schärfe der Kon-
frontation mit dem Hellenismus z. Z. der Abfassung des Jub. Die Akzentuierung
einiger Themen bei der ethischen Belehrung ist darum auf dem Hintergrund der

---

[71] Vgl. Jub. 30,7–15; 20,4 f.; 25,7 bzw. 33,10 ff.; 41,25 f.; dazu *K. Berger*, a.a.O. (Anm. 59), S. 314 ff.
[72] Vgl. *J. J. Gammie*, a.a.O., S. 380; Gott sondert sich bei der Schöpfung ein Volk aus allen Völkern aus,
    Israel ist der erstgeborene Sohn Gottes (2,19 f. vgl. 19,29; 19,18). Die Erwählung zeigt sich an der
    Gesetzesoffenbarung (2,31; 15,29), am Bund Gottes mit seinem Volk von der Schöpfung an, der mit
    Noah (6,4 ff.), Abraham (14,8 ff. u. ö.) und Jakob (32,18 f.) als Repräsentanten des Volkes erneuert
    wird, vgl. andererseits die Nicht-Erwählung der übrigen Völker (16,17 f. u. ö., vgl. 7,10; 26,33 f.;
    38,14 bzw. 23,24; 24,28).

Auseinandersetzungen der frühen Makkabäerzeit erst voll verständlich[73] und läßt zugleich Rückschlüsse auf den Trägerkreis bzw. das Selbstverständnis der Gruppe zu, der das Jub. entstammt. In diesem Zusammenhang wird auch einsichtig, warum die Kalenderfrage so sehr im Mittelpunkt des Interesses steht.

Die Beobachtung des richtigen Kalenders, der den irdischen wie den himmlischen Bereich umfaßt (vgl. 2,30), ermöglicht ein Leben in Übereinstimmung mit dem gesamten Kosmos. Da nach 6,33 ff. „alle Kinder Israels" den richtigen Kalender vergessen werden, ist die Beachtung des Kalenders das Trennende von anderen Gruppen, die auf Grund des falschen Kalenders die Ordnung Gottes übertreten und folglich als Heiden gelten. Das Bewahren des richtigen Kalenders ist darum im Jub. eine Verhaltensweise, der besonders im Blick auf das eschatologische Heil eine besondere Bedeutung zukommt.[74] Da das Jub. selbst die Offenbarung des richtigen Kalenders enthält, hat sich vermutlich die durch das Jub. repräsentierte Gruppe als Bewahrer eines solchen verstanden. Diese Gruppe unterscheidet sich hinsichtlich der im Blick auf das eschatologische Heil notwendigen und im Jub. ablesbaren Normen von anderen Gruppierungen innerhalb des Judentums, ohne diesen innerisraelitischen Gegensatz zu thematisieren oder wie 1. Hen. 85 ff. bzw. die Wochenapokalypse zum Gegenstand geschichtstheologischer Erörterungen zu machen.

---

[73] Zum zeitgeschichtlichen Kontext vgl. H. H. Rowley, a.a.O., S. 82 ff. Zur Sabbatheiligung (Jub. 2,17 ff.; 50,6 ff.) vgl. bes. 1. Makk. 1,45; 2. Makk. 6,6 vgl. Ch. Albeck, Das Buch der Jubiläen und die Halacha, Berlin 1930; vgl. dazu die Rez. von L. Finkelstein, in: MGWJ 76 (1932) S. 525–534. Das Verbot der Kriegführung am Sabbat (Jub. 50,12 vgl. 1. Makk. 2,32.39 ff.; 2. Makk. 6,11; 5,1), für das es keine rabbinischen Parzellen gibt, weist in die frühe makkabäische Zeit (vgl. O. H. Steck, a.a.O., S. 158 Anm. 4; M. Hengel, Die Zeloten, Leiden 1961, S. 293 ff.). Es ist bemerkenswert, daß kein Ereignis und keine Handlung, von der Jub. berichtet, auf einen Sabbat fällt.
Zu Fasten und Speisegeboten (Jub. 6,7.10 ff.; 7,31 ff.; 21,18) vgl. 2. Makk. 6,7 u. ö.; zur Beschneidung (Jub. 15,11 ff.33 ff.; 20,3) vgl. 1. Makk. 1,15.48.60 f.; 2,46; zu den Bestimmungen über die Nacktheit (Jub. 3,31) vgl. 2. Makk. 4,7 ff.; zum Götzendienst (Jub. 11,4.16; 12,1 ff.16 ff; 20,7–9) vgl. 1. Makk. 1,47; über Mischehen vgl. Jub. 15,1 ff.; 20,4 f.; 30,7 ff. sowie 25,3 ff. u. ö.

[74] Im Jub. ist die Kalenderordnung wichtig für die Festordnung (4,17) und zur Einteilung der Jahre in Zeitperioden, so daß die Zusammengehörigkeit von astronomischen, kalendarischen und geschichtlichen Traditionen deutlich wird. Die Besonderheiten des Kalenders im Jub., vor allem die Ablehnung des im „offiziellen" Judentum gebräuchlichen Kalenders verweisen auf die Herkunft des Jub. (1. Hen. und der Qumranschriften) aus dissidenten jüdischen Kreisen. Zu den Differenzen der Kalender im Jub., 1. Hen. und in den Qumranschriften vgl. E. Rau, a.a.O., S. 401 f., M. Testuz, a.a.O., S. 161., M. Limbeck, a.a.O., S. 134 ff. In den Gruppen der Dissidenten existierten also verschiedene Kalender nebeneinander. Von zeitgeschichtlichem Interesse ist die Frage, ob solche Kalender überhaupt praktizierbar waren. J. Morgenstern, The Calendar of the Book of Jubilees, its origins and its character, VetTest 5 (1955), S. 34–76, hat an zeitgenössischen Parallelen nachgewiesen, daß die dissidenten Gruppen (man wird ergänzen müssen: solange nicht die völlige Trennung vom offiziellen Judentum wie bei der Sezession der Qumran-Gruppe vollzogen wurde) zur teilweisen Angleichung an den offiziellen Kalender gezwungen waren, so daß der jeweilige Kalender eher für das innere Leben der Gruppe und deren besonderen geheiligten Tage als für die Sabbate und Feste angewandt werden konnte. Möglicherweise erklären sich die „significant inconsistencies and even contradictions both of fact and of principle" (ebd., S. 65) durch diese Notwendigkeit einer teilweisen Angleichung.

3.5. Zusammenfassung

3.5.1. Das Verständnis der Gegenwart im Verhältnis zu Ethik und Eschatologie

Der Verfasser des Jub. meint, in der letzten Zeit unmittelbar vor dem Beginn der Heilszeit zu leben. Seine Gegenwart ist eine Zeit der Gesetzesübertretung und des Frevels (15,33 f.; 6,35 f.), eine Zeit voller Fluch, Plagen, Wunden, Betrübnis und Strafen (23,13; 30,15; 36,10). Diese mißliche Lage ist aber nicht auf Gott zurückzuführen, da die Tendenz zu beobachten ist, Gott als den Schöpfer einer umfassenden kosmischen Ordnung von Handlungen zu entlasten, die einen negativen Akzent in das Gottesbild eintragen könnten.[75] Für die Lage der Welt ist Mastema, der Fürst der Geister, verantwortlich zu machen (10,7 ff.; 49,2). Die Traditionen über Engel, Geister und Dämonen nehmen im Jub. einen breiten Raum ein und dienen dem Ziel, die Gegenwart als Zeit der Versuchung durch die bösen Geister zu charakterisieren. Entsprechend betet Noah um Befreiung von der Macht der Geister (10,3 ff.), da diese im Unterschied zu den Engeln, die im Auftrag Gottes handeln und den regelmäßigen Lauf des Naturgeschehens verbürgen, die Übel in der Welt bewirken (vgl. 5,1 ff.; 4,22; 7,21).

Die bösen Geister sind zwar (als Vorabbildung des Endheils) mit dem Sintflutgericht gebunden, aber nicht alle. Israel ist ihrer Herrschaft grundsätzlich entnommen, während die Völker den bösen Geistern übergeben wurden (15,31 f.). Diese behauptete Freiheit von den bösen Geistern steht in Widerspruch zu der Anschauung, daß es auch in Israel Frevel und Sünde gibt und die Patriarchen um Bewahrung vor den bösen Geistern beten (vgl. auch 12,19 f.). Dieser Widerspruch weist auf grundlegende ethische Anschauungen im Jub. hin:

a) Es gibt auch in Israel Sünde. Diese ist auf die bösen Geister zurückzuführen, die aber letztlich kein widergöttliches Prinzip verkörpern, da sie selbst dem Gericht Gottes unterstehen (vgl. 5,7.9.10 sowie das Fehlen von Spekulationen über ihr Entstehen).

b) Da Israel nicht wie die Völker den bösen Geistern ausgeliefert wurde, ist Israels Sünde immer eine selbstverschuldete, für die das Volk verantwortlich ist. Es besteht weder ein unausweichliches Sündenverhängnis noch eine Einschränkung der Eigenverantwortlichkeit des Menschen.

Die Zeit der Versuchung ist aber begrenzt, da auch die bösen Geister gerichtet werden und die Heilszeit als „satansfreie" Zeit gilt. Die formelhafte Wendung „kein Satan und kein Böser", mit der die friedliche Zeit Israels in Ägypten begründet wird (40,9 vgl. 46,2), drückt offensichtlich die nun für die Heilszeit erwartete Freiheit Israels von den das Volk bedrückenden Fremdvölkern aus, denn der Satan und Böse (vgl. die Bezeichnungen „Beliar" und „Mastema") verkörpern in gleicher Funktion eine Macht, die Israels Bedrückung durch andere Völker bewirkt. Die Wendung „kein Satan und kein Böser" zur Umschreibung der Heilszeit (23,29; 50,5) drückt das Ende der Mächte aus, die Frieden, Freude und Heil (23,29),

---

[75] Vgl. Jub. 17,16; 18,9.10; 48,2 f. vgl. Ex. 4,24; Jub. 48,9; 49,2.4 u. ö., vgl. *M. Testuz*, a.a.O., S. 85 f.

Rechtschaffenheit und Ordnung (40,9), Bruderliebe und Einigkeit (46,1) sowie die Freiheit von Hurerei, Unreinigkeit und Befleckung (50,5) im Lande verhindern.

Die Aussagen über Engel und Dämonen sollen helfen, die Erfahrungen einer bedrückenden Gegenwart zu deuten. Sie schränken die Entscheidungsfreiheit des Menschen nicht ein, sondern erläutern die Bedingungen, unter denen sich das Tun des Menschen vollzieht. Diese Aussagen sind dem apokalyptischen Geschichtsbild zugeordnet, da die übriggebliebenen bösen Geister nur bis zum Gericht das Verderben bewirken (10,8). Daran wird deutlich, daß die angelologischen Darlegungen beachtenswerte Aussagen zum Verständnis der Ethik und der Eschatologie machen, indem mit ihnen das Tun der Menschen und die eschatologische Erwartung zur Sprache kommen. Die Situation der Gegenwart hat ihre Ursache nicht in einem Sündenverhängnis, sondern im Ungehorsam gegen Gottes Gebot. Daher kann Gott die gegenwärtige Lage der Welt nicht angelastet werden. Er ist vielmehr der Geber des den Kosmos umfassenden Gesetzes, das die Gesetzestreuen in der Gemeinschaft mit Gott für das eschatologische Heil bewahrt.

In Anbetracht dieser pessimistischen Sicht der Gegenwart wird ein Hiatus zwischen der Verheißung des Segens an die Täter des Gesetzes (20,9 f. u. ö.) und der gegenwärtigen Notlage auch der Gerechten (bes. 1,12; 23,23) bemerkbar. Das Heil ist innergeschichtlich nicht mehr zugänglich, da die in der Väterzeit noch mögliche Vorabbildung des Heils (40,8 f. u. ö.) für die Zeit vor dem Ende nicht mehr gilt. Die Geschichte kann nicht mehr zum Bereich des Heils werden, so daß dadurch die Heilswirksamkeit des Gesetzesgehorsams in Frage gestellt wird. Der Blick auf die eschatologische Heilszeit setzt jedoch die Väterverheißung für die Täter des Gesetzes ins Recht. Angesichts der Realität der Gegenwart kann das apokalyptische Geschichtsbild mit der Hoffnung auf das eschatologische Heil eine überzeugende Motivierung für das Bewahren des Gesetzes in der notvollen Gegenwart abgeben. Die Zuordnung von Geschichte und eschatologischer Hoffnung ist daher die grundlegende Bedingung für die Möglichkeit ethischer Belehrung sowohl in Mahnungen allgemeinen Charakters wie in konkreten Einzelgeboten.[76] Die Zusammengehörigkeit von apokalyptischer Geschichtsschau und Ethik kommt im Jub. vor allem darin zum Ausdruck, daß beides durch göttliche Offenbarung in Zusammenhang mit den Tafeln des Himmels den Menschen bekanntgemacht wird.

Im Unterschied zu anderen Apokalypsen findet sich im Jub. kein geschlossener Geschichtsüberblick von der Schöpfung bis zur Endzeit. Die Geschichte kommt nur exemplarisch anhand typologisch verstandener Geschichtsperioden oder einzelner Geschichtsereignisse in den Blick, wie z. B. der Einzug in das verheißene Land (50,1 ff.) als Typos der Heilszeit gesehen werden kann. Dies mag dadurch bedingt sein, daß Jub. keine völlig frei gestaltete, originale Schöpfung ist, sondern der biblischen Vorlage folgt. An der Geschichte zwischen der Moseoffenbarung und

---

[76] Die Feststellung, „daß ethische Einzelgebote fast ganz fehlen", kann M. *Limbeck*, a.a.O., S. 82, nur deshalb treffen, weil er die Weisungen für den kultischen Bereich nicht als Ausdruck der angesichts der antihellenistischen Auseinandersetzungen notwendigen ethischen Weisungen versteht. Was als „ethisch" zu gelten hat, kann für das Jub. nicht unter Absehung vom Kultischen bestimmt werden.

der Gegenwart ist dem Verfasser wenig gelegen. Die Geschichte ist nicht Thema für sich, sondern es geht um Gottes Handeln, seine Offenbarung des Gesetzes und dessen Auslegung. Die Geschichte kommt nur soweit zur Sprache, als mit ihr die Offenbarung des Gesetzes und seine Realisierung durch die Patriarchen verbunden ist. Das Wissen um die Einteilung der Jahre bis zum Olam durch Gott (obwohl die Berechnung des Endtermins abgelehnt wird, 50,2b) ermöglicht die Reduzierung der Geschichte auf wenige, für die ethische Belehrung relevante Epochen. Dies läßt erkennen, daß im Jub. mit der Darstellung Gottes als Schöpfer, der das Endheil heraufführt und sein Volk erwählt hat, eine ethische Zielsetzung verbunden ist. Der Verfasser hat die Pentateucherzählung für seine eigene Zeit sozusagen ethisch „aufbereitet", indem er mit der ethischen Belehrung die eschatologische Unterweisung verknüpft, weil das richtige Verhalten die Bedingung zur Teilhabe am eschatologischen Heil ist. Zu diesem Zweck beruft er sich auf besondere Offenbarungen, als deren Zeugnis das Jubiläenbuch anzusehen ist.

3.5.2. *Das Jubiläenbuch im Rahmen der Schriftinterpretation im Frühjudentum*

Das Jub. ist ein Beispiel für die mannigfaltigen Formen der Schriftinterpretation im Frühjudentum, die im folgenden weder hinsichtlich der zur Auslegung herangezogenen Traditionen noch hinsichtlich der speziellen Eigenheiten der Exegese das Interesse beansprucht.[77] Die folgenden Erwägungen betreffen das Auslegungsprinzip, um auf diese Weise die Besonderheit des Jub. innerhalb der frühjüdischen Schriftinterpretation besser erkennen zu lassen.

Die Klassifizierung der Midraschim als exegetischer, homiletischer und narrativer Midrasch bezieht sich auf die Art der Schriftauslegung. Der *exegetische Midrasch* legt den Bibeltext Vers für Vers aus, entweder in einfacher Form oder mit der großen Fülle der angeführten Deutungen der Rabbinen und der Schriftzitate, die den Bibeltext kommentieren. Der *homiletische Midrasch* legt in vielgestaltiger Form größere Textabschnitte aus, die meist die Anfänge synagogaler Lesungen waren. Für beide Formen des Midrasch ist charakteristisch, daß der auszulegende Text und die Auslegung klar voneinander geschieden werden. Ein abgeschlossener Text wird interpretiert. Die Auslegung ist als solche erkennbar und anhand der herangezogenen Schriftstellen nachprüfbar. Diese Tendenz wird auch daran deutlich, daß die Namen derjenigen Rabbinen genannt werden, auf die nun die jeweilige Auslegung zurückgeht. Auch wenn die Nennung der Namen mit großer Wahrscheinlichkeit als späterer Zusatz anzusehen ist[78], läßt sich diese doch nur daher erklären, daß von vornherein feststeht, daß die vorliegende Schriftauslegung die In-

---

[77] Zum folgenden vgl. *R. Le Déaut*, A propos d'une définition du midrash, Biblica 50 (1969), S. 395–413; *F. Maas*, Von den Ursprüngen der rabbinischen Schriftauslegung, ZThK 52 (1955), S. 129–161; *A. D. Macho*, El Targum, Barcelone 1972; *Vermes, G.*, Scripture and Tradition in Judaism (Studia Post-Biblica 4), Leiden 1961; *A. G. Wright*, The literary Genre Midrash, New York 1967; vgl. *P. Weimar* (o. Anm. 58).

[78] Vgl. *K. G. Eckart*, Untersuchungen zur Traditionsgeschichte der Mechilta, Diss. Berlin, Kirchl. Hochsch. 1959, S. 110 f.; *J. Neusner*, The Rabbinic Traditions about the Pharisees before 70 A. D., Kairos 14 (1972), S. 57–70, bes. S. 58 ff.

terpretation eines historisch verifizierbaren Zeitgenossen ist. Sie gibt sich also nicht wie in der apokalyptischen Literatur als eine Offenbarung an einen Offenbarungsempfänger längst vergangener Zeiten. Die Auslegung in den Midraschim läßt erkennen, wie die Tradenten den Text erklären und deuten, d. h. der Auslegungsvorgang wird nicht im Rückgriff auf ein Pseudonym kaschiert. Die Tradenten selbst kommen als Interpreten in den Blick. Die Exegese ist ein historisch zu lokalisierender und kontrollierbarer Vorgang.

Die *Pescharim der Qumranschriften* stellen eine spezielle Ausprägung des hier aufgewiesenen Prinzips dar, indem die Deutung klar erkennbar zum Text hinzutritt. Bei der Konstatierung von engen Beziehungen zwischen besonders 1 Q pHab und Dan. bzw. anderen apokalyptischen Schriften[79] ist Vorsicht geboten, da 1 Q pHab eine historisch lokalisierbare und verifizierbare Persönlichkeit, den Lehrer der Gerechtigkeit, als Offenbarungsempfänger ansieht, während es in den Apokalypsen Gestalten der weit zurückliegenden Vergangenheit sind. Bei den Pescharim spielt das Phänomen der Pseudonymität keine Rolle. Zu dem Bemühen der Qumranschriften nachzuweisen, daß sich Aussagen der Prophetenüberlieferung „vollständig in der Qumrangemeinde und während der Zeit ihres Bestehens von den Anfängen bis zur Gegenwart ‚erfüllt‘ haben"[80], fehlt in den Apokalypsen eine entsprechende Parallele. Bei den bisher dargestellten Formen der Exegese treten Text und Kommentar einander gegenüber, so daß der Auslegungsvorgang und Auslegende selbst qua Interpret in den Blick kommen. Diese Charakteristika treffen für das Jub. nicht zu.

Der *narrative Midrasch* kennt die Trennung von zugrunde liegendem Text und Kommentar nicht, da beide derart miteinander verquickt sind, daß sie gemeinsam etwas Neues, eine neue Erzählung im Sinne einer Paraphrase bilden. Dies macht die Unterscheidung vom Targum schwierig, da auch die Targumim die Tendenz zeigen, den zugrunde liegenden Text mehr oder weniger frei zu paraphrasieren und zu interpretieren. Nicht hinsichtlich der angewandten hermeneutischen Methode, sondern hinsichtlich der Funktion lassen sich Targum und Midrasch voneinander abgrenzen, denn die Targumim sind Übersetzungen aus dem Hebräischen in das Aramäische zum liturgischen Gebrauch. Diesem Ziel sind die Erweiterungen, Veränderungen, Glossierungen, Harmonisierungen und Aktualisierungen des Textes untergeordnet. Auf Grund der ausgeprägten halachischen und haggadischen Erweiterungen läßt sich das Jub. weder als Targum noch schlankweg als narrativer Midrasch bezeichnen. Vergleiche zwischen dem Jub. und dem vermutlich nicht in Qumran entstandenen *Genesis-Apokryphon* haben zwar Gemeinsamkeiten feststellen lassen, sind aber durch die fragmentarische Überlieferung von 1 Q GenAp außerordentlich schwierig. Soviel die Fragmente erkennen lassen, fehlen in 1 Q GenAp halachische Elemente.[81] Von einer eschatologischen Ausrichtung bzw. von einer

---

[79] Vgl. *K. Elliger*, Studien zum Habakuk-Kommentar vom Toten Meer, Tübingen 1953, S. 156 f.; *E. Osswald*, Zur Hermeneutik des Habakuk-Kommentars, ZAW 68 (1956), S. 243–256, S. 249 ff.

[80] *H. Stegemann*, Die Entstehung der Qumrangemeinde, Diss. theol., Bonn 1971, S. 254.

[81] Vgl. *L. Rost*, Art. Jubiläenbuch, in: RGG³, Bd. III, Sp. 961.

„Eschatologisierung" der überlieferten Traditionen ist in dem vorliegenden Text nichts zu spüren. Der Blick auf das mit den Tafeln des Himmels verbundene Offenbarungsverständnis im Jub. widerrät einer vorschnellen Ineinssetzung mit 1 Q GenAp, da aus den Fragmenten der letztgenannten Schrift ein solches Offenbarungsverständnis nicht zu entnehmen ist.

Der Vergleich mit Beispielen frühjüdischer Schriftauslegung nötigt, das Jub. als eine Schrift sui generis, nämlich als ein Zeugnis für die Schriftauslegung apokalyptischer Gruppen anzusehen. Text und Auslegung sind nicht voneinander getrennt. Das hebräisch verfaßte Jub. will nicht lediglich eine interpretierende Übertragung ins Aramäische sein. Die Person des Auslegenden oder eine bis in die Gegenwart reichende Tradentenkette kommt nicht in den Blick. Die Schrift ist in ihren Ausführungen halachischer und haggadischer Art durch die Tafeln des Himmels autorisiert. Dieses Offenbarungs- und Traditionsprinzip, das sich durchgehend bei keiner der zum Vergleich herangezogenen Schriften der frühjüdischen Schriftauslegung nachweisen läßt, zeigt stärkste Berührungen mit anderen Apokalypsen, besonders 1. Hen. und 4. Esra. Die Quellenlage erlaubt nicht, das Jub. als *das* Exempel apokalyptischer Schriftauslegung zu apostrophieren. Als Beispiel für die Schriftauslegung in Apokalyptikergruppen stimmt es mit anderen apokalyptischen Schriften überein hinsichtlich der theologischen und hermeneutischen Grundkonzeption. Es unterscheidet sich hingegen darin, daß es der biblischen Vorlage folgt und daher keine völlig originale Schöpfung ist wie die in ihrer Komposition viel freeren übrigen Apokalypsen. Das Jubiläenbuch ist keine Apokalypse im engeren Sinne, aber als apokalyptische Schrift ein markantes Beispiel für die Schriftauslegung in Apokalyptikergruppen.

4.   Testamentum Mosis

Das Test. Mos. gehört zu den zahlreichen, Mose zugeschriebenen apokryphen Schriften, die durch altkirchliche Zeugnisse bekannt geworden sind. Im Blick auf die überlieferten Texte und Zitate[82] ist das *Testamentum Mosis* von der als *Assumptio Mosis* zitierten Schrift zu unterscheiden. Das vorliegende lateinische Fragment, für das nicht eindeutig erweisbar ist, ob das Original hebräisch oder aramäisch abgefaßt war, da es aus der griechischen Übersetzung im 5. Jahrhundert sehr nachlässig ins Lateinische übersetzt und dann in der zweiten Hälfte des 6. Jahrhunderts fehlerhaft kopiert wurde, ist der Genauigkeit halber als Testamentum Mosis zu bezeichnen.

Die Schrift gehört der Gattung der Testamente an, für die eine Ankündigung des Todes des Redenden (1,15), das Herbeirufen des Nachfolgers als Adressaten der Rede (1,6) sowie dessen Einsetzung (1,7 ff. vgl. 10,15; 11,2; 12,2–8) charakteristisch sind. Die als Ausblick auf die Zukunft abgefaßte Geschichtsdarstellung, die mit der Schilderung der Landnahme (Kap. 2) beginnt und bis zur Errichtung des Reiches Gottes (Kap. 10) führt, darf als ein besonders ausführliches Beispiel für den „eschatologischen Ausblick" bzw. den „prophetischen Teil" der Abschiedsrede gelten. Es wird also, wie auch in anderen Apokalypsen, die Gattung Testamente dem Anliegen apokalyptischer Theologie dienstbar gemacht. Entsprechend der in den Testamenten begegnenden Ankündigung des Todes des Redenden spricht Mose von einem gewöhnlichen Tod (1,15; 10,12.14). Auch die Tradition vom unbekannten Grab des Mose kommt zum Tragen (vgl. 11,5–8 mit Deut. 34,5 f.). Von einer *assumptio* ist hingegen in dem vorliegenden Fragment nicht die Rede. Dies widerrät der Benennung der vorliegenden Schrift als *Assumptio Mosis*, da der Titel nicht auf Vermutungen, sondern auf den vorhandenen Text gestützt sein sollte.[83]

---

[82] Vgl. Fragmenta Pseudepigraphorum qua supersunt graeca, collegit et ordinavit *A.-M. Denis*, in: Pseudepigrapha Veteris Testamenti Graece III, Leiden 1970, S. 63–67; vgl. *E. M. Laperrousaz*, Le Testament de Moïse, Semitica 19 (1970), S. 26–62; *K. Haacker* u. *P. Schäfer*, Nachbiblische Traditionen vom Tod des Mose, in: Josephus-Studien, Festschrift f. O. Michel, hrsg. v. *O. Betz* u. a., Göttingen 1974, S. 147–174; vgl. ferner 1 QDM („Worte Moses") in: Discoveries in the Judaen Desert I, Qumran Cave I, Nr. 22, S. 91 ff., Oxford 1955.

[83] Vgl. dazu auch *E. M. Laperrousaz*, a.a.O., bes. S. 39; anders *E. Brandenburger*, Himmelfahrt Moses, in: Jüdische Schriften aus hellenistisch-römischer Zeit, Bd. 5 Lief. 2, Gütersloh 1976, S. 60 ff.; ebenso *K. Haacker*, a.a.O., S. 156, Anm. 1. Sollte die vorliegende lateinische Schrift tatsächlich zu einer Assumptio Mosis umgearbeitet worden sein (vgl. *G. Reese*, a.a.O., S. 89; *A.-M. Denis*, a.a.O. [Anm. 9], S. 137), so ist dies erst nach der Niederschrift von Test. Mos., auf keinen Fall bereits im 1. Jh. n. Chr. denkbar (vgl. *E. M. Laperrousaz*, a.a.O., S. 60 ff.).

Trotz des Versuchs, die Geschichtsdarstellung (Test. Mos. 1,1–5.16–18; 2,3–10,13; 11,1a) von einer älteren, ursprünglich eigenständigen Erzählung von der Nachfolge Josuas in das Amt des Mose als Bundesmittler und Führer des Volkes (1,6–15; 10,14 f.; 11,1b ff.) abzutrennen[84], ist an der literarischen Einheitlichkeit der vorliegenden Schrift festzuhalten, da mit dem Geschichtsüberblick in futurischer Form eine Gliedgattung der Rahmengattung „Testament" bzw. „Abschiedsrede" vorliegt.

Im Vergleich zu anderen Apokalypsen fehlen im Test. Mos. abgeschlossene, deutlich vom Kontext abgehobene paränetische Abschnitte. Die Schrift versteht sich als Abschiedsrede Moses mit der Einsetzung Josuas (10,11 ff.) und dessen Ermahnung (12,3 ff.), die seine Einwände (11,4–19) entkräften soll. Entsprechend dieser historischen Fiktion begegnen Mahnsprüche als Mahnworte an Josua, die Nachfolge anzutreten (1,10; 10,15), sowie als Aufforderung zum rechten Hören der Worte Moses und zum sorgfältigen Aufbewahren der Schrift (10,11; 12,3 bzw. 1,16 ff.). Die in den Kontext eingebettete Mahnrede des Taxo an seine Söhne (9,2–7) weist über diesen engen Zusammenhang hinaus und verhilft wesentlich zum Verständnis der ethischen Anschauungen im Test. Mos. Obschon nur wenige Mahnsprüche im Test. Mos. begegnen, enthalten die belehrenden Partien, sei es in der Geschichtsdarstellung oder im Rahmen, eine Fülle von Aussagen, die für das Verständnis der Ethik von Bedeutung sind. Da in dieser Schrift das Schwergewicht auf der Darstellung der Geschichte bis zur Errichtung des Reiches Gottes liegt, soll zunächst die Darstellung der Geschichte bzw. Endgeschichte auf das in ihr zum Ausdruck kommende Verständnis der Ethik befragt werden. Dies ist zu ergänzen mit den Aussagen zur Ethik im Rahmen (Kap. 1 bzw. 11 f.).

4.1. Aussagen zum Verständnis der Ethik in der Darstellung von Geschichte und Endgeschichte

Die Geschichtsdarstellung von der Landnahme bis zur Endzeit (2,1–6,9) beginnt mit der Landnahme unter Josua. Anspielungen auf andere Traditionen finden sich im Text verstreut, so auf die Schöpfungstradition (1,2.12; 12,9), auf die Exodustradition (1,7 ff.; 3,11 ff.) und auf die Vätertradition im Zusammenhang mit der Bundestheologie. Das Resümee der Richter- und Königszeit (2,1–9) ist vor allem an der Stellung des Volkes zum Gesetz interessiert: Zehn Stämme werden sich nach ihren Anordnungen (*secus ordinationes suas*, 2,5) Herrscher einsetzen, zwei Stämme hingegen werden das Zeugnis der Hütte (*scenae testimonium*, 2,3), d. h. das Gesetz[85], mitnehmen. In der Übertretung des Gesetzes durch das Volk und die Könige liegt der Grund für das Ende der staatlichen Eigenständigkeit Israels. Die Folge dieser Übertretung ist der Götzendienst (2,7 ff.). Trotz der starken Beeinflussung durch

---

[84] Gegen *G. Reese*, a.a.O., S. 89 ff., vgl. auch § 4.2.
[85] So auch *C. Clemen* in: *Kautzsch* AP II, S. 320; *E. Brandenburger*, a.a.O., S. 70, anders *Charles* AP II, S. 416.

das deuteronomistische Geschichtsbild wird die Deportation von 722 v. Chr. als grundlegendes Ereignis nicht erwähnt.

Auch bei der Darstellung der Exilszeit (3,1–4,6) stehen nicht historische Ereignisse, sondern ein theologisches Anliegen, nämlich die Bewältigung des Exils, im Vordergrund. Eine Auseinandersetzung der zwei Stämme mit den zehn Stämmen (3,4–7) wird abgewehrt, denn ganz Israel steht unter der Katastrophe. Auch Juda hat seine Heimsuchung selbst verschuldet. Keiner der beiden Volksteile kann für sich eine Vorzugsstellung beanspruchen. 3,8–14 ist daher ein Klagegebet aller Stämme. Nicht Gott war untreu, sondern das Volk, das sich durch seinen Ungehorsam des unmittelbaren Zugangs zu Gott begeben hat. Darum muß ein Mittler fürbittend für das Volk eintreten, denn Israel war gewarnt, die Gebote (*mandata*, 3,12) nicht zu übertreten. Das Gebet, in dessen Zentrum die Erwähnung des Bundes steht[86], erhört Gott. Er greift in die Geschichte ein (4,5 ff.), jedoch nicht auf Grund der Würdigkeit des Mittlers, sondern seines Bundes und seiner Barmherzigkeit wegen. Die Bedeutung der Bundestheologie für das Verständnis von Geschichte und Ethik im Test. Mos. wird hierbei deutlich.

Die Darstellung der nachexilischen Zeit bis zur Gegenwart des Verfassers (4,7–6,9) ist bis zu den Ereignissen der Hasmonäerzeit stark gerafft. Auch hierbei geht es um das Aufzeigen der Bundestreue Gottes trotz des Ungehorsams des Volkes. Die Rückkehr aus dem Exil gab eine Chance zum Neuanfang. Bemerkenswert ist die erneute Gegenüberstellung der zwei und zehn Stämme (4,8 f.): Zwei Stämme werden in ihrer Treue verharren, obgleich keine Möglichkeit zu legitimen Opfern besteht, während die zehn Stämme zum Heidentum abfallen. Das Volk als Gesamtheit hat also die Chance zum gemeinsamen Neuanfang nicht wahrgenommen. Die Heimgekehrten gehen wieder den Weg des Ungehorsams.

Mit 5,1 f. beginnt eine ausführliche Darstellung der hasmonäischen Herrschaft und der Polarisierung im Judentum dieser Zeit.[87] Hasmonäer und Schriftgelehrte (5,5 f.) werden gleichermaßen wegen des von ihnen verübten Unrechts im Abweichen von der Wahrheit, in der Rechtsprechung und in kultischen Belangen angeklagt. Diese Zeit des Abfalls wird verstanden als Zeit des Strafens und der Rache. Ab 6,2 führt die futurische Geschichtsdarstellung mit der Voraussage der Herr-

---

[86] Vgl. 2,7; 3,5.9; 4,2.5 bzw. im Rahmen 1,9.14; 10,15; 11,17; 12,13. Wer mit *unus qui supra eos est* (4,1) gemeint ist, läßt sich nicht eindeutig klären: Daniel (vgl. Dan. 9,4 ff.), Esra (vgl. Esra 9,6 ff.) oder Nehemia (vgl. Neh. 1,5). Möglicherweise hat der Verfasser „gar keine bestimmte Person im Auge, sondern eine bestimmte Funktion, nämlich die eines stellvertretenden Beters" (G. Reese, a.a.O., S. 97).

[87] 4,9 ist demnach die einzige Erwähnung der Seleukidenzeit. Zum Bezug von 5,1 ff. auf die Hasmonäer vgl. *E. M. Laperrousaz*, a.a.O. S. 118; anders *Charles* AP II, S. 417; *C. Clemen* in: *Kautzsch* AP II, S. 323; *E. Brandenburger*, a.a.O., S. 72. Die Wendung *participes scelerum et punientes eos* läßt an die hasmonäischen Könige bzw. an deren Rache an ihren Gegnern denken, vgl. Jos. Ant. 13,296.372 ff.410 ff.; Jos. Bel. 1,67.88 ff.113 f. Diese Interpretation läßt allerdings die Frage offen, warum die Bedrängnis unter Antiochus IV. nicht ausdrücklich erwähnt wird. Möglicherweise sollte eine zu starke Parallelisierung vermieden werden, da diese Bedrängnis zur Veranschaulichung der Zeit vor dem Ende (Kap. 7 ff.) dient. Bei den innerjüdischen Spaltungen ist an die Gegensätze von Sadduzäern, Pharisäern und Essenern zu denken.

schaft des Herodes und seiner Söhne, die als Strafzeit verstanden wird (V. 2.6), unmittelbar bis an die Gegenwart des Verfassers heran.[88]

Die Darstellung der Zeit vor dem Ende (7,1–8,5) beginnt mit 7,1, da der Verfasser mit der immer verschwommener werdenden Schilderung die unmittelbare Zukunft vorwegnimmt. Mit dem Hinweis auf die Endzeit unterstreicht 7,1 den für die Apokalyptik typischen Gedanken der immer schlechter werdenden Zeit (vgl. 8,1; 9,3), die in den Wehen der Endzeit (10,4 ff.) kulminiert. Die *horae iiii*, die der sehr desolate und darum einer Interpretation sich sperrende Text erwähnt, dürften vier Perioden bezeichnen, in die sich die nun geschilderten Ereignisse gliedern lassen[89], nämlich

a) die totale Sündhaftigkeit der Gegenwart (Kap. 7)
b) das Auftreten des gewaltigen Tyrannen (Kap. 8)
c) Taxo und seine Söhne (Kap. 9)
d) die Errichtung der Gottesherrschaft (Kap. 10).

War in den voraufgehenden Kapiteln die Sünde als Übertretung des Bundes (2,5.7 vgl. 3,12; 4,9), näherhin als kultisches Vergehen expliziert (2,8; 5,3 ff.), so stehen nun soziale Vergehen im Vordergrund (7,3 ff., vgl. auch 5,5). Das selbstsichere und verschwenderische Leben der Reichen, die die Armen (7,6) übervorteilen und berauben, wird hart angeprangert. Es wird nicht gegen eine bestimmte religionspolitische Gruppierung innerhalb des Frühjudentums polemisiert, sondern gegen Gruppen wohl auch unterschiedlicher Prägung, die als Gemeinsamkeit in einem sozialen Gegensatz zu der durch Test. Mos. repräsentierten Gruppe stehen und der Oberschicht angehören, unter der der Verfasser des Test. Mos. und sein Kreis zu leiden haben. Offensichtlich rücken hier sowohl Sadduzäer als auch Pharisäer, wie 7,9 f. als Polemik gegen pharisäische Reinheitsbestimmungen zeigt, in den Blickpunkt.

Kap. 8 schildert die Zeit des gewaltigen Tyrannen als Zeit göttlicher Rache und Zorns auf Grund der in Kap. 7 genannten Vergehen. Zur Beschreibung der Endzeit zieht der Verfasser Ereignisse unter Antiochus IV., die im Frühjudentum zum

---

[88] 6,7 ff. gibt den Schlüssel zur Datierung der Schrift an die Hand: Da die Regierungszeit der Herodessöhne kürzer ist als die des Vaters, ergibt sich als terminus ad quem das Jahr 30 n. Chr. Der Einfall des Quintilicus Varus ergibt als terminus a quo das Jahr 3 v. Chr. Als Entstehungszeit des Test. Mos. ist daher das 1. Drittel des 1. Jh. n. Chr. anzusehen, vgl. *L. Rost,* a.a.O. (Anm. 9), S. 111; zur neueren Lit. vgl. *E. M. Laperrousaz,* a.a.O., S. 96 ff. sowie *K. Haacker,* Assumptio Mosis – eine samaritanische Schrift, ThZ 25 (1969), S. 385–404, der zu Unrecht in das 2. oder 3. Drittel des 2. Jh. n. Chr. datiert. Der Jüdische Krieg mit seinen Folgen wird im Test. Mos. nicht erwähnt!

[89] Vgl. *G. Reese,* a.a.O., S. 103, im Anschluß an *G. Kuhn,* Zur Assumptio Mosis, ZAW 43 (1925), S. 124–129. Diese Interpretation verwehrt, Kap. 8 f. als historischen Bericht aufzufassen, der sachlich zwischen Kap. 5 und 6 gehöre und vom Endredaktor der vorliegenden Kap. 8 und 9 an die jetzige (falsche) Stelle gesetzt worden sei (vgl. *Charles* AP II, S. 420 u. a.; gegen eine Umstellung vgl. *O. Eißfeldt,* a.a.O. Anm. 9, S. 845; *J. Licht,* Taxo, or the Apocalyptic Doctrine of Vengeance, JJS 12, 1961, S. 95–103; *E. M. Laperrousaz, a.a.O., S. 15.122 u. ö.; E. Brandenburger,* a.a.O., S. 62). Zur Charakteristik der Endzeit kombiniert der Verfasser Ereignisse unter Antiochus IV. und Varus, da die Kreuzigung eine typisch römische Strafe ist (vgl. 8,1; dazu *E. M. Laperrousaz,* a.a.O., S. 122 f.). Auch diese Beobachtung verwehrt, Kap. 8 als historischen Bericht anzusehen.

Sinnbild der religiösen Verfolgung schlechthin geworden sind, sowie unter Quintilicus Varus heran. Die angeführten Vergehen haben vor allem Bedeutung für den Kult, so Epispasmus und Zwangsmaßnahmen gegen die Beschneidung (8,1 f.3), Nötigung zum Götzendienst (V. 4.5) sowie zur Übertretung der Reinheitsvorschriften (V. 3.4). Sie richten sich gegen das Gesetz (V. 5), das hier vornehmlich als Kultgesetz verstanden wird.

Mit der Verknüpfung von Sünde (Kap. 7) und Strafe (Kap. 8) greift der Verfasser ein Schema auf, das im Verlauf der Geschichtsdarstellung bereits begegnete.[90] Nun nehmen jedoch Sünde und Bestrafung des Volkes ein weitaus größeres Ausmaß an. Die Strafe trifft das gesamte Volk (vgl. 9,2), obschon das gesamte Volk nicht schuldig ist (9,4 bzw. 3,4 ff.). Der Verfasser kennt also keine dezidierte Trennung in ein wahres und falsches Israel. Er hält an der Vorstellung von Israel als einem Volksganzen fest. Sünde und Strafe sind aber nun auf ein solches Maß angewachsen, daß eine innergeschichtliche Wende zum Heil nicht mehr möglich ist. Das Heil kann nur mehr vom endzeitlichen Eingreifen Gottes erwartet werden. Die Geschichtsdarstellung führt die Bedeutung des Verhaltens Israels in ethischer Hinsicht für den Verlauf der Geschichte vor Augen und zeigt die ständige Verschlimmerung der Zustände, denen innergeschichtlich kein Einhalt mehr geboten werden kann.

Das Auftreten Taxos und seiner Söhne (9,1–7) wird unmittelbar nach der Darstellung der letzten schweren Zeit vor dem Ende geschildert. Das Kap. 9 erhält durch seine Stellung vor Kap. 10 mit der Ankündigung der durch Gott herbeigeführten Heilszeit ein besonderes Gewicht. Taxo ist also Vorläufer der Wehen der Endzeit (bes. 10,4 ff.). Er kann gleichsam als „Drehpunktperson" zwischen der immensen Sündhaftigkeit vor dem Ende (Kap. 7 und 8) und der Errichtung der Gottesherrschaft gelten (Kap. 10). Ihm kommt auf diese Weise eine besondere Bedeutung innerhalb der Endereignisse zu.

Taxo wird eingangs (9,1) durch seine Herkunft aus dem Stamm Levi, durch seinen Namen sowie durch seine sieben Söhne charakterisiert. Seine Funktion ist vorab eine paränetische. Diese Paränese ist aber mit der Offenbarung künftigen Geschehens verbunden (V. 7). Ein zweimaliger Ruf zum Hören (V. 1 f. bzw. 4a) gliedert seine Mahnrede, die zunächst eine Rekapitulation der zuvor geschilderten geschichtlichen Lage und sodann eine Charakteristik der Gruppe und ihrer Situation gibt. Hierbei wird der Geschichtsbezug der Paränese deutlich. Es folgt die Aufforderung zum Handeln (V. 6), die mit einer konditionalen Mahnung *(si faciemus . . . vindicavitur)* abschließt. Diese unterstreicht die Bedeutsamkeit des Tuns für das Ergehen im Eschaton.

Taxo ermahnt seine Söhne zu einer Folge von Handlungen, nachdem er zuvor darauf hinwies, daß seine und seiner Söhne Stärke darin bestehe, daß weder die Eltern noch ihre Vorfahren Gottes Gebote übertraten oder Gott versuchten.[91] Als Aus-

---

[90] Vgl. 2,7–9 mit 3,1 ff.; 4,8 f. mit 5,1 ff.; 6,1 mit 6,2.6; vgl. dazu *G. Reese*, a.a.O., S. 104.

[91] *Nec parentes nec proavi eorum* (V. 4) meint wohl die Vorväter der Gruppe, als deren Exponent Taxo erscheint. Es ist kaum an das gesamte Volk gedacht, dessen Übertretungen die vorhergehenden Kapitel nennen. Möglicherweise klingt die Vorstellung eines Restes der Glaubenstreuen nach. Dabei ist aber

druck des radikalen Gesetzesgehorsams mahnt er zum Fasten, das wegen V. 4 nicht
als Bußfasten für vergangene Sünden, sondern als Vorbereitung auf ein eschatologisches Ereignis aufzufassen ist, wie es auch ein Fasten als Vorbereitung auf den Offenbarungsempfang gibt (vgl. Dan. 9,3; 10,2 f.; 4. Esra 5,13.19 f.; 2. Bar. 9,2; 20,5 ff.
u. ö.). Ferner mahnt er zum Zug *in spelunca, quae in agro est* (V. 6), der nicht als Flucht
vor Nachstellungen noch als Flucht in den Hungertod zu verstehen ist, da man lieber
sterben will, als die Gebote des Herrn der Herren zu übertreten. Vermutlich wird
hier die Wüste als Ort der Prüfung und Bewährung verstanden, als Ort, wo man
Gott begegnet (Deut. 32,10). Zugleich wird mit der Aufforderung zum Zug in die
Höhle im Gegensatz zu einer an den Tempel gebundenen Eschatologie eine anders-
wo lokalisierte Enderwartung proklamiert im Sinne einer Absage an die in Kap. 8
geschilderten Vergehen und an die Kultpraxis am Tempel. Wenn Josephus von Zü-
gen eschatologisch ausgerichteter Gruppen in die Wüste berichtet, dann steht die
Handlung im Vordergrund. Hier ist es die Paränese, die Handlung wird nicht berichtet – sie wird erst für die Zukunft erwartet und ist nicht schon (wie in der Qumrangemeinde) vollzogen. Für das Verständnis ist nämlich wesentlich, daß V. 7 mit der
Ankündigung der Vergeltung durch Gott abbricht. Es wird nicht berichtet, was unmittelbar nach dieser Rede Taxos geschehen wird bzw. wie die im Konditionalis genannten Taten *(si faciemus)* ausgeführt werden. Die Erzählung bricht mit dem Plan
ab, ohne dessen Ausführung zu berichten.

Das einleitende *et tunc* der darauffolgenden Zukunftsschilderung (10,1 ff.) stellt
keine ausdrückliche kausale Beziehung her, sondern meint eine temporale Aufein-
anderfolge entsprechend der in Apokalypsen häufig begegnenden Wendung „in jenen Tagen . . ." Die konstatierte Lücke im Erzählungszusammenhang nach 9,7 ist
nicht zufällig. 10,1 ff. betont die Alleinwirksamkeit Gottes. Das Handeln Taxos
und seiner Söhne ist also nicht als eine Provokation des Eingreifens Gottes aufzufassen. Sie sterben nicht, *damit* Gott das Ende herbeiführe, sondern können den
Tod im Gesetzesgehorsam freiwillig auf sich nehmen, *weil* Gott vergelten wird. Da
Gottes Initiative (10,1 ff.) nicht durch den Menschen provoziert werden muß, liegt
die Bedeutung Taxos auf anderer Ebene: Er hat vorab eine paränetische Funktion.

zu beachten, daß Test. Mos. für die Endzeit eine innerisraelitische Spaltung nicht thematisiert (dazu
s. u.). Zum folgenden vgl. *J. Behm*, Art. *nästis* in: ThWBNT IV, S. 930; *G. Kittel*, Art. *erämos*, ebd.,
Bd. II, S. 654–657; *G. Reese*, a.a.O., S. 106 ff.; *M. Hengel*, Die Zeloten, Leiden 1961, S. 255 ff.;
J. Licht, a.a.O., S. 98 f. Zur Problematik der Identifizierung des Taxo vgl. die Literaturübersicht bei
H. H. Rowley, a.a.O. (Anm. 47), S. 123–130; vgl. ferner *G. Reese*, a.a.O., S. 108; *E. M. Laperrousaz*,
a.a.O., S. 87; vgl. das Urteil *E. Brandenburgers*, a.a.O., S. 75: „Als historische Gestalt nicht identifi-
zierbar und trotz zahlreicher Hypothesen noch immer nicht überzeugend erklärt." *J. Licht*, a.a.O.,
S. 96 ff. versteht Taxo als eine aktive Figur, durch dessen Tun im Zusammenhang mit dem Vergel-
tungsmotiv das Eingreifen Gottes provoziert werde. Das Verdienst dieser Untersuchung, der nicht
zugestimmt werden kann, besteht darin, daß sie die Unzulänglichkeit von Kategorien wie „Aktivis-
mus" und „Quietismus" zur Umschreibung der in Test. Mos. dargestellten Sachverhalte nachgewiesen
hat (vgl. *Charles* AP II, S. 411, der den Verf. als „a Pharisaic Quietist . . . upholding the old traditions
of quietude and resignation" bezeichnet, während *E. Stauffer*, Probleme der Priestertradition, ThLZ
81 (1956), Sp. 135–150, in Test. Mos. „ein dokumentarisches Beweisstück für die religionspolitische
Aktivität der Wüstenleute in der Herodeszeit" (Sp. 141) sieht.

Um das Bewahren des Gesetzes geht es auch in 8,1 ff. Hier führt aber der Gesetzesgehorsam denjenigen, der sich an das Gesetz hält, in die Katastrophe, denn im Blick auf die Gegenwart ist der Tun-Ergehen-Zusammenhang zerbrochen, und auch der Gerechte muß trotz seines Gesetzesgehorsams leiden. Taxo ruft zu unbedingtem Gesetzesgehorsam auf, aber seine Paränese fügt eine neue Dimension hinzu: Das Tun des Gesetzes muß nicht mehr in die Katastrophe führen, denn diese ist eine nur innergeschichtliche. Taxo verweist auf die künftige Vergeltung durch Gott, die den Gesetzesgehorsam bis hin zur freiwilligen Übernahme des Todes sinnvoll macht, weil es zwar nicht innergeschichtlich, aber im Blick auf das von Gott herbeigeführte Eschaton eine Vergeltung gibt. Der Tun-Ergehen-Zusammenhang von Sünde und Strafe sowie Begnadigung des Volkes, der den positiven Akzent in der Geschichtsdarstellung von Test. Mos. bewirkt, ist im Blick auf die katastrophalen Zustände der dem Ende voraufgehenden Zeit zerbrochen. Taxo restituiert ihn mit seiner Paränese, indem er auf die kommende Vergeltung hinweist. 9,7 ist somit der Schlüsselsatz für das Verständnis der Ethik und der Eschatologie. Die in der Geschichtsdarstellung herausgestrichene geschichtsimmanente Vergeltung wird nun auf das apokalyptische Geschichtsbild mit der Erwartung des künftigen Eingreifens Gottes bezogen. Der Tod Taxos und seiner Söhne ist daher weder als ein Herbeizwingen des Endes im Sinne rabbinischer Quellen, die von einer Beschleunigung der Rettung durch die Buße Israels sprechen, noch als Sühnetod zu verstehen. Die besondere Aufgabe des Taxo liegt in seiner Paränese, deren Aufruf zu völligem Gesetzesgehorsam in der Endzeit mit der Zuordnung von Mahnung und eschatologischer Erwartung begründet wird.

Die Schilderung des Herbeiführens der Heilszeit durch Gott (10,1–10) mit der kollektiven Restitution Israels am Ende der Zeit stellt eine von traditionellen Vorstellungen über kosmische Begleiterscheinungen der Theophanie geprägte, in sich geschlossene literarische Einheit dar, deren Originalität in der spezifischen Verknüpfung der einzelnen Traditionen besteht.

Der allein Handelnde im Endgeschehen ist Gott. Der Endkampf wird geschildert als Kampf Gottes zur Rache an den Feinden des erwählten Volkes bzw. an den Heiden (V. 2.7). Im Kommen Gottes zur Hilfe für sein Volk liegt der Zielpunkt der in diesem Kapitel geschilderten Theophanie. Auch das endgültige Heil wird in Anlehnung an atl. Traditionen dargestellt: V. 8 schildert „so etwas wie eine Himmelfahrt Israels"[92]. Nach der Entmachtung des Teufels und der Feinde des Volkes wird ganz Israel errettet werden. Mit der Entrückung in den Himmel mündet die Geschichte in die ewige Heilszeit.

---

[92] *G. Reese*, a.a.O., S. 114, der im Blick auf 1. Thess. 4,17 bemerkt, daß Deut. 32,11 auch als Beleg für die Entrückung Israels verstanden werden konnte. Es ist genaugenommen in Test. Mos. nicht von der Himmelfahrt Moses, sondern von der Himmelfahrt Israels die Rede (dazu vgl. *E. M. Laperrousaz*, a.a.O., S. 85 u. Anm.). Literarkritische Operationen in Kap. 10 (so *Charles* AP II, S. 421) sind kaum notwendig, da verschiedene traditionelle Vorstellungen vom Verfasser kompiliert sind (vgl. *L. Hartmann*, a.a.O. [Anm. 61], S. 126–132; *D. Harrington*, Interpreting Israel's History: The Testament of Moses as Rewriting of Deut 31–34, in: *G. W. E. Nickelsburg*, Studies on the Testament of Moses, Cambridge [Mass.] 1973, S. 59–68).

Das *regnum dei* wird nicht als weltimmanent erwartet. Es begegnet auch keine auf
Jerusalem als heilige Stadt bezogene Erwartung. Weder von einem neuen Him-
mel bzw. einer neuen Erde noch von einem Zwischenreich oder Auftreten eines
Messias ist die Rede. Ferner fehlt eine Erwähnung des Völkeransturms bzw. des
Angriffs der/des Bösen gegen die Heiligen. Auch Vorstellungen über Satan und
Engel klingen nur verhalten an. Bei der Charakterisierung der Heilszeit treten
statt naturhafter Umschreibungen existentiale Begriffe wie Freude, Dank und
Vertrauen zu Gott als dem Schöpfer (10,10) sowie die Nennung von Zeit, die
frei ist vom Teufel und von Traurigkeit (10,1), in den Vordergrund. Auffälligerweise fehlt eine Erwähnung des Endgerichts nach Werken. V. 10 bzw. 2.7 nennen lediglich die Bestrafung der Feinde Israels durch Gott sowie die Freude des
erhöhten Israel über die Bändigung der Feinde auf der Erde. Dabei wird weder
nach dem gesetzestreuen oder gesetzlosen Verhalten Israels oder einer Gruppe
des Volkes noch nach dem Verhalten des einzelnen in der zurückliegenden Geschichte gefragt. Israel kommt als Subjekt der Ethik in diesem Zusammenhang
nicht in den Blick. Allein die Zugehörigkeit zu Israel bzw. zu den Feinden ist
entscheidend. War im Verlauf der Geschichte die ethische Bewährung im Gesetzesgehorsam entscheidend, so entscheidet beim Kommen der Heilszeit nur mehr
die Aktion Gottes über das Schicksal der Gesamtheit des Volkes Israel. Nicht das
menschliche Tun, sondern allein das Heilshandeln Gottes ermöglicht die Teilhabe
am Reich Gottes.

Taxo mahnt zu unbedingtem Gesetzesgehorsam mit dem Wissen um das heilbrin-
gende Eingreifen Gottes, nicht mit dem Hinweis auf die Unerbittlichkeit des Gerichts. Das 9,7 proklamierte Tat-Folge-Schema wird damit keineswegs aufgehoben
noch die Hoffnung der bis zur letzten Konsequenz Gesetzestreuen geschmälert
noch die Mahnung zum Gesetzesgehorsam annulliert. Aber die Ankündigung der
allein durch Gott herbeigeführten Heilszeit durchbricht das enge Tat-Folge-
Schema, da nicht nur den wenigen Gesetzestreuen, also Taxo und seinen Söhnen,
sondern Israel als Gesamtheit im Unterschied zu den Heiden das Heil zugesprochen wird. Die Ethik wird damit einem starren System von Tat und Belohnung
(einer „Do-ut-des-Mentalität") entnommen. Das kontingente und gnädige Handeln
Gottes an Israel rückt in das Zentrum der Hoffnung. Diese Art der Darstellung
der Endereignisse im Test. Mos. bringt in eindrücklicher Weise den Gedanken der
Barmherzigkeit Gottes zum Tragen, der vor allem im 4. Esra (bes. 8,20 ff. u. ö.)
und 2. Bar. zum Gegenstand theologischer Reflexion wird. Als wesentlich ist festzuhalten, daß die Durchbrechung eines starren Vergeltungsschemas nicht der Mahnung zu völligem Gesetzesgehorsam widerspricht und die Hoffnung auf Gottes
endzeitliches Handeln zum Tun des Gesetzes ermutigt.

4.2. Aspekte der Rahmenerzählung zum Verständnis von Geschichte,
Endgeschichte und Ethik

Nur ein geringer Teil der Rahmenerzählung des Test. Mos. (Kap. 1 bzw. 10,11 ff.),
die sich um die Darstellung von Geschichte und Endgeschichte gruppiert, ist

streng auf die historische Einkleidung dieser Schrift, nämlich die Amtsübergabe Moses an Josua, bezogen. Die Texte, die den Tod des Mose und die Übergabe des Amtes ansprechen (1,7 ff.; 10,12 ff.; 12,1 ff.), mehr noch die Antwort Josuas (11,9–19) wie auch die restlichen Partien des Rahmens, vermitteln theologische Grundeinsichten, die für das Verständnis der gesamten Schrift bedeutsam sind.

Rahmen und Geschichtsdarstellung sind streng aufeinander bezogen. So nimmt 11,9–19 die Geschichtsdarstellung ansatzweise auf, während das den Rahmen beherrschende Thema der Nachfolge auch in 2,1–10,10 zum Tragen kommt, da Gehorsam und Ungehorsam gegenüber den Geboten bzw. dem Bund ein zentrales Motiv sind. Im Rahmen begegnen vorab Aussagen zum Bund und über Gott. Hervorgehoben wird Gottes Barmherzigkeit (vgl. 11,17; 12,7 mit 4,5), seine Herrschaft über alle Geschichte (12,8 f.) sowie das Vorherwissen Gottes (vgl. auch 1,14.17), der als Schöpfer aller Völker auch deren künftiges Geschick bedacht hat, obwohl der Gegensatz Israels zu den Völkern seit der Schöpfung besteht (12,4.8 vgl. 11,9 ff.).

Diese Aussagen über Gott sind wichtig für das Verständnis von Geschichte, Endgeschichte und Ethik: Weil trotz der Zunahme der Übel in der Welt die Barmherzigkeit Gottes zu seinem Volk nicht aufhört, sind auch für die Zukunft Heilssetzungen Gottes zu erwarten, die bisher innergeschichtlich nicht erfahrbar waren. Das bisherige Geschichtshandeln Gottes begründet eine Zukunftserwartung, die auf die katastrophale Gegenwart die von Gott herbeigeführte Heilszeit folgen läßt. Dabei zeigt sich eine unverkennbar deterministische Ausrichtung (vgl. 12,5.9.13 u. ö.). 12,10 f. spricht mit antithetischen Konditionalsätzen im Tat-Folge-Schema das Wachsen und Wohlleben der Täter der Gebote an, während für die Sünder das Gute ausbleibt. Das göttliche Vorherwissen und die Determinierung alles Geschehens heben also die Eigenverantwortlichkeit des Menschen nicht auf. In dieser Hinsicht ist besonders instruktiv, daß unvermittelt nebeneinanderstehend 12,7 ff. jedes menschliche Verdienst zur Erlangung des Heils ausschließt und V. 10–12 die Verantwortlichkeit des Menschen in ethischer Hinsicht bekräftigt. Die Determination durch Gott und die freie Verantwortlichkeit des Menschen bilden also für das Denken der Apokalyptiker keinen Widerspruch. Am Geschichtsverlauf ist zudem abzulesen, wie beide Positionen in der Praxis harmonieren. Die Determination durch Gott bestätigt, daß der Heilsplan Gottes als ein Kontinuum trotz der Sünde der Menschen im Eschaton zum Ziel kommt.

Diese durch den Rahmen vermittelten theologischen Einsichten machen den Verlauf der bisherigen Geschichte verständlich. Der Rahmen erklärt mit der göttlichen Vorherbestimmung, warum auf die für den Leser nachprüfbare Geschichte eine Endgeschichte folgt. Er legt mit dem Hinweis auf die Treue und Barmherzigkeit Gottes (12,7) dar, warum das Volk Israel nach den Jahren der Bedrückung und Sünde (7,1 ff.) eine Zeit des Heils und der Freude erwarten kann. Er betont zugleich die ethische Verantwortlichkeit des Menschen.

4.3. Das Verhältnis von Eschatologie und Ethik im Test. Mos.

Im Test. Mos. wird der Gedanke, daß sich der Mensch durch seinen Gesetzesgehorsam die Teilhabe an der kommenden Heilszeit erwirken kann, durch die Anschauung überlagert, daß das Heraufführen des eschatologischen Heils die alleinige, barmherzige Tat Gottes ist. Der Gerichtsgedanke sowie ein starres Vergeltungsschema treten in den Hintergrund. Statt dessen rückt die Bundesvorstellung
in das Zentrum der theologischen Reflexion.

Am Bund ist auch die Ethik ausgerichtet. Gehorsam und Ungehorsam dem Bund
gegenüber stehen im Mittelpunkt der Geschichtsdarstellung. Entsprechend kann
das Übertreten der *mandata domini* (3,12 vgl. 9,6; 12,10; 1,10; 9,4) auch als Übertretung des Bundes (2,7) bezeichnet werden.[93] Diese Schuld trägt Gott ab, indem
er sich an den Bund mit den Vätern erinnert (11,17; 4,1 ff. vgl. 11,14; 12,6). Der
Bund ist die Ursache für das auf Grund der Sünde des Volkes notwendige Eingreifen Gottes in der Geschichte, das, wie die Geschichtsdarstellung ausweist (bes.
3,9 f.), zunächst innergeschichtlich nachprüfbar ist. Der Bund verbürgt zugleich
das Eintreffen der eschatologischen Erwartung.

Der Geschichtsverlauf ist bestimmt durch eine differenzierte Stellung einzelner
Gruppen des Volkes zum Bund (vgl. 2,3 ff.; 3,4 ff.; 4,7 ff.; 5,2 bzw. 9,4 ff.). Zwar
ist die Schuld differenzierbar, doch das gesamte Volk soll die Schuld auf sich nehmen. Entsprechend wird auch das gesamte Volk erlöst werden (10,1 ff.). Auch
wenn innerhalb der Geschichtsdarstellung einzelne Volksteile dezidiert voneinander abgesetzt werden (2,3; 3,4 u. ö.), so gibt es trotz der scharfen Anklagen in
Kap. 7 keine harte Trennung innerhalb Israels. Der Gegensatz der Endzeit ist im
Test. Mos. nicht ein innerjüdischer, sondern besteht zwischen dem Volk Gottes
und seinen durch ihren Götzendienst disqualifizierten Gegnern.

Fragt man nach dem Verhältnis von Eschatologie und Ethik im Test. Mos., so
muß für diese Schrift die Fragestellung als Frage nach dem Verhältnis von Ethik,
Geschichte und Endgeschichte präzisiert werden. Test. Mos. entwickelt die ethischen Anschauungen im Gegenüber zur Geschichte, so daß man von einer ge-
schichtsbezogenen Ethik sprechen muß, da wesentliche Aussagen zur Ethik mit
der Darstellung der Geschichte Israels verbunden sind. Das für die Ethik Bedeutsame wird an der von Gesichtspunkten apokalyptischer Theologie bestimmten Geschichtsdarstellung ablesbar. Von der Geschichte lassen sich die Linien verbindlich
bis zur Endzeit ausziehen, d. h., im Blick auf die Bundestreue Gottes kann die
Endgeschichte sozusagen aus dem bisherigen Geschichtsverlauf extrapoliert werden. Trotz der Präexistenzaussagen im Test. Mos. hat das Urzeit-Endzeit-Schema
keine Bedeutung. Obwohl die Gegenwart eine Zeit der Not und das Heil nur mehr
im Eschaton erfahrbar ist, zeigt sich in Test. Mos. ein positiveres Verhältnis zur
Geschichte als in anderen Apokalypsen (bes. 4. Esra, s. u.).

---

[93] Das Gesetz wird im Test. Mos. auffälligerweise nicht zum Gegenstand tiefgehender theologischer Reflexion, vgl. dazu M. *Limbeck*, a.a.O., S. 89; vgl. M. *Hughes*, a.a.O., S. 117: „But it is noteworthy that
the Moral Ideal is defined not so much in terms of the law as in these of the covenant."

Das richtige ethische Verhalten ist im Test. Mos. nicht die alleinige Bedingung für die Teilhabe am künftigen Heil; dies führt aber nicht zu einem ethischen Quietismus, wie oft behauptet worden ist, sondern das Wissen um das kommende Eingreifen Gottes motiviert den unbedingten Gesetzesgehorsam einer von der Eschatologie her motivierten Ethik. Die Hoffnung auf das endzeitliche Handeln Gottes soll das Tun der Gebote einschärfen.

Im Test. Mos. finden sich nur wenige Angaben zur materialen Ethik. Die inhaltliche Umschreibung der Heilszeit schlägt sich nicht im Inhalt der Mahnungen nieder. Die Geschichtsdarstellung akzentuiert die Übertretungen des Kultus und der Reinheitsvorschriften. Was dem an positivem Verhalten entgegenzusetzen sei, wird nicht gesagt. Bemerkenswert ist die starke Betonung von Gebet und Fürbitte (4,1 ff.; 11,14.17; 12,6). Ansätze zu einer sozial ausgerichteten Ethik (5,5; 7,3 ff.8) sind der Warnung vor Götzendienst als Sünde par excellence untergeordnet. Die Aufforderungen zur sorgfältigen Aufbewahrung der Schriften (1,16 ff.) sowie zum Einhalten „dieser Worte und dieses Buches" (10,11) unterstreichen die Bedeutung der im Test. Mos. mitgeteilten Offenbarungen, die im Blick auf das endgültige Eingreifen Gottes zu einem völligen Einhalten der Gebote aufrufen. Dabei stehen die Barmherzigkeit Gottes und die Eigenverantwortlichkeit des Menschen nicht im Widerspruch. Das Wissen um das endzeitliche Eingreifen Gottes legt nahe, gerade in der letzten Zeit die Gebote Gottes zu beachten. Die besondere Notlage der Gegenwart erfordert aber angesichts der katastrophalen Lage der Gesetzestreuen (8,1 ff.) eine besondere Motivierung, die mit der Verknüpfung von Eschatologie und Ethik gegeben wird. Insofern liegt der „springende Punkt" am Übergang von Kap. 9 zu Kap. 10: Der Ernst der Lage macht den konsequenten Gehorsam erforderlich, wie an Taxo und seinen Söhnen deutlich wird. Dieser völlige Gesetzesgehorsam, zu dem Test. Mos. aufrufen will, ist jedoch nicht in dem Sinne mit der Heilszeit verknüpft, daß durch das menschliche Tun das Ende herbeigezwungen werden kann oder ein starres Vergeltungsdogma besteht. Hingegen macht die Zukunft Gottes das Leben nach dem Gesetz in der letzten Zeit besonders andringend, denn die Treue Gottes, die sich in seinem eschatologischen Handeln erweist, setzt den nach dem Gebot handelnden Menschen ins Recht (9,7).

5.   4. Esra

Die als 4. Esra bezeichnete Apokalypse ist in lateinischer, syrischer, äthiopischer, arabischer, sahidischer und georgischer Übersetzung erhalten. Diese Übersetzungen sind über eine verlorene griechische Übertragung auf einen hebräischen oder aramäischen Urtext zurückzuführen. Da der lateinische Text als der zuverlässigste gilt, bildet er unter Berücksichtigung der anderen Überlieferungen die Grundlage der nachfolgenden Erwägungen.

Da sich das Postulat verschiedener durchgängiger Quellen nicht bewährt hat, setzen die meisten Exegeten die Einheitlichkeit der vorliegenden Schrift voraus, denn der 4. Esra ist „ein besonders bezeichnender Beleg dafür, daß unsere Apokalypsen Kompilationen sind, daß der Apokalyptiker seinen Stoff nicht erfindet, sondern übernimmt und die verschiedensten eschatologischen Traditionen für seine verschiedenen Probleme zusammenträgt"[94]. Es ist daher vor allem auf Quellen und Vorlagen zu achten, die der Verfasser übernommen und in seiner selbständig komponierten Schrift verarbeitet hat. Trotz ihres kompilatorischen Charakters läßt die Schrift eine klar gegliederte Komposition erkennen. Den ersten Hauptteil des insgesamt in sieben Abschnitte unterteilten Buches bilden drei Dialoge Esras mit seinem himmlischen Gesprächspartner in parallelem Aufbau: Nach der Schilderung der gegenwärtigen Situation Esras (3,1–3; 5,20–22; 6,35–37) redet dieser Gott auf dessen vergangenes Heilshandeln an, das im Widerspruch zur gegenwärtigen Lage Israels steht (3,4–27; 5,23–27; 6,38–54). Diese in Anklagen und Anfragen (3,28–36; 5,28–30; 6,55–59) vorgebrachten Aporien kommen in den sich anschließenden Redegängen der Dialoge zur Sprache. Die Ankündigung der „Zeichen der Endzeit" (5,1–13; 6,13–28; 9,1–13) und eine abschließende Bemerkung zur Situation Esras (5,14 ff.; 6,30 ff.; 9,23 ff.) bilden jeweils den Abschluß.
Den zweiten Hauptteil bilden die Visionen IV–VI, die formale und inhaltliche

---

[94] *P. Volz*, a.a.O., S. 36; zur Einheitlichkeit des 4. Esra vgl. *J. Keulers*, Die eschatologische Lehre des vierten Esrabuches, Freiburg 1922, S. 20 f.; *W. Mundle*, Das religiöse Problem des IV. Esrabuches, ZAW 47 (1929), S. 222–249, bes. S. 222 Anm. 1; *W. Harnisch*, Verhängnis und Verheißung der Geschichte. Untersuchungen zum Zeit- und Geschichtsverständnis im 4. Buch Esra und in der syr. Baruchapokalypse (FRLANT 97), Göttingen 1969, S. 14; anders *R. Kabisch*, Das vierte Buch Esra auf seine Quellen untersucht, Göttingen 1889; *G. H. Box*, The Ezra-Apocalypse, London 1912; vgl. insgesamt *A. Kaminka*, Beiträge zur Erklärung der Esra-Apokalypse und zur Rekonstruktion ihres hebr. Urtextes, MGWJ 76 (1932), S. 121 ff.; 206 ff.; 494 ff.; 604 ff.; *C. C. Torrey*, The Apocryphal Literature, New Haven ³1948, S. 118 ff.; *F. Zimmermann*, Underlying documents of IV. Ezra, JQR (1960/61) 51, S. 107–134; *M. Stone*, Some remarks on the textual criticism of IV. Ezra, HThR 60 (1967), S. 107–115.

Charakteristika von Visionen zeigen, obschon sie durch die für 4. Esra typischen Dialoge unterbrochen werden. Hieran läßt sich ablesen, daß die Dialoge im 4. Esra auf eine Ausweitung des überlieferten Schemas prophetischer Visionsberichte in der Apokalyptik zurückzuführen sind.[95] Für Visio V (Kap. 11 f.) und VI (Kap. 13) konnte der Verfasser vermutlich auf fixierte Vorlagen zurückgreifen, da nur mündliche Traditionen den Verfasser kaum bewogen hätten, zwei in ihrer Eschatologie so verschiedene Visionen zu gestalten, die letztlich das gleiche, nämlich die Vernichtung des letzten Feindes durch eine messianische Gestalt, berichten. Da in Kapitel 14 Entscheidendes zum Verständnis der gesamten Schrift mitgeteilt wird und zuvor im 4. Esra verhandelte Probleme zu einer Lösung gelangen, ist es nicht nötig, dieses Kapitel als einen später angefügten Bericht abzutun. Der 4. Esra ist als eine einheitliche Schrift anzusehen, denn der Verfasser hat die z. T. disparaten apokalyptischen Traditionen mit Eigenem so verschmolzen, daß insgesamt ein relativ geschlossenes Werk in dem für die Apokalyptik charakteristischen kompendienhaften Stil entstanden ist.

Für die Interpretation des 4. Esra ist wesentlich zu ergründen, warum der Verfasser weithin die Dialogform als literarisches Stilmittel aufgreift. Im Verlauf der Dialoge gelangt Esra nach Offenbarungen und Belehrungen, nach Tadel und Zurechtweisungen durch seinen himmlischen Gesprächspartner zu einer neuen Position, die mehr und mehr derjenigen seines Gegenübers nahekommt und sich den Standpunkt seines Gesprächspartners zu eigen macht, um von der jeweils neu gewonnenen Position seine Fragen vorzubringen. Diese Beobachtung verwehrt, in den Äußerungen Esras durchweg die Meinung des Verfassers oder im Dialog die Projektion seines zu keiner Lösung gelangenden inneren Wesens zu sehen oder im Hin und Her zwischen Frage und Antwort die „Polemik"[96] gegen eine ganz bestimmte Denkströmung zur Zeit des Apokalyptikers zu erblicken. 4. Esra und 2. Bar. zeigen deutlich, daß die katastrophale Lage des Volkes nach 70 n. Ch. den Nährboden für eine an Gottes Güte zweifelnde Stimmung abgegeben hat. Diese kann aber letztlich nicht mit dem Denken des Verfassers (vgl. bes. 14,28 ff.) identifiziert werden. Der Verfasser nimmt die Fragen seiner Zeitgenossen mit viel Einfühlungsvermögen auf und läßt daran erkennen, wie bedrängend diese auch für ihn selbst waren. Nun zeigt er mit seiner Schrift an Esra einen Entwicklungsgang auf, den er selbst gegangen ist, um den Leser zu der Position zu führen, zu der er sich bereits hindurchgerungen hat. Die Position Esras am Beginn der Apokalypse ist also nicht die des Verfassers. Das ausgesprochen diskursiv ausgerichtete Denken, das im Aufwerfen neuer Fragen scheinbar immer wieder um die gleichen Probleme

---

[95] Vgl. dazu K. Koch, Esras erste Vision. Weltzeiten und Weg des Höchsten, BZ N. F. 22 (1978), S. 46–75, bes. S. 56 ff.; zum Aufbau von Visio I–III vgl. auch E. Breech, These fragments I have shores against my ruins, JBL 92 (1973), S. 267–274.

[96] Vgl. dazu E. Brandenburger, Adam und Christus (WMANT 7), Neukirchen 1962, S. 39 Anm. 1 u. ö.; W. Harnisch, a.a.O., bes. S. 173; W. Mundle, a.a.O., S. 235 f.; vgl. zum Vorhergehenden auch L. Couard, a.a.O. (Anm. 3), S. 131 ff.; B. Violet, Die Apokalypsen des Esra und Baruch in deutscher Gestalt (GCS 32), Leipzig 1924, S. XXXIX f.; zu ähnlichen Ergebnissen wie unten dargelegt kommt jetzt auch K. Koch, a.a.O., S. 55 ff.

kreist, führt – im Bilde gesprochen – spiralenförmig voran. Der Grund für die Wahl der dialogischen Form liegt somit nicht in einer polemischen, sondern in einer pädagogischen Absicht. Weder die Äußerungen Esras noch seines Gegenübers können von vornherein mit der Meinung des Verfassers identifiziert werden. Daraus ergibt sich die Nötigung, sorgfältig die Zielrichtung des Gesamtgesprächs sowie die Tendenz einer jeweiligen Äußerung im Rahmen der gesamten Schrift zu beachten. Zu dieser Schwierigkeit gesellt sich die Aufgabe, zwischen traditionellen und dem Verfasser zuzuschreibenden Stücken zu unterscheiden, um aus dem Widerstreit der im 4. Esra geäußerten Gedanken die Absicht des Verfassers zu erkennen.

5.1. Die ethische Akzentuierung der Grundfragen im 4. Esra

Die Tempelzerstörung im Jahre 70 n. Chr. ist das grundlegende Anliegen des kurz vor dem Jahre 100 n. Chr. verfaßten 4. Esra wie auch des 2. Bar., um die geschehene Katastrophe, an der die Fragen des Visionärs aufbrechen, und die unmittelbar bevorstehend gedachte Wende in einen ideellen Zusammenhang zu bringen. Die drei Dialoge im 4. Esra (Visio I–III) beginnen jeweils mit einer Rede des Visionärs, der in Anlehnung an atl. Volksklagelieder Gott sein im Gegensatz zur gegenwärtigen Situation stehendes vergangenes Heilshandeln vorhält, um ihn zu einer Erklärung dieses Widerspruchs zu zwingen. Wesentlich ist, daß dabei ethischen Fragen eine besondere Bedeutung zukommt.

Das Geschichtssummarium (3,4–27.28 ff.), das die Geschichte durch das Auftreten Adams, Noahs, Abrahams und Davids in vier Epochen unterteilt, dient im Unterschied zu anderen Geschichtsüberblicken in der apokalyptischen Literatur, da es nicht bis an das Eschaton heranführt, weder dem Aufweis des Standorts des Lesers in der Endgeschichte noch der Ableitung künftigen Heilshandelns Gottes aus den vergangenen Heilstaten. In einer für Esra unfaßbaren Weise (V. 8.12 f.) wird hier die Geschichte zum Exempel des Scheiterns der Absichten Gottes an der immer größer werdenden Sünde des Menschen (vgl. V. 7.8.12.20 ff.25), deren Ursache in dem seit Adams Übertretung verderbenbringenden *cor malignum* (V. 20 ff.) liegt. Die Unentrinnbarkeit des Sündengeschicks wird zum prägenden Grundgedanken dieses Geschichtsabrisses, der folgerichtig mit dem Fiasko, der Preisgabe Jerusalems, endet. Dabei wird die Zerstörung durch Nebukadnezar entsprechend der literarischen Fiktion der Schrift zum Typos der Katastrophe im Jahre 70 n. Chr.

Mit der Frage V. 28 leitet der Verfasser zum Dialog über, der Gottes unbegreifliches Verhalten zu den Gottlosen und zu Israel (28–31a.31b–33) zur Sprache bringt. Für Esra ist die Frage bedrängend, ob Babel besser gehandelt hat, da er aus eigener Erfahrung die Sündhaftigkeit der Heiden kennt (V. 29). Der Weg Gottes, der die Frevler verschont, aber sein Volk vernichtet (V. 30), ist ihm unbegreiflich. Seine Fragen brechen an der gegenwärtigen Situation Israels auf (V. 2.27) und zeigen einen deutlichen Bezug zur Ethik: Das ethische Verhalten ist die Plattform, auf der Esra Israel und die Heiden einander gegenüberstellt und Gott zur Rechenschaft fordert.

Die zweite, V. 31b beginnende Fragenreihe spricht die Vorzüge und Verdienste Israels an, das den Satzungen Gottes vertraute. Die Anklage, daß Gott die Treue gegenüber dem Gesetz (vgl. 32b.35b.36) nicht belohne, verschärft den Vorwurf von V. 30. Esra ist von der Sonderstellung Israels in ethischer Hinsicht so sehr überzeugt, daß er zum Abwägen der Sünde Israels gegenüber der Sünde der Heiden auffordern kann und sein Ergebnis dezidiert vorträgt (V. 34.36). Die katastrophale Lage des Volkes zeigt ihm das Ausbleiben des Lohnes. Daran bricht die Frage nach Gottes Treue zu seinen Verheißungen auf. Die Anklage gegen Gott wird im Bereich der Ethik auf Grund des Gesetzesgehorsams Israels erhoben.

4. Esra 3,4–27 und 28–36 trennt ein gravierender Hiatus. Im Geschichtssummarium steht die Zwangsläufigkeit der Sünde im Mittelpunkt. Dabei geht es weniger darum, „die Sündhaftigkeit des Volkes nachzuweisen, sondern diese zu entschuldigen"[97]. Hingegen gesteht der mit V. 28 folgende Fragenkomplex die Sünden Israels ein (V. 34). Im Hinweis auf die Sonderstellung Israels durch seine Gebotserfüllung zeigt sich aber die Tendenz, die Schuld Israels gegenüber derjenigen Babels als unerheblich herauszustellen. Zwei differierende Geschichtskonzeptionen stoßen hier aufeinander: die ein unausweichliches Sündenverhängnis betonende Auffassung der Geschichte, die der Verfasser zu überwinden sucht, sowie die „optimistischere" Geschichtsschau des Verfassers selbst. Die in 3,4–36 an der geschichtlichen Situation aufbrechenden Fragen werden auffälligerweise gleich zu Beginn des 4. Esra als ein ethisch zugespitztes Problem formuliert.

Der Erwählungshymnus (5,23–27; 28 ff.), der den zweiten Dialog eröffnet, preist die Erwählung Gottes, die Israels Vorzugsstellung begründet. „Das eine" wird von „allen" deutlich abgehoben. Höhepunkt der Erwählung ist die Verleihung der lex ab omnibus probata (5,27). Mit V. 28 ff. setzt unvermittelt eine Klagerede ein, die den Widerspruch zwischen dem Heilswillen Gottes in der Erwählung Israels und dem unheilvollen Geschick der gegenwärtigen Wirklichkeit aufdeckt: Das eine Volk ist den vielen preisgegeben und unter sie zerstreut (V. 28.35). Esra bewegt vor allem, warum gerade diejenigen, die Gottes Geboten (sponsiones) widersprachen, die niedertreten dürfen, die Gottes Satzungen (testamenta) glaubten (V. 29). Wie in Visio I wird eine Frage der Ethik zum Ausgangspunkt der Anklage Gottes. Die Erwählung Israels ist durch die gegenwärtige Situation in Frage gestellt. Die angesichts der Not der Gegenwart aufbrechenden Zweifel an der Erwählung werden in der Anklage Gottes als ethisches Problem akzentuiert.

Der Schöpfungshymnus (6,38–54; 55 ff.) in Form eines Midrasch zu Gen. 1 ist vermutlich vom Verfasser aus traditionellem Material geformt worden. So wird bei der Erschaffung Adams das cor malignum nicht erwähnt. V. 54b scheint vom Verfasser selbst zu stammen, da der hier angefügte Erwählungsgedanke in der sich anschließenden Klagerede (6,55–59) zum Tragen kommt.[98] Hier konfrontiert Esra

---

[97] W. Mundle, a.a.O., S. 239; zu den Begriffen Geschichtssummarium, Erwählungshymnus und Schöpfungshymnus vgl. W. Harnisch, a.a.O., S. 20 Anm. 2, vgl. ebd. S. 19 ff. zur Problemstellung im 4. Esra.

[98] Vgl. W. Harnisch, a.a.O., S. 24 Anm. 1, zum vorhergehenden vgl. ebd. S. 23–27.

die in der Schöpfung begründete Sonderstellung Israels mit der gegenwärtigen Situation, da die Völker Israel, das in ihre Hand gegeben ist, überwältigen und zertreten (V. 57 f.). Der Widerspruch zwischen dem Wort Gottes (V. 55), seinem Tun (V. 38–54) und der Not der Gegenwart läßt Esra in der Anklage das Ausbleiben der Macht des Schöpfers vorbringen. Wie in den vorangehenden Dialogen erscheint die Tempelzerstörung mit der nachfolgenden Bedrückung nicht als ein nur innerjüdisches Problem. Israel wird mit den es bedrückenden Völkern verglichen, deren sündiges Leben im Überfluß angeprangert wird. Indem Esra fragt, warum Israel die seinetwillen geschaffene Welt nicht in Besitz hat (V. 59), rückt die auch in den Einleitungen zu Vision I und II angesprochene ethische Thematik in den Blick.

Die Einleitungen zu den ersten drei Dialogen zeigen, daß auf Grund der nationalen Katastrophe die Sonderstellung Israels, die sich auf die Geschichte, die Erwählung und die Schöpfung berief, ins Wanken geriet. Geschichte, Erwählung und Schöpfung werden in ihrer gegenwärtigen Heilsbedeutung für Israel in Zweifel gezogen. Die Dialoge kreisen jedoch nicht abstrakt um diese Themen theologischer Reflexion, sondern die Ethik ist die Plattform, auf der sich die Auseinandersetzung Esras mit seinem Gegenüber vollzieht. Die Fragen, die Esra an die bisherige Geschichts-, Erwählungs- und Schöpfungstheologie zu stellen hat, spitzen sich als ethische Fragen zu. Der Verfasser kann sich darum nicht begnügen, die Geschichts-, Erwählungs- und Schöpfungstheologie erneut zu bekräftigen. Er muß sich den an der geschichtlichen Situation aufgebrochenen ethischen Fragen stellen, deren Beantwortung zu den wichtigsten Zielen des 4. Esra zählt.

Die Zionsvision (9,26–37.38–10,59), „die wohl überhaupt eindrücklichste apokalyptische Meditation über die Eroberung Jerusalems und die Zerstörung des Tempels"[99], beginnt mit einer Klage, in der Esra Gott an sein vergangenes Heilshandeln (vgl. Visio I–III), an die Verleihung des Gesetzes beim Exodus, erinnert. Das in das Herz Israels gesäte Gesetz wird hier als etwas Positives, als Mittel zum Erwerb der ewigen Herrlichkeit angesehen. Sowohl die Erwähnung des *cor malignum* als auch Zweifel an der Heilswirksamkeit des Gesetzes fehlen an dieser Stelle. Nicht die Insuffizienz des Gesetzes, sondern das Abweichen vom Gesetz ist der Grund für den Untergang der Väter (9,32 f.36) und für die Differenz der Situation der Gegenwart zur Verheißung des Gesetzes. Esra bewegt nun die Frage, warum, wie die Geschichte zeigt, die Empfänger des Gesetzes zugrunde gehen, während das Gesetz in seiner Herrlichkeit bestehenbleibt (V. 36 f. vgl. 34). Die Frage wird mit der Umkehrung der Situation im Eschaton, mit der Herrlichkeit des Neuen Jerusalem beantwortet, indem die Herrlichkeit des Gesetzes als Herrlichkeit des Neuen Zion interpretiert wird, das hier, pars pro toto, für Israel steht. Vision IV nimmt mit der Klage 9,29 ff. die in den Einleitungen zu Visio I–III geäußerten Gedanken auf und führt sie besonders dadurch weiter, daß ansatzweise die Escha-

---

[99] *C. Thoma*, Jüdische Apokalyptik am Ende des Ersten nachchristlichen Jahrhunderts, Kairos 11 (1969), S. 134–144, S. 143.

tologie als Antwort auf ethische Fragen in den Blick kommt. Nachfolgend ist dies ausführlicher zu entfalten. Insofern die Zionsvision eine auf den Bereich des Ethischen zugespitzte Frage beantwortet, wird deutlich, daß die Grundfragen im 4. Esra zugleich als ethische Fragen entfaltet werden.

5.2. Ethisches im Umkreis eschatologischer Aussagen

Die Adlervision (11,1–12,51) gibt besonders in den Partien Hinweise zum Verständnis der Ethik, die der Verfasser der ursprünglichen Vision (11,1b–23.25–35; 12,2a.3b) hinzugefügt hat (vgl. den Rahmen zu Vision und Deutung, 11,1a; 12,3b–9; 12,36–50 sowie die Einfügung der Vision des Löwen innerhalb der Adlervision, 11,36–12,1).[100] Mit seinen Erweiterungen hat er die der zugrunde liegenden Vision innewohnende ethische Tendenz schärfer akzentuiert. Das Ziel der Vision ist die Ankündigung der Vernichtung des Adlers als Zeichen für das Ende der Welt durch die ausdrückliche Umdeutung (12,12) des vierten Tieres von Dan. 7.

Mit der Vision vom Adler, dem Sinnbild des Römischen Reiches, wendet sich der Verfasser einem eminent politischen Thema zu. Der Hauptakzent liegt zunächst auf politischen Weissagungen und deren Deutung (vgl. bes. 12,21). Indem vom Frevel des Adlers gesprochen wird (*dominavit ... cum labore multo,* 11,32 vgl. 12,24), wird die in den voraufgegangenen Dialogen genannte Bedrückung Israels durch die Heiden angesprochen. Damit gewinnt die im Bereich des Politischen angesiedelte Vision einen für die Leser entscheidenden existentiellen Bezug, da sie ihre eigene Situation als Teil der Endgeschichte wiederentdecken können. Die Rede des Löwen[101] bzw. deren Deutung unterstreicht diese Absicht. Hier tritt die richterliche Funktion des Messias in den Vordergrund. Die Deutung spricht allgemein davon, daß der Messias den Sündern ihre Verfehlungen vorhalten wird (12,32 f.), während die Rede die Vergehen katalogartig ausführlich aufzählt (11,40 ff.). 11,42 macht deutlich, daß sich die Bedrückungen auf die Sanftmütigen, Friedfertigen, Wahrhaftigen und Fruchtbringenden (vgl. 3,33; 8,6) richten. Daher unterliegt der Frevel des Adlers dem messianischen Richterspruch, denn er bedrückt die, die sich um die Frucht des Gesetzes mühen und dadurch ethisch auszeichnen. Sieht man dies im Zusammenhang der gesamten Schrift, so gibt die Adlervision mit der vom Verfasser eingefügten Rede des Löwen die Antwort auf die in 3,28 ff. bzw. 5,28 ff. gestellten Fragen: Sie berichtet den endzeitlichen Untergang derer, die unter dem Richterspruch des Messias stehen, weil sie die Gerechten bedrücken. Durch die vom Verfasser verstärkte ethische Akzentuierung der Vision und ihrer Deutung

---

[100] Zur Begründung und zu Einzelnachweisen vgl. *U. B. Müller,* a.a.O., S. 93 ff.

[101] Die Rede des Löwen erinnert formal an die prophetische Gerichtsrede, vgl. *U. B. Müller,* a.a.O., S. 98 f.; *C. Westermann,* a.a.O. (Anm. 33), S. 120 ff. Der Aufforderung zum Hören (*... audi tu ...,* 11,38a) folgt der Botenspruch (V. 38b ... *et dicit Altissimus tibi ...*). Die Anklage (V. 40–42) begründet die in V. 43 beginnende Gerichtsankündigung, die auch die Folge (*propterea* vgl. hebr. *laken*) des Eingreifens Gottes schildert (V. 45 f.).

wird das abzulehnende Verhalten genannt, das unter dem messianischen Verdikt steht. Da von der Vernichtung des Adlers und von der Freude des übriggebliebenen Restes (12,34) die Rede ist, spendet die Vision denjenigen Trost, die auf Grund ihres positiv bewerteten Verhaltens, ihrer Sanftmut, Friedfertigkeit und Wahrhaftigkeit, unter Drangsal zu leiden haben.

Die Vision vom „Menschen" (Kap. 13) hat der Verfasser vermutlich aus der Tradition übernommen, während die Deutung von der Hand des Verfassers stammt.[102] Auffällig ist die unmilitante Charakterisierung des „Menschen". Im Kampf gegen die Angreifer führt er weder Schwert noch eine andere Waffe (13,9), sondern bedient sich solcher Mittel, die in atl. Theophanieschilderungen genannt werden *(fluctus ignis, spiritus flammae, scintillae tempestatis)*. Die Deutung akzentuiert die Ablehnung irdischer Waffen noch stärker, indem *tempestas, flammae* bzw. *ignis* auf das richterliche Wirken des Messias bezogen sind (13,37 f.). In der Deutung hat der „Mensch" die Aufgabe, einerseits das Volk Gottes von seinen Bedrückern zu befreien und die Feinde zu vernichten, andererseits als Heilsfunktion die friedliche Schar zu sammeln (V. 39–50 vgl. V. 26). Wie in der Adlervision gibt die messianische Gestalt keine neue ethische Weisung. Ihr ist die Zurechtweisung, also eine juridische Funktion, vorbehalten. Dies klingt aber in Kap. 13 wesentlich schwächer als in der Adlervision an, wie ein Vergleich der Wendung 13,37 *(arguet impietates)* mit 12,32 bzw. 11,38 ff. zeigt.

Die Zeichen der Endzeit (5,1–13; 6,13–28; 9,1–13) beschließen in einer katalogartigen Zusammenstellung jeweils die Dialoge in Visio I–III. Die Darstellung der Zeichen der Endzeit, die nach dem Verständnis des 4. Esra dem messianischen Zwischenreich vorausgehen, hat der Verfasser unter Benutzung von Motiven selbst geschaffen, die in der mündlichen Tradition vermutlich weit verbreitet waren und in der apokalyptischen Literatur häufig begegnen. Es werden ungewöhnliche Erscheinungen auf der Erde und im Kosmos (bes. 5,3–9a; 6,13–16.21–25) sowie die Steigerung von Unrecht und Bosheit auf ein nie dagewesenes Maß genannt. Bemerkenswert sind vor allem die Zeichen ethischer Verwahrlosung: Die Wahrheit ist verborgen, und das Land des Glaubens bleibt ohne Frucht (5,1), Ungerechtigkeit und Zuchtlosigkeit nehmen zu (5,2.10), Weisheit und Einsicht verbergen sich (5,9), Freunde bekämpfen einander (5,9; 6,24), und unter den Völkern und Herrschern macht sich Verwirrung breit (5,5; 9,3). Neben den Ereignissen in der Natur wird also besonders das Verhalten der Menschen zum Zeichen für die Endzeit. Die hohe Bedeutung ethischer Kategorien für das Endgeschehen ist deutlich zu erkennen.

Die Offenbarung der siebenfachen Qual und Freude (7,75–101) verbindet in charakteristischer Weise ethische und eschatologische Aussagen. Die Verwandtschaft zu anderen Apokalypsen (bes. 1. Hen 17–36) ist augenscheinlich, es handelt sich hier je-

---

[102] Zu Einzelnachweisen vgl. *U. B. Müller*, a.a.O., S. 123 ff.; zur Kontamination der Messias- und Menschensohnvorstellung im 4. Esra 13 vgl. ebd. S. 117 f.; ferner *K. Schubert*, Die Entwicklung der eschatologischen Naherwartung im Frühjudentum, in: Vom Messias zum Christus, hrsg. v. *K. Schubert*, Wien 1964, S. 1–54, bes. S. 38 ff.

doch nicht um eine Himmelsreise oder Vision, sondern um eine Belehrung in Form einer Audition. Auf die Frage Esras nach dem Ergehen der Seele nach dem Tode (V. 75) nennt der himmlische Gesprächspartner nach einem Katalog der Untaten der Verächter Gottes (V. 79) die sieben Stufen der Qual (V. 81–87) und parallel dazu die sieben Stufen der Freude (V. 88–99). Die Ursache der ersten Qual ist die Verachtung des Gesetzes, der zweiten die Unmöglichkeit der Buße, der dritten und fünften das Schicksal der Ungerechten, das mit dem Ergehen der Gerechten konfrontiert wird, die den Lohn für ihren Glauben erhalten. Die vierte und sechste Qual ist die Erwartung der künftigen Pein, während die siebente das Vergehen der Frevler in Beschämung nennt, weil sie den Höchsten sehen müssen, vor dem sie in ihrem Leben gesündigt haben.

Bei den sieben Stufen der Freude unterstreicht eine allgemeine Charakteristik zunächst den Gehorsam der Gerechten gegenüber Gott: Sie haben ihm unter Mühsalen gedient und Gefahren erduldet, um sein Gesetz zu bewahren (V. 89 f.). Die erste und dritte Freude hat ihren Grund in der Bewährung im Leben, die zweite Freude besteht im Gegensatz zum Geschick der Sünder. Die vierte, sechste und siebente Freude ist Vorfreude der Gerechten auf die kommende Herrlichkeit bzw. die freudige Erwartung des Gerichts.

Die große Bedeutung des ethischen Verhaltens für das Ergehen nach dem Tode läßt sich daran ablesen, daß es nicht lediglich um die Seinsweisen der Gerechten oder Ungerechten nach dem Tode geht. Die Zukunft wird in Abhängigkeit von der Vergangenheit des Menschen geschildert. Wer ein Verächter des Höchsten war, muß daher qualvoll umherschweifen in siebenfacher Pein (V. 79 f.), während die Gesetzestreuen (V. 88) sieben Tage Zeit erhalten, um die Freude der Gerechten zu genießen (V. 101). Jeweils wird das Tun genannt, das zum entsprechenden Ergehen führte (V. 79.81.87 bzw. 88 f.92.94 vgl. 83). Auffällig ist die Verquickung des Schicksals der Gerechten mit dem der Sünder. In der Gegenwart haben die Gerechten unter den Sündern zu leiden, das Eschaton bringt dann die Umkehrung: Die Gerechten sehen die Strafe der Frevler (V. 93), und diese sehen die Freude der Gerechten (V.83.85). Das Ergehen nach dem Tode bringt nur eine Art Vorentscheidung. Das Gericht steht noch aus. Die Gerechten, denen der Schatz der guten Werke beim Höchsten aufbewahrt bleibt (V. 77), sehen dem Gericht zuversichtlich entgegen (vgl. V. 98), das die Sünder mit Furcht erwarten.

Die Schilderung der sieben Stufen der Qual und Freude enthält eine Fülle ethischer Informationen zum richtigen oder falschen Verhalten, aus denen sich leicht ein Tugend- bzw. Lasterkatalog gestalten ließe. Der Verfasser verzichtet aber auf eine solche katalogische Zusammenstellung und führt die Bedeutung des ethischen Verhaltens für das Ergehen im Eschaton auf diese bildhaft-beschreibende Weise vor Augen. Die Darstellung der Seinsweise von Gerechten bzw. Sündern im Eschaton dient in der hier charakteristischen siebenfachen Abstufung dazu, in differenzierter Weise die Auswirkung des Tuns auf das eschatologische Geschick darzulegen.

Das Weltgericht (7,26–44) nach der vierhundertjährigen Messiaszeit (vgl. 7,28 ff.) versteht der 4. Esra als Ende dieser und Anfang der kommenden ewigen Welt (7,113). Die zusammenhängende Darstellung des Gerichts (V. 33–44) malt den

Gerichtsakt nicht bildhaft aus. Sie gibt die Antwort auf die Zweifel Esras (vgl. 4,25): Gott wird sich im Eschaton als der Herr erweisen, die Gerechten belohnen und die Frevler bestrafen. Sie erläutert zudem, daß sich an der Stellung des Menschen zum Gesetz die Stellung Gottes zum Menschen beim Endgericht entscheiden wird. Das Gesetz wird zwar nicht ausdrücklich als Maßstab des Gerichts genannt, V. 37 nennt jedoch als Charakteristik der Verdammten die Verachtung der Gebote Gottes. Diese Rahmung verdeutlicht, daß im Gericht entsprechend den Geboten Gottes über gute und böse Taten befunden werden wird. In diesem Zusammenhang ist aber nicht von Einzelgeboten die Rede. Bemerkenswert sind die antithetischen Formulierungen (V. 35 ff.), in denen sich die Gegenüberstellung von Gerechten und Sündern ausdrückt.

Sowohl die Schilderung des Weltgerichts als auch die über das gesamte Buch verstreuten Gerichtsaussagen (vgl. 7,17 ff. 70 ff. 115; 8,38 ff. 51 ff.; 14,32) unterstreichen die Bedeutung des Gesetzesgehorsams für das Endgericht. Neben der antithetischen Formulierung ist für die Darstellung des Endgerichts bedeutsam, daß hier zusammenhängend vor Augen steht, was an anderen Stellen im 4. Esra, meist im Zusammenhang mit Diskussionen über das Gesetz und dessen eschatologische Relevanz, in mehr theoretischer Weise verhandelt wird: die Bedeutung des ethischen Verhaltens für das Ergehen im Eschaton.

Die Darstellung der Heilszeit im 4. Esra zeigt, daß der Verfasser kein einheitliches eschatologisches Drama vor den Augen des Lesers abrollen läßt, sondern verschiedenartige Traditionen aufnimmt. Es wird wie auch im 2. Bar. unterschieden zwischen der messianischen Endzeit dieses Äons und der unvergänglichen Ordnung des kommenden Äons. Die Vorstellung des endlichen, zu diesem Äon gehörigen messianischen Zwischenreichs (7,26 ff.; 12,34) versucht, beide Gedanken in Einklang zu bringen.[103] Das Zwischenreich ist wesentlich durch die juridische Funktion des Messias und deren Folgen bestimmt. Die kommende Welt hingegen bringt die endgültige (7,115) Vergeltung mit dem Paradies der Frommen (vgl. 7,36.123; 8,52) und dem ewigen Verderben (7,47).

Es fällt auf, daß der 4. Esra die Heilszeit nicht mit Naturphänomenen umschreibt. Von besonderer Bedeutung sind drei katalogartige Reihen, in denen die endgültige Heilszeit (7,113 f.; 8,52 ff.) bzw. der Zustand nach den messianischen Wehen (6,25 ff.) charakterisiert wird. Obschon der 4. Esra die Zeit des Messias von der endgültigen Heilszeit unterscheidet, lassen sich bei diesen Katalogen keine gravierenden Unterschiede feststellen. Ein ähnliches Wortfeld dient je nach dem Kontext der Charakterisierung der endlichen messianischen Zeit bzw. der endgültigen Heilszeit. Bemerkenswert ist dabei die ethisch geprägte Begrifflichkeit. In der Heilszeit wird der „böse Trieb" beseitigt sein, so daß die Anfechtung der Gerechten aufhört (6,26; 8,53a). Das Böse und das Leid sind ausgelöscht (6,27;

---

[103] Vgl. *P. Volz*, a.a.O., S. 36 ff.; *K. Schubert*, a.a.O., S. 17 ff.; *M. Stone*, The Concept of the Messiah in IV Ezra, in: Religions in antiquity, ed. *J. Neusner* (Studies in the History of Religions = Suppl. to Numen, XIV) Leiden 1968, 295–312, bes. S. 298 ff.; *H. A. Wilcke*, Das Problem eines messianischen Zwischenreichs bei Paulus (AThANT 51), Zürich 1967, S. 45 f.

8,53b.54). Die negativen Charakteristika dieses Äons sind aufgehoben, z. B. *corrup-tela* 6,28; 7,113, *corruptio* 8,53, *intemperantia, incredulitas* 7,114. Positiv wird die Heilszeit charakterisiert durch *fides, veritas, iustitia* (6,28; 7,114). Am Gebrauch dieser Begriffe wird deutlich, daß die Heilszeit nicht einfach als Steigerung und Überbieten des Guten in diesem Äon angesehen wird, wie das bei der Erwartung wunderbarer Fruchtbarkeit für die Heilszeit der Fall ist.

Die Heilszeit ist Setzung eines Neuen, das diesen Äon negiert und die Umkehrung der ethischen Charakteristika dieses Äons mit sich bringt. Sosehr auf Grund dieser Umkehrung der gegenwärtige und der kommende Äon voneinander getrennt sind, bleiben doch beide aufeinander bezogen und bilden eine Einheit. Durch die darge-legte ethische Betrachtungsweise bekommt die Geschichte zusätzlich zu dem Ge-danken der alles umschließenden Macht Gottes wieder einen Zusammenhang, der aber nur für den erfahrbar ist, der auf dem Weg des Gesetzes bleibt. Die Charakte-risierung der Heilszeit hat keine Auswirkung auf den Inhalt der ethischen Unter-weisung. Das ethische Verhalten in der Gegenwart ist zwar für die Anteilhabe am künftigen Heil bedeutungsvoll, es vermag aber nicht in irgendeiner Weise das künftige Heil in der Gegenwart zu verwirklichen.

Da für den Verfasser des 4. Esra Geschichte, Schöpfung und Erwählung nicht mehr als Prärogative Israels gelten können, kommt der Eschatologie eine beson-dere Bedeutung zu, weil das Eschaton die zu Unrecht bezweifelte Liebe Gottes zu seinem Volk erweisen wird (vgl. 4,25 ff. mit 7,50 u. ö.). Die Darstellung der Ereignisse der Endzeit bis zur Heilszeit ist jeweils mit ethischen Aussagen verbun-den. Daran läßt sich ablesen, daß die Ethik für das Erlangen der eschatologischen Heilsgüter ausschlaggebend ist.

5.3. Die Beantwortung der Grundfragen im 4. Esra 14,1–50

Kap. 14 mit der Ankündigung der Entrückung Esras (14.9 ff. vgl. 49 f.) und dem Auftrag, das Volk zu trösten und zu unterweisen, sieht Esra in Analogie zu Mose (vgl. bes. 14,3 ff.). Der Anweisung zur Wiederherstellung der verbrannten Schrif-ten und zum Bericht hiervon ist eine Paränese der „Stimme aus dem Dornbusch" an Esra (V. 13 f.) sowie eine an das Volk gerichtete Paränese Esras (V. 34 f.) ein-gefügt, der ein Geschichtsrückblick vorangeht (V. 29–33).

Mit der Rückkehr zum dialogischen Stil von Visio I–III faßt Kap. 14 das gesamte Buch zu einer Einheit zusammen.[104] An diesem Kapitel lassen sich das Ziel dieser Apokalypse und der eigene Standpunkt des Verfassers ablesen, auf den die Dialoge Esras mit seinem Gegenüber hinsteuern.

---

[104] Die Querverbindungen zu den übrigen Kapiteln sind nicht zufällig: 14,18–26 erinnert formal an die Dialoge in Visio I–III; 14,28 an 3,4–27 bzw. 9,29 f. Thematisch ist Kap. 14 mit dem übrigen Buch durch die Schilderung der Not nach der Zerstörung Jerusalems verbunden (bes. V. 32 bzw. 20). Fer-ner ist zu nennen der Rückbezug auf die Adlervision (17b) sowie Notizen zur Biographie Esras (vgl. 14,13 f.40 mit 13,54 f.). Daher ist das Postulat einer besonderen Quelle für Kap. 14 abzulehnen (ge-gen *R. Kabisch*, a.a.O., S. 177 ff.; *G. H. Box*, a.a.O., S. 304 ff., vgl. *E. Breech*, a.a.O., S. 274).

Der Geschichtsrückblick beginnt mit einem Ruf zum Hören (V. 28), dem typischen Anfang einer Mahnrede. V. 29 spielt auf die Exodustradition an, V. 30 auf die Übereignung der *lex vitae* an Israel (vgl. 14,4 ff.). Während aber in 3.17 ff. bzw. 9,29 ff. bei der Erwähnung der Gesetzesübergabe Anklagen Gottes laut werden, ergänzt hier den Bericht der Gesetzesübergabe die Bemerkung, daß die damalige wie auch die gegenwärtige Generation das Gesetz nicht hielt (V. 30). Es fehlen im Unterschied zum Kontext der genannten Vergleichsstellen Aussagen, die der Zwangsläufigkeit der Sünde und einem unentrinnbaren Sündenverhängnis das Wort reden (vgl. bes. 3,20 ff.). Auch bei der Erwähnung der Landgabe (V. 31 vgl. 6,59) spricht der Verfasser wieder von der Sünde Israels. Die gegenwärtige Situation des Volkes (V. 33) und die Zurücknahme des Geschenkes Gottes an Israel, d. h. die Preisgabe seines Landes, werden als Ausdruck des gerechten Richtens Gottes (V. 32) angesehen. Die Rechtmäßigkeit dieses Gerichts wird nicht mit einem Verweis auf die Zwangsläufigkeit der Sünde, der in Kap. 14 fehlt, bezweifelt. Israel ist also für sein Schicksal selbst verantwortlich und kann sich nicht entschuldigen. Der selbstverschuldete Ungehorsam des Volkes als Ursache des Scheiterns der Heilstaten Gottes liegt im Ungehorsam dem Gesetz gegenüber (V. 30 bzw. 31b: . . . *iniquitatem fecistis et non servastis vias*, vgl. 7,23.79.88). Einzelne Verstöße gegen das Gesetz werden jedoch nicht genannt.

Die Heilstaten Gottes wie Exodus und Landgabe haben für den Verfasser des 4. Esra keine zukunftsbegründende Funktion mehr. Der Sünde wegen ist Gott mit seiner Geschichte noch nicht zum Ziel gekommen. Schöpfung, Erwählung und Geschichte sind nicht mehr die Prärogative Israels, mit denen eine heilvolle Zukunft begründet werden kann. In den vorangehenden Kapiteln wurde daher in diesem Zusammenhang auf das eschatologische Handeln Gottes verwiesen.

Die Paränese 14,34 ff. nimmt ausdrücklich die im 4. Esra bereits aufgeklungene Verbindung von Ethik und Eschatologie auf. Sie stellt neben den Mahnungen 14,13 f. bzw. 12,37 f., die an Esra selbst gerichtet sind, und neben dem eschatologischen Trostwort 12,46 das wichtigste paränetische Stück im 4. Esra dar. Nach der Anweisung zum Handeln in Form einer konditionalen Mahnung mit futurischer Apodosis[105] folgt eine Gerichtsbelehrung als Begründung (V. 35). Die Mahnung setzt voraus, daß die Angeredeten ihrem Trieb befehlen und ihre Herzen lenken können. Von einem Sündenverhängnis im Zusammenhang mit dem Bösen Trieb ist hier nicht mehr die Rede. Da die begründenden Gerichtsaussagen (V. 35) besonders hervorgehoben sind, ist diese Paränese als Gerichtsparänese zu bezeichnen. Der Geschichtsüberblick, der das Scheitern der Heilstaten Gottes auf Grund der

---

[105] Die Apodosis *vivi conservati eritis* (V. 34c) läßt zwei Deutungsmöglichkeiten zu. Faßt man V. 34c.d. wie 34a.b. als synonymen Parallelismus membrorum auf, legt sich die von *G. H. Box*, a.a.O., S. 317 vorgeschlagene Lösung nahe: „ihr werdet bewahrt werden für das Leben" (der kommenden Welt; vgl. das Verständnis von „Leben" als eschatologisches Heilsgut gemäß 7,48.82.92.129.137 f.; 8,6.54 – syr. –; 14,22; vgl. *E. Brandenburger*, a.a.O., S. 57; *W. Harnisch*, a.a.O., S. 149 Anm. 1 bzw. S. 169). Faßt man V. 34c.d. als synthetischen Parallelismus auf, der dann von der Zeit vor und nach dem Tod redet, so meint die Wendung „zu Lebzeiten bewahrt bleiben" (so. *H. Gunkel* in: *Kautzsch* AP II, S. 400; B. Violet, a.a.O., S. 198; *L. Gry*, Les Dires prophétiques d'Esdras, Paris 1938, II, S. 409).

Sünde des Volkes hervorhebt, und die Paränese sind streng aufeinander bezogen. Wegen des Ungehorsams kann die Geschichte nicht mehr zukunftsbegründend sein. Zukunft kann nur mehr Gott eröffnen, der im Gericht den Gesetzesgehorsam mit eschatologischen Heilsgaben belohnt. Angesichts der Not der Gegenwart kann sich Israel nicht mehr auf Schöpfung, Erwählung und Geschichte berufen. Den Ausweg aus den daran aufgebrochenen Fragen zeigt die Eschatologie. Der Weg zu den Gaben der Heilszeit ist aber der Weg der Ethik. Dieser Weg ist gangbar, weil der Gesetzesgehorsam nicht mehr grundsätzlich bezweifelt (V. 34, vgl. andererseits zuvor 7,46.48; 8,35), sondern in seiner eschatologischen Relevanz entfaltet wird. In dieser Verknüpfung von Ethik und Eschatologie unter Abweisung der Annahme eines Sündenverhängnisses, dem nicht zu entrinnen sei, liegt die theologische Position, auf die der Verfasser des 4. Esra hinzielt.

5.4. Grundzüge der ethischen Anschauungen

5.4.1. Geschichte und Sünde

Die Auswirkungen des Jüdischen Krieges mit der Tempelzerstörung haben die frühjüdische Theologie in eine Krise gestürzt, die auch den Verfasser des 4. Esra zur theologischen Reflexion zwingt[106], um die unheilvolle Gegenwart zu deuten und seiner Geschichtsauffassung zu integrieren.

Die Welt ist für Israel (6,55.59; 7,11) bzw. um der Menschen willen geschaffen (8,44 vgl. 9,18 f.). Mit der Sünde Adams kam jedoch das Unheil in die Welt (3,7; 7,116 ff.), das so stark geworden ist, daß die tiefe Sündenverfallenheit der Welt nicht mehr zu übersehen ist (vgl. 4,38; 8,17; 3,35; 8,35). Leid, Drangsal und Gefahren in diesem Äon sind die Folge der Tat Adams, das Übel wächst lawinenartig an (4,30). *Mors, infirmitas, corruptio, dolores* (8,53 f. vgl. 6,26 ff.) kennzeichnen den vergänglichen alten Äon (vgl. 4,11; 7,31 bzw. 4,26; 6,20; 7,112 f.; 5,50 ff.; 14,10.16).

Für den Verfasser zeigt die Situation nach dem Fall Jerusalems die Potenzierung der Übel des alten Äons, seine Heilsferne, die den bisher auf die Schöpfung, Erwählung und Geschichte Israels gegründeten Glauben an die Sonderstellung Israels zerbrechen läßt. Das Nachdenken über den Anteil der Sünde des Menschen an dieser Situation nimmt einen zentralen Platz ein. In den Dialogen Esras mit seinem Gegenüber begegnet darum der Gedanke der Unausweichlichkeit der Sünde, ihres Zwangs- und Verhängnischarakters, da Esra zunächst die Universalität und Progressivität der Sünde behauptet (vgl. 3,25b.26; 7,46; 8,35; 4,12; 7,116 ff.). Eine wie auch immer geartete Erbsündentheorie läßt sich in diesem Gedankenkreis jedoch nicht nachweisen.[107]

---

[106] Vgl. *C. Thoma*, Auswirkungen des jüdischen Krieges gegen Rom (66–70/73) auf das rabbinische Judentum, BZ N. F. 12 (1968), S. 30–54.186–210; *ders.*, a.a.O. (Anm. 99), S. 136 ff.

[107] Dazu vgl. *E. Brandenburger*, a.a.O., S. 27–36; im Anschluß daran *W. Harnisch*, a.a.O., S. 42 ff.46 ff. (ebd. Auseinandersetzung mit anderen Autoren).

Die These, daß der 4. Esra einem unausweichlichen Sündenverhängnis das Wort
rede, wird meist mit den Aussagen zum *cor malignum* begründet (3,20 f.25; 4,4).
Diese zeigen gewisse Gemeinsamkeiten mit den pharisäisch-rabbinischen Anschauungen vom Bösen Trieb. Im Unterschied zur einheitlichen rabbinischen Terminologie begegnen aber im 4. Esra wie auch in Sir. sehr verschiedenartige Aus-
drücke.[108] Das *cor malignum* ist nicht die Folge der Übertretung Adams, sondern
deren Ursache (3,21). Es ist auch nicht die Folge der Gesetzesübertretung des
Menschen, sondern deren Voraussetzung, denn sonst wäre die Antwort des
Engels, der die Frage Esras nach dem Ursprung des *cor malignum* ausdrücklich als
spekulativ und für den Menschen auf Grund seiner Begrenztheit nicht beantwort-
bar zurückweist (4,4 ff.), völlig unmotiviert. Besonders die syrische und armeni-
sche Version zu 4,10 machen deutlich, daß hier vermutlich auf das Erwachsen des
Bösen Triebes mit dem Menschen abgehoben werden soll. Die Aussagen über das
cor malignum sollen einen unausweichlichen Zwang zum Sündigen erklären, der es
unmöglich macht, Gutes zu vollbringen. Dabei geht es nicht lediglich um die Faktizität der Sünde, sondern um deren Unentrinnbarkeit, die jegliches Tun des Guten
von vornherein unmöglich macht (vgl. 7,48; 4,29 f. u. ö.).

Diese pessimistische Akzentuierung zeigt, daß die von Esra geäußerten Gedanken
nicht mit den pharisäisch-rabbinischen Anschauungen vom Bösen Trieb in Einklang zu bringen sind, da diese mit der exegetischen Herleitung aus Gen. 2,7 die
Polarität von Gutem und Bösem Trieb betonen.[109] Die Rede vom *cor malignum* im
4. Esra verrät eine pessimistischere Grundhaltung, als je in den rabbinischen Quellen nachweisbar ist. An keiner dieser Stellen wird ein Ausweg deutlich. Der Gedanke der Zwangsläufigkeit, der auf eine Einschränkung der menschlichen Freiheit
hinausläuft, ist in solcher Schärfe im rabbinischen Schrifttum nicht zu finden. Ein
solcher Gedanke muß notwendig zu Zweifeln an der Wirksamkeit der Heilssetzung
Gottes führen: Was nützt die Verheißung ewigen Heils, wenn wegen des Sündenverhängnisses kein Mensch vor Gott bestehen kann (7,65 ff. vgl. 8,15 ff.)? Die
Verheißung scheint in Frage gestellt. In den Dialogen bleiben diese Gedanken

---

[108] Vgl. *cor malum* (7,48), *cum eis plasmatum cogitamentum malum* (7,92), *granum semini mali* (4,30 f.), *maligni-
tas radicis* (3,22) bzw. *radix* (8,53). Es ist zu erwägen, ob mit *sensus* (7,62 ff.; 8,6; 14,34) „nicht der
‚Verstand‘ oder die ‚Vernunft‘, sondern der ‚(böse) Sinn‘ (oder ‚Trieb‘) thematisiert wird" (*W. Harnisch*, a.a.O., S. 157). Auch in Sir. scheint die Vorstellung vom Bösen Trieb bereits vorausgesetzt zu
sein (Sir. 37,3 vgl. 27,6 f; 15,14; 21,11a; vgl. F. C. *Porter*, The Yeçer Hara, in: Biblical and Semitic
Studies, New York/London 1902, S. 136 ff.; *W. Harnisch*, a.a.O., S. 167 Anm. 2). Auf Grund der im
4. Esra noch nicht verfestigten Terminologie ist es nicht angeraten, den Ausdruck *cor malignum* den
anderen, den Bösen Trieb bezeichnenden Ausdrücken entgegenzusetzen, vgl. F. C. *Porter*, a.a.O.,
S. 147; P. *Bogaert*, L'Apocalypse de Baruch (Sources Chrétiennes 144.145) I.II, Paris 1969, vol. II,
S. 404 f.; vgl. insgesamt auch W. Harnisch, a.a.O., S. 48 f., 57 u. ö.

[109] Vgl. G. F. *Moore* (Anm. 68), a.a.O., Bd. I, S. 483 ff.; *Bill.* Bd. IV, S. 467 ff. Im 4. Esra fehlt auch die
Begründung aus Gen. 8,21 bzw. 6,5 sowie die Anschauung eines Guten Triebes. Nach rabbinischen
Vorstellungen soll der Mensch mit beiden Trieben Gott dienen (vgl. Ber. 9,5; Tos. Ber. 7,7 u. ö.).
Gäbe es keinen Bösen Trieb, würde der Mensch keine Häuser bauen, nicht heiraten, keine Kinder bekommen oder Handel treiben (vgl. Gen. Rabba 9,7 bzw. Eccl. Rabba zu Eccl. 3,11). Obschon eine
immer stärkere Macht des Bösen Triebes vorausgesetzt wird, ist der Trieb mit der Tora besiegbar
(vgl. R. Akiba nach Gen. Rabba 22; vgl. *Bill.* Bd. IV, S. 472 bzw. 476 f. bzw. 466 ff.).

nicht unwidersprochen, sie werden von Esras Gesprächspartner korrigiert (7,49 ff. 70 ff. 127 ff.) bzw. durch die Position überwunden, die der Verfasser am Ende des Buches (14,28 ff.) einnimmt. Die geschichtliche Situation nach der Zerstörung Jerusalems mag begünstigt haben, daß die Anschauung eines dem Menschen auferlegten Sündenverhängnisses um sich griff, sie mag auch für den Verfasser des 4. Esra bedrängend gewesen sein. Er vermochte sie jedoch zu überwinden und will mit seiner Schrift im Nachzeichnen dieses Prozesses seinen Zeitgenossen zur Korrektur dieser Anschauungen verhelfen, denn die Annahme eines in der Geschichte wirksamen, unausweichlichen Sündenverhängnisses stellt zwar nicht die Heilsbedeutung, wohl aber die tatsächliche Heilswirksamkeit des Gesetzes in Frage (bes. 9,29–36). Von diesen zum Pessimismus führenden Gedanken löst sich der Verfasser, indem er den Verhängnischarakter nicht auf die Sünde anwendet. Zwar sind die Bedrängnisse und Nöte dieses Äons die Folge der Übertretung Adams, aber dadurch ist der Mensch nicht von der Möglichkeit und Pflicht entbunden, seine Freiheit in der Geschichte dieses Äons in Anspruch zu nehmen. Der Verfasser wehrt sich also gegen eine totale Identifikation von Geschichte und Sünde.

5.4.2. Das Gesetz und das künftige Heil

Mit dem Hinweis auf die grundsätzliche Möglichkeit der Gebotserfüllung versucht der Verfasser, dem Mißverständnis der Sünde als ein Sündenverhängnis zu begegnen und die Heilswirksamkeit des Gesetzes zu unterstreichen. Die Aussagen, mit denen sich Esra unter die Sünder rechnet (8,47 ff.), werden von seinem Gegenüber zurückgewiesen (vgl. 6,32; 7,76; 10,38 f.; 13,53 f.). Den Anklagen Esras, die auf das Sündenverhängnis ansprechen, begegnet der Offenbarer mit dem Hinweis auf das Gericht und die Möglichkeit der Gesetzeserfüllung, um das eschatologische Heil zu erlangen (vgl. 7,48 mit 60 ff.; 7,64 mit 70 ff.; 7,116 ff. mit 127 ff.; 8,17 mit 37 ff.). Die Belehrung über die Teilhabe am künftigen Heil auf Grund des Gesetzesgehorsams widerspricht einem fatalistischen Sündenverständnis und der Klage über das Ausbleiben des Lohnes (3,28 ff.). Da sich an der Stellung zum Gesetz die Teilhabe am künftigen Heil entscheidet, erhält das Gesetz eine entscheidende Mittlerrolle; es dient als Brücke zwischen diesem und dem kommenden Äon, es ist der Weg, um den Pfad zum Leben zu gehen (14,22). Die Ethik als Tun des Gesetzes zeigt also den Ausweg aus diesem Äon voller Mühsal, da die tatsächliche, zuvor bezweifelte Heilswirksamkeit des Gesetzes behauptet werden kann. So genügt Esra nicht die Beantwortung der Ausgangsfrage von 6,59 durch den Offenbarer mit dem Hinweis auf die kommende Welt (7,15 f.). Auf seinen Einwand hin wird er über den kommenden Äon und die Heilsbedeutung des Gesetzes belehrt (V. 17 ff., bes. 21). Der sich anschließenden Gerichtsdarstellung (bes. V. 34 ff.) liegt der Gedanke zugrunde, daß das Gesetz erfüllbar ist.[110]
Da die Teilhabe am künftigen Heil von der Stellung des einzelnen zum Gesetz ab-

---

[110] Vgl. *W. Harnisch*, a.a.O., S. 152; anders *E. K. Dietrich*, Die Umkehr im Alten Testament und im Judentum, Stuttgart 1936, der nicht zwischen Esra und der Meinung des Verfassers unterscheidet und daher „von der Verneinung der Möglichkeit zur Gebotserfüllung" (S. 264) spricht.

hängt, wird den Klagen Esras über das Schicksal der Ungerechten der Boden entzogen. Die eschatologische Relevanz des Gesetzes erklärt den individuellen Schuldcharakter der Sünde und die kleine Zahl der Geretteten (vgl. 8,1–3; 7,51–61; 9,15 u. ö.), für die das Gericht der Erweis der Liebe Gottes ist (5,40, vgl. 8,36 mit 37 f.). Gott hat nicht den Untergang der Menschen gewollt, die seine Gebote freiwillig übertreten haben (8,56 ff.). Esra soll sich darum nicht um das Schicksal der Sünder kümmern (8,51.55; 9,13 bzw. 7,60 f.), da auch ihnen das Gesetz bekannt war (7,72). Das Heil erlangt, wer sich im Laufe der Geschichte durch seinen Gesetzesgehorsam als Gerechter erweist. Die Taten sind ausschlaggebend. Insofern erhält die Geschichte trotz der nationalen Katastrophe und des zunehmenden Übels (14,15 bzw. 5,2.10) eine positivere Bedeutung, nämlich als Vorbereitungsraum für den kommenden Äon. Der Raum der Langmut Gottes (9,12; 7,74 vgl. 8,5) gibt Gelegenheit, sich als Gerechter zu erweisen. Daher kann der Verfasser nicht als Pessimist[111] bezeichnet werden. Im Verlauf der dialogischen Auseinandersetzungen zielt der Verfasser auf eine Position, die Zweifel an der Verheißung Gottes und an der Heilswirksamkeit des Gesetzes auszuräumen vermag.

In der Hoffnung auf die eschatologische Herrlichkeit überspringt der Verfasser jedoch nicht die Gegenwart in einem wie auch immer gearteten Enthusiasmus. Die Gegenwart versteht er als Zeit vieler Leiden der Gerechten und des Kampfes, den jeder Mensch zu kämpfen hat (7,127 f.; 14,34 u. ö.). Es ist also dem Menschen möglich, in einem „Kampf" dem Antrieb zur Sünde zu widerstehen. Das Herz gilt nicht nur als *cor malignum*, sondern in das Herz ist auch das fruchtbringende Gesetz eingesät. Der Mensch hat die Freiheit, ob er im Gesetzesgehorsam Frucht bringt oder ob er dem Bösen Trieb folgt. Weder die *lex* noch das *cor malignum* wirken zwangsnotwendig. Das eschatologische Ergehen des Menschen hängt ab von seinem Kampf in einer durch Übel und Not geprägten Welt (vgl. auch 7,89.96.11 f.; 8,27b). Da der Böse Trieb durch den Gesetzesgehorsam bezwungen werden kann, überwindet der Verfasser die zum Pessimismus tendierende Anschauung von einem unentrinnbaren Sündenverhängnis. Er ringt sich im Verlauf der Auseinandersetzungen schließlich zu einer der Freiheit des Menschen Raum gebenden Auffassung durch. Daher werden auch die Versuche Esras, durch Appelle an Gottes Güte die Strenge des Endgerichts zu mildern, zurückgewiesen: Sie haben ihr Geschick selbst verschuldet (vgl. 7,132 ff. mit 8,1 ff.; 8,20 ff. mit 37 ff.).

Auch wenn das eschatologische Heil nur wenigen vorbehalten ist, bekommt doch die Geschichte als Vorbereitungszeit einen positiveren Akzent. Gleichwohl ist das Heil in der Geschichte nicht realisierbar. Das Gesetz bringt zwar im Menschen Frucht (3,20), dies ist aber kein automatisches Geschehen (9,31 f.). Die erwirkte Frucht ist ein Charakteristikum der Endzeit (7,13.123), sie ist streng auf das Eschaton bezogen. Entsprechend bittet Esra um das Erwachsen von Frucht in diesem Leben, um zu der eschatologischen Frucht zu gelangen (8,6 vgl. 9,31). Infolge der Progressivität der Sünde und deren großer Frucht in diesem Äon kann dieser

---

[111] *P. Volz*, a.a.O., S. 35, bezeichnet den 4. Esra als „vollendetes Beispiel des spätjüdischen Pessimismus", vgl. *W. Schneemelcher*, Art. Esra, in: RAC VI, Sp. 603 bzw. *L. Couard*, a.a.O., S. 134.

Äon das Heil nicht tragen (4,27 ff.). Daher fehlen im 4. Esra Erwägungen, wie dieser Äon gestaltet und gebessert werden kann. Dennoch wird im 4. Esra die Geschichte nicht völlig abgewertet und negiert. Die im Verlauf der Dialoge schließlich zur Geltung kommende positivere Sicht der Geschichte hängt wesentlich mit der Behauptung der Heilswirksamkeit des Gesetzes und mit der Bedeutung des Gesetzesgehorsams in diesem Äon für das eschatologische Heil zusammen. Sie ist eine Folge davon, daß Ethik und Eschatologie einander zugeordnet werden.

5.4.3. Gesichtspunkte zum Inhalt der ethischen Weisung

Wie in den übrigen Apokalypsen fällt im 4. Esra auf, daß Aussagen über die Sünder häufiger begegnen als über die Gerechten und daß über das, was als Sünde gilt, mehr gesagt wird als über das gerechte Tun. Die Aussagen über Sünder bzw. Gerechte begegnen im 4. Esra in charakteristischer Weise innerhalb von Reihen (vgl. 7,22 ff.37.72.79; 8,56 f.; 9,9 ff.32; 14,30 f.). Dabei zeichnet sich ein geprägtes Wortfeld ab:

A I   Altissimum . . . . .   negare (7,37), non servire (7,37), spernere (8,56), non esse persuasus et contradicere (7,22), non esse superdicere (7,23), non esse dicere (8,58)

A II   diligentias (Altissimi) spernere (7,37)

         vias (eius) . . . . . .   non cognovere (7,23), spernere (7,79), non servare (7,79; 14,31), derelinquere (8,56), abusi esse (9,9)

         legem (eius) . . . .   spernere (7,74 vgl. 81), contemnere (8,56; 7,79), fraudere (7,72), fastidire (9,11), non servare (9,32), non custodire (9,32; 14,31), transgredere (14,31)

         legitimis (eius) fidem non habere (7,24)

         mandata . . . .   non servare (7,72)

         sponsiones eius . .   abnegare (7,24), contradicere (5,29)

A III   sibi cogitamenta vanitatis constituere (7,23)

         sibi circumventiones delictorum proponere (7,23)

A IV   opera eius (sc. legis) non perficere (7,24)

         iniquitatem facere (7,72; 14,31)

A V   iustos eius . . . . . .   conculcare (8,57)

         qui timent deum .   odere (7,79)

         qui testamentis credant conculcare (5,29)

Die Übersicht verdeutlicht:

1. Es begegnet in ethischem Zusammenhang ein geprägtes Wortfeld, wobei ein begrenzter Vorrat von Verben einem begrenzten Vorrat von Objekten variabel zugeordnet ist.

2. Die Bezugsgrößen, auf die sich das frevlerische Verhalten der Sünder richtet, sind der Höchste (I) und seine Gebote (II). Es wird das Unrecht der Sünder (IV), ihr Versuch, sich eigene Satzungen zu geben (III), sowie ihre Bedrückung der Gerechten (V, vgl. bes. 8,26 ff.; 11,42) angesprochen.

Die Beschreibung des Tuns der Gerechten läßt mit geringerer Textgrundlage das folgende Bild entstehen:

B I	Altissimum	cognoscere (3,32), servire cum labore (7,89) in veritate (8,26)
B II	testamenta	custodire (8,27)
	testamentis (Altissimi) credere (7,83; 3,32; 5,29)	
	vias	servare (7,88)
	legem	perfecte custodire (7,89), servare (7,94), quaerere (13,54)
	mandata	observare (3,55)
B III	periculum	sustinere (7,89)
	angusta	ferre (7,18)

Die Zusammenstellung läßt erkennen:

1. Der lexikalische Zusammenhang mit der Beschreibung des Tuns der Ungerechten ist augenfällig. Die Sünderaussagen sind oft nur negierte Aussagen über die Gerechten. Die Übersichten A und B kontrastieren einander.

2. Die Ethik der Gerechten ist gekennzeichnet durch Gehorsam gegenüber dem Höchsten (I) und dessen Gesetz (II).[112] Das Aushalten in den Leiden (III) entspricht den Aussagen zum Leben als Kampf (s. o. S. 90). Bemerkenswerterweise findet sich zu A IV in B keine positive Entsprechung.

Der Vergleich von A und B zeigt den Kontrast des Tuns der Sünder und Gerechten, die jetzt unter den Sündern zu leiden haben. Das Tun der Sünder ist die negative Entsprechung zum Tun der Gerechten. Ihr notwendiges Tun läßt sich aus dem abgelehnten ethischen Verhalten der Sünder erschließen (vgl. auch zu 7,26 ff. bzw. 75 ff.). Daher nimmt das Nicht-Gelten-Sollende einen breiteren Raum ein als das, was positiv gelten soll. Zur materiellen Ethik finden sich nur wenige konkrete Angaben. Es sind nur wenige Gesichtspunkte zu nennen, die sich aus dem Besonderen des apokalyptischen Schrifttums bzw. aus der Sonderstellung des Visionsempfängers erklären lassen.

Zum Bild des Gerechten, wie es mit der Gestalt Esras gezeichnet wird, gehört das Aufschreiben apokalyptischer Bücher (12,37 vgl. 14,24.27 ff.), sein Trösten und Ermahnen (10,41; 12,46; 14,13), seine Belehrung über Gesetz (14,13; 8,29) und Eschatologie (12,38) sowie seine Fürbitte (8,15 ff.; 12,48). Fasten (5,20; 6,31.35) bzw. vegetarische Nahrung (9,26; 12,51) dient der Vorbereitung auf den Visionsempfang. Als besondere Befähigung gilt das Vermögen, Geheimnisse zu fassen und zu bewahren (12,38 vgl. 14,7 f.45 f.). Es begegnet die Mahnung, sich um das Kommende (14,13 f. vgl. 7,16), um Gesetz und Einsicht (13,54 f.) zu kümmern. Anklänge an die Armenfrömmigkeit begegnen 14,13; 11,42 sowie 8,49 (*quoniam humiliasti te*). Kultische Anordnungen bzw. kultkritische Aussagen fehlen. Ferner

---

[112] A II bzw. B II läßt die Äquivalente für *lex* (im 4. Esra 25mal) erkennen, vgl. die Nebenordnung *via, lex, legitima* in 7,24; vgl. ferner zu *diligentia* 3,7.19; *mandatum* 3,33.35 f.; *legitima* 13,24; *constitutio* 7,11.45; *testamenta* 3,32; *sponsiones* 7,46; vgl. auch W. Harnisch, a.a.O., S. 30 Anm. 1.

fehlen entsprechend der unmilitanten Eschatologie im 4. Esra (bes. 13,9.28) Angaben über die Beteiligung der Gerechten am Endkampf wie auch das Motiv der Übergabe des Schwertes.

Da sich wenigstens ansatzweise inhaltliche Konkretionen der ethischen Weisung aufzeigen lassen, ist der besonders im Blick auf den 4. Esra formulierten These zu widersprechen, daß in der Apokalyptik das Gesetz als Dokument der Erwählung gelte, da es das „Bleiben im erwählten Volk"[113.114] ermögliche, und daß es nicht als eine im Einzelfall regelnde Norm mit konkreten Einzelforderungen zu verstehen sei. Der 4. Esra entfaltet zwar das Gesetz nicht kasuistisch als Einzelforderungen, jedoch ist der Gedanke hervorgehoben, daß das Gesetz auch ein bestimmtes Tun verlangt (vgl. 7,77; 8,33; 9,7; 13,23), denn von diesem Tun hängt für den Menschen Heil oder Unheil im Eschaton ab. Im 4. Esra bricht die ethische Problematik nicht an diesem oder jenem Einzelgebot auf. Es geht vielmehr um die grundsätzlichen Fragen des Gesetzesgehorsams und dessen eschatologische Relevanz. Die Frage ist weniger, wie die geforderte Ethik zu realisieren sei, sondern liegt als Frage nach der Sinnhaftigkeit des Gesetzesgehorsams überhaupt auf tieferer und grundsätzlicherer Ebene. Daher wird die Auseinandersetzung nicht auf der Ebene der Kasuistik, d. h. der konkreten Einzelgebote, sondern auf der Ebene grundsätzlicher Erörterungen über den Gesetzesgehorsam und dessen Bedeutung für das Ergehen im Eschaton geführt.

5.5. Das Verhältnis von Ethik und Eschatologie im 4. Esra

Ausgangspunkt der theologischen Reflexionen im 4. Esra ist die Tempelzerstörung. Diese nationale Katastrophe führt nach dem Zeugnis dieser Schrift den Glauben Israels in eine Krise: Der Schöpfungsglaube als Bekräftigung der Sonderstellung Israels, der Erwählungsgedanke als Ausdruck der Vorzugsstellung Israels und das Verständnis der Geschichte als Vorabbildung künftigen Heilshandelns Gottes sind zerbrochen. Auch der Gesetzesgehorsam gerät in eine Krise. Es bricht die Frage auf, wo die Früchte des Gesetzesgehorsams bleiben und ob das Gesetz überhaupt eine für das Eschaton bewahrende Funktion haben kann angesichts eines als Folge der Katastrophe aufgekommenen Pessimismus, der ein dem Menschen aufliegendes Sündenverhängnis behauptet. Der Verfasser kann die Zweifel an Israels Sonderstellung auf Grund von Schöpfung, Erwählung und Geschichte nicht ausräumen noch die bezweifelten Prärogative Israels in alter Weise wieder ins Recht setzen. Darum sind Ethik und Eschatologie die beiden Bereiche theologischer Reflexion, die der Verfasser zur Beantwortung der Fragen der Gegenwart heranzieht.

Die Fragen nach Schöpfung und Geschichte werden im Bereich der Eschatologie,

---

[113.114] *D. Rössler*, a.a.O., S. 102, vgl. ebd. S. 45 ff.70 ff.77 ff.100 ff.; Lit. zur Kontroverse um diese These vgl. o. Anm. 3 bzw. *W. Harnisch*, a.a.O., S. 12.152 Anm. 2 bzw. 66 Anm. 1. Da im 4. Esra die Erwählungstheologie infolge der historischen Situation bezweifelt wird (vgl. 5,23 ff.; 9,29 ff.; 6,59), liegt die Funktion des Gesetzes nicht einfach im Bewahren der Erwählten im erwählten Volk. Die Erwählung konkretisiert sich als Erwählung der wenigen Gesetzestreuen (7,132 ff.; 7,45 ff. u. ö.), die sich durch ihre konkreten Taten im Gesetzesgehorsam auszeichnen.

die Frage nach der Erwählung im Bereich der Ethik verhandelt. Statt die alte Schöpfung als gute Schöpfung zu reklamieren, spricht der Verfasser von zwei Welten. Er vermag angesichts der Übel dieses Äons die Geschichte nicht positiv zu sehen und verweist auf den kommenden Äon als neue Heilssetzung Gottes.

Beide Äonen sind voneinander geschieden als Zeit des Unheils und des Heils. In diesem Äon ist das Heil grundsätzlich nicht realisierbar, dies tut Gott mit der Setzung eines neuen. Dem Menschen ist die Einheit beider Äonen, die im Willen des Schöpfers beschlossen liegt, zunächst nicht erfahrbar. Sie muß ihm durch besondere Offenbarungen offenbart werden. Die Brücke von diesem zu jenem Äon liegt für den Menschen im Bereich der Ethik. In Abwehr eines pessimistischen Weltverständnisses wird die Geschichte zum Vorbereitungsraum und zum Durchgangsstadium für die kommende Welt, in dem der Mensch sich durch den Gesetzesgehorsam für das eschatologische Heil qualifizieren kann. Dadurch bekommt dieser Äon einen positiveren Akzent. Zwar ist an ihm nichts Verbesserliches, aber er gibt Raum, um nach dem Gesetz zu leben, das zum Heil führt.

Im 4. Esra steht nicht die Frage nach dem rechten Tun im Mittelpunkt, sondern nach der Heilswirksamkeit des Gesetzes, die von einer das Sündenverhängnis behauptenden pessimistischen Sicht bestritten wird. Daher versucht der Verfasser, das Gesetz mittels der Eschatologie ins Recht zu setzen, indem er nachweist, daß es tatsächlich Gerechte gibt, die infolge ihres Gesetzesgehorsams das eschatologische Heil erlangen werden. Bei der Umschreibung der Heilszeit ist der 4. Esra zurückhaltend. Er verwendet vor allem ethische Kategorien. Die Charakteristik der Heilszeit ist aber nicht für den Inhalt der Mahnungen maßgebend. Die Darstellung des Gerichts sowie der Stufen der Qual und Freude soll vorab die eschatologische Relevanz des Gesetzesgehorsams unterstreichen. Das Charakteristische der Gerechten bzw. Frevler ist an diesen Darstellungen künftiger Ereignisse ablesbar und kommt auch in den Dialogen zur Sprache. Gerechte und Frevler werden einander kontrastierend gegenübergestellt. Das Tun, auf das hin der 4. Esra mahnen will, wird positiv an den Gerechten und negativ an den Frevlern gezeigt.

Das Gesetzesverständnis und die Eschatologie bedingen einander. Das Gesetz bewahrt vor einem Auseinanderklaffen von Gegenwart und Zukunft, indem das Tun des Menschen die Brücke von diesem zum kommenden Äon darstellt. Die Eschatologie bewahrt andererseits das Gesetz vor Mißdeutung, indem sie die forensische Bedeutung des Gesetzes enthüllt, denn die eschatologische Belehrung zeigt, daß der Gesetzesgehorsam tatsächlich die Teilhabe am Endheil erwirkt. Ohne die ethische Komponente könnte die Eschatologie nicht den Weg aus der Not der Gegenwart weisen, da beide Äonen, die zwar im Willen des Schöpfers geeint sind, aus der Blickrichtung des Menschen einander ausschließend gegenüberstünden. Ohne die eschatologische Komponente wäre die Gesetzesunterweisung fragwürdig, da angesichts der Not der Gegenwart nur die auf das Eschaton bezogene Verheißung die Sinnhaftigkeit des Gesetzesgehorsams erweisen kann.

Die bedrängenden Fragen seiner Zeit löst der Verfasser durch die untrennbare Zuordnung von Ethik und Eschatologie. Die Verknüpfung von Ethik und Eschatologie steckt das Terrain ab, auf dem diese Fragen verhandelt werden. Auf diese

Weise vermag er die bezweifelte Liebe Gottes zu seinem Volk zu behaupten (vgl. 5,33.40; 8,47). Die Gegenwart als Zeit der Gesetzeserfüllung und Bewährung erhält entgegen dem angesichts der Katastrophe aufgebrochenen Pessimismus eine positivere Wertung. Der Verfasser des 4. Esra ruft auf, trotz der Not der Gegenwart nicht im Pessimismus zu verharren, sondern im Wissen um die Heilswirksamkeit des Gesetzes und im Bewahren des Gesetzes zuversichtlich auf die kommende Erlösung zu warten und in dieser Hoffnung nach dem Gesetz zu handeln.

6. 2. Baruch

Die als 2. Bar. bezeichnete Apokalypse ist vollständig in einer Mailänder syrischen Bibelhandschrift überliefert, die zusätzlich eine davon unabhängige Abschrift des Briefes Baruchs (2. Bar. 78–87) enthält, der eine eigene Überlieferung hat, da er aus zahlreichen Handschriften bekannt ist. Die aus dem Griechischen übersetzte Apokalypse war ursprünglich in einer semitischen Sprache abgefaßt, wobei eher an das Hebräische als an das Aramäische zu denken ist.[115] Das semitische Original wie auch die griechische Übersetzung sind nicht erhalten. Eine Prüfung der literarischen Bezeugung, der Textvarianten sowie der Übereinstimmung des Inhalts des Briefes mit dem der Apokalypse erweist die ursprüngliche Zusammengehörigkeit von 2. Bar. 1–77 mit 78–87. Die unabhängige Verbreitung des Briefes auf der Stufe der syrischen Übersetzung muß demnach als „un phénomène secondaire"[116] angesehen werden. Die Kap. 78–87 werden folglich gleichberechtigt in die Analyse einbezogen.

Der Versuch, innerhalb des 2. Bar. verschiedene durchgehende Quellen voneinander zu scheiden, verkennt die eigentümliche Überlieferungsform der Apokalypsen. Dem Verfasser ist historisches und apokalyptisches Material bekannt. In den Kap. 1–12 nimmt er Überlieferungen von der Zerstörung des alten Tempels und von der Erwartung eines neuen Tempels auf. Auch die Visionen enthalten überkommenes Gedankengut.[117] Von besonderer Bedeutung sind die Übereinstimmungen und Differenzen vom 2. Bar. und 4. Esra. Beide Schriften haben einen gemeinsamen „historischen" Ausgangspunkt, indem die Ereignisse 70 n. Chr. mit

---

[115] Vgl. u. a. *J. Wellhausen*, Zur apokalyptischen Literatur, in: Skizzen und Vorarbeiten VI, Berlin 1899, S. 234; *F. Zimmermann*, Translation and Mistranslation in the Apocalypse of Baruch, in: Studies and Essays in honour of A. A. Neumann, Leiden 1962, S. 580–587; *L. Rost* (Anm. 9), a.a.O., S. 95; vgl. neuerdings A. F. J. Klijn, Die syrische Baruch-Apokalypse, in: Jüdische Schriften aus hellenistisch-römischer Zeit, Bd. V,2, Gütersloh 1976, S. 110. Für ein aram. Original plädiert u. a. *C. C. Torrey*, a.a.O. (Anm. 94), S. 123. Zur Textüberlieferung vgl. *W. Baars*, Neue Textzeugen der syrischen Baruchapokalypse, VetTest 13 (1963), S. 467–478; zu den Handschriften des Briefes Baruchs vgl. *P. Bogaert*, a.a.O., Bd. I, S. 43 f.

[116] *P. Bogaert*, a.a.O., Bd. I, S. 78, vgl. 67 ff. Er betont, daß 77,2–10 kein selbständiges Ganzes bilde und zum Ziel habe, den folgenden Brief anzukündigen. Die Zugehörigkeit des Briefes zur Apokalypse unterstreichen *B. Violet*, a.a.O. (Anm. 96), S. lxxiv; *O. Eißfeldt*, a.a.O., S. 850 f., vgl. *W. Harnisch*, a.a.O., S. 208, Anm. 3.

[117] So neuerdings *A. F. Klijn*, a.a.O., S. 111 f., der aber die Bedeutung des übernommenen Gedankengutes zu sehr unterschätzt. Überlieferung bedeutet ja auch Auswahl aus vorgegebenen Traditionen. Folglich sollte man die Bedeutung des Überkommenen für die Theologie des Verfassers nicht zu gering achten, da er es ebenso hätte übergehen können.

den Ereignissen des Jahres 587 v. Chr. parallelisiert werden (vgl. 2. Bar. 8,5; 10,2; 11,1; 79,1; 80,4). Für beide Schriften ist der Dialogstil typisch, der jedoch im 4. Esra eine spezifischere Bedeutung hat. Zahlreiche Themen des 4. Esra begegnen im 2. Bar. gar nicht oder klingen nur beiläufig an (z. B. das Sündenverhängnis). Insgesamt macht der 2. Bar. einen ungeordneteren Eindruck als der 4. Esra. Verschiedene Gedanken, die im 4. Esra in einer durchdachten Ordnung vorgetragen werden, findet man im 2. Bar. an verschiedenen Stellen ohne einen deutlich erkennbaren gedanklichen Zusammenhang wiedergegeben. Daher ist zu fragen, ob der 4. Esra die Gedanken des 2. Bar. in eine gute Ordnung gebracht hat oder ob im 2. Bar. die Gedanken des 4. Esra nur unvollständig verarbeitet sind. Obschon die kunstvollere Komposition oder ein besserer Stil die Originalität nicht beweisen können, ist auf Grund der genannten Beobachtungen die Priorität des 4. Esra vorauszusetzen, von dem der 2. Bar. abhängig ist.[118]

Auf dieser Grundlage kann nun die Datierung des 2. Bar. versucht werden, da der kurz vor 100 n. Chr. entstandene 4. Esra den terminus a quo, die Ereignisse von 135 n. Chr., die dem Verfasser wohl noch nicht bekannt sind, den Terminus ad quem abgeben. Unter Berücksichtigung des Zitats in Barn. 9,9, wo 2. Bar. 61,7 wie eine atl. Schriftstelle zitiert wird und folglich schon eine Zeitlang in einer griechischen Version bekannt gewesen sein müßte, wird man die Abfassung des 2. Bar. in den ersten anderthalb Jahrzehnten des 2. Jahrhunderts n. Chr. vermuten dürfen, zumal die Partherkriege bzw. das Wüten L. Quietus' in Mesopotamien (116 n. Chr.) nicht erwähnt werden.[119]

Die Gliederung der Schrift wird meist als vom 4. Esra abhängig angesehen. Die Teilung in sieben Abschnitte stützt sich auf die Berichte vom Ortswechsel Baruchs (2. Bar. 44,1; 77,18) und vom Fasten (47,2; 21,1) sowie auf die Reden Baruchs an das Volk (77,17). Diese Unterteilung ist nicht eindeutig, da auch an anderer Stelle Ortswechsel Baruchs (5,5; 10,5; 13,1; 31,1; 77,1; 47,1), Fasten und Reden Baruchs an das Volk erwähnt werden. Baruch wendet sich insgesamt dreimal an das Volk bzw. an die Ältesten, um sie zu unterweisen und zu ermahnen (Kap. 31–34; 43–46; 76 f.). Daher ist eine ungezwungenere Gliederung in drei Teile möglich (Kap. 1–34; 35–46; 47–77 bzw. 87). In jeder der drei Reden wird die Not des Volkes bzw. die Zerstörung Zions angesprochen (31,4; 44,5 ff.; 77,8 ff.). Jeder der drei Reden geht jeweils eines der drei im 2. Bar. begegnenden, in sich abgeschlossenen apokalyptischen Stücke voraus (so die sog. „Kleine Apokalypse", Kap. 27–30; die Zedernvision, Kap. 35–40; die Wolkenvision, Kap. 53–74). In jeder Rede Baruchs ist vorausgesetzt, daß Baruch sein Volk verlassen wird (32,8–34,1; 43,2; 44,2; 46,1–3.4–7; 76,2 f.). Diese sich deutlich wiederholende

---

[118] Eine bewußte Polemik des Verfassers des 2. Bar. gegen den 4. Esra ist kaum anzunehmen (gegen *W. Wichmann*, Die Leidenstheologie, BWANT 53, Stuttgart 1930, S. 49 ff.; *O. Eißfeldt*, a.a.O., S. 853).

[119] Dazu *E. Schürer*, Geschichte des jüdischen Volkes im Zeitalter Jesu Christi, I–III, [3.4]1901–1909, Bd. I, S. 661 ff.; ähnlich datieren *B. Violet*, a.a.O., S. xci f.; *L. Gry*, La Date de la fin des temps selon les révélations ou les calculs du Pseude-Philon et de Baruch, RB 48 (1939), S. 336–356, bes. S. 354 f.

Struktur legt eine entsprechende Gliederung der Schrift in drei Teile nahe.[120]
Hieran läßt sich auch das besondere Gewicht der Paränesen im 2. Bar. ablesen, in-
dem sie als Gliederungselemente zugleich einen unverkennbaren Hinweis auf die
Zielstellung der Schrift geben.

6.1. Die Grundfragen im 2. Baruch

6.1.1. Die geschichtliche Einleitung (1,1–12,4)

Auch für den 2. Bar. ist die Zerstörung Jerusalems und die hoffnungslose Lage und
erneute Bedrohung des Volkes nach dem Jahre 70 n. Chr. der Anlaß der Entstehung. Der einschneidendste Unterschied zum 4. Esra liegt in einer kleinen,
nicht zu unterschätzenden Veränderung: 4. Esra 3,1 ff. setzt ein mit der Klage *nach*
dem Untergang Jerusalems, der 2. Bar. hingegen beginnt in Anlehnung an
Gerichtsankündigungen der Propheten mit der Ankündigung des Gerichts über Jerusalem und seine Bewohner (1,2–4). Diese Verlagerung des Ausgangspunktes
weist von vornherein die im 4. Esra verhandelte Frage nach dem Grund der über
Jerusalem hereingebrochenen Katastrophe ab. Schon zu Beginn des 2. Bar. wird
deutlich, daß die Preisgabe Jerusalems als gerechtes Gottesgericht anzusehen ist
(5,2 vgl. 44,5 f.; 67,2–4) und daß die Feinde nur eine gewisse Zeit (1,4; 4,1; 5,3;
6,9 vgl. 32,3) dem Gericht als Werkzeug dienen. Gott selbst ist der Urheber der
Verwüstung, denn nicht die Feinde, sondern die Engel Gottes zerstören die
Mauern (5,3; 6,4 ff.; 7,1 f.; 8,1 f. vgl. 80,1–3). *Vor* der Zerstörung deutet das Ge-
richtswort die Zerstörung als Züchtigung des Volkes für seine Sünden (1,2 f.5; vgl.
13,10; 77,10; 78,3; 79,2). *Vor* der Zerstörung wird Baruch die Existenz des gleich
dem Paradies präexistenten Jerusalem mitgeteilt (4,2–6). Das Wissen um das künftige Jerusalem beruht also nicht auf einer Offenbarung als Trost in der Trauer
nach der Zerstörung Jerusalems (vgl. 4. Esra 9,29–10,58), sondern auf einer Offenbarung vor diesem Ereignis.
Indem die Katastrophe von vornherein auf das Wissen und Wirken Gottes zurückgeführt wird, verteidigt der Verfasser die Gerechtigkeit und Allmacht Gottes. Die
Wahl des Ausgangspunktes vor der Zerstörung soll eine wirkungsvolle Antwort
auf Fragen geben, die nach der Zerstörung aufbrechen konnten. Einen ähnlichen
Aufbau zeigt auch Kap. 78–87, wo der Verfasser eingangs von der Liebe Gottes zu
seinem Volk und von der Zerstörung als gerechtes Gericht (78,5) für die Sünden
des Volkes redet (79,2), ehe in Kap. 80 der Bericht von der Zerstörung folgt. Die
Zerstörung Jerusalems ist nicht das den Verfasser bedrängende Problem. Die Güte
Gottes wird nicht bezweifelt oder in Frage gestellt. Dies macht verständlich,
warum die drei Klagen und Anklagen Gottes im 2. Bar. (3,1–9; 10,6–12,4;

---

[120] So *O. Plöger*, Art. Baruchschriften (apokryphe), in: RGG[3] Bd. I, Sp. 902; zur Siebenteilung vgl.
B. Violet, a.a.O., S. lxxvi f.; *O. Eißfeldt*, a.a.O. (Anm. 9), S. 850 ff.; *L. Rost*, a.a.O. (Anm. 9), S. 95 f.
L. Ginzberg, Art. Baruch, Apocalypse of (syriac) in: JewEnc Bd. II, S. 551 ff. erwägt eine Zwölfteilung
anhand der Bemerkungen zum Fasten und zu den Reden Baruchs an das Volk.

35,2–5) im Vergleich zum 4. Esra keine bedeutende Rolle spielen. Sie stellen kein den Aufbau und damit die Gedankenführung strukturierendes Element dar. 3,9 verdeutlicht, daß auch Baruch von der Frage nach dem Eintreffen der Verheißung Gottes an Mose bewegt ist, diese aber nicht grundsätzlich bezweifelt. Bedrängend stellt sich hingegen die Frage, ob der Zustand nach der Zerstörung ein endgültiger sei. Er fragt, „was *nach* diesem unglücklichen Ereignis geschehen wird (3,5 ff. vgl. 14,1)". Somit verlagern sich die Gewichte im 2. Bar. auf den Bereich der Ethik, auf die Frage, was nach der Katastrophe zu tun sei. Die Ethik ist nicht mehr wie im 4. Esra die Plattform der Frage nach Gottes Verheißung. Diese Weiterentwicklung der theologischen Reflexion wird daran ablesbar, daß im 4. Esra die Klagen das entscheidende Strukturelement sind, im 2. Bar. hingegen die Paränesen.

Die geschichtliche Einleitung zum 2. Bar. bringt eine theologische Deutung der Zerstörung Jerusalems, die an der Güte Gottes zweifelnde Fragen von vornherein ausschließt. Es gibt nach dieser Einleitung kein Zurück mehr hinter die am Anfang der Schrift gegebenen Antworten. Die Einleitung umschreibt die Situation nach der Zerstörung der Stadt. Dabei klingen die für den Verfasser wichtigen Fragen an, nämlich nach der (verbleibenden) Zeit und deren (ethische) Bewältigung. Mithin sind die im weiteren Verlauf des 2. Bar. entfalteten Themen von Eschatologie und Ethik angesprochen. Auch im 2. Bar. werden die Ausgangsfragen als ethische Fragen präzisiert.

6.1.2. Die Entfaltung der Problemstellung (14,1–20,6)

Im 2. Bar wird der bereits in der geschichtlichen Einleitung begegnende Dialogstil nicht so zielstrebig zum Vorantreiben der gedanklichen Entwicklung benutzt wie im 4. Esra. In Kap. 14 bringt Baruch nicht einzelne Einwände vor, die dann jeweils durch den Gesprächspartner aufgenommen und berichtigt werden, sondern es handelt sich hier um ein Konvolut von Anfragen, die dann 15,1–8 nur summarisch beantwortet werden. In Kap. 14,1–19 trägt Baruch Einwände gegen das 13,2–12 dargelegte traditionelle Vergeltungsdogma vor. Dabei ist die Inkonzinnität der Gedankenführung und die Inkongruenz der verhandelten Probleme augenfällig. V. 12 f. setzt im Unterschied zu V. 1–7.16–19 die künftige Vergeltung voraus, deren tatsächliche Heilswirksamkeit jedoch V. 14 f. bezweifelt. Da Kap. 14 besonders viele Anklänge an den 4. Esra zeigt[121], läßt die massierte Bündelung der verschieden akzentuierten Probleme vermuten, daß der Verfasser hier Problemstellungen des 4. Esra kompiliert. Probleme, die mit Folgerichtigkeit im 4. Esra an ihrem Ort nacheinander verhandelt werden, erscheinen hier ohne eine erkennbare Ordnung. Daher ist nicht lediglich 2. Bar. 14,16–19 in einer traditionsgeschichtlichen Beziehung zum 4. Esra zu sehen. Das gesamte 14. Kapitel kann als litera-

---

[121] Vgl. V. 14 mit 4. Esra 7,117.119 f. bzw. 7,67–69; zur Interpretation vgl. *W. Harnisch*, a.a.O., S. 84. Ferner vgl. 2. Bar. 14,2 mit 4. Esra 3,28 ff.; V. 3–6 mit 4. Esra 3,31–33 bzw. 4,23 f.; V. 8 f. mit 4. Esra 4,5 ff.36 ff.; V. 10 mit 4. Esra 7,61 bzw. 4,24; V. 11 mit 4. Esra 7,5; V. 12 mit 4. Esra 7,18 bzw. 6,5; 7,77; 8,33.36. Zur Gedankenführung in Kap. 14 vgl. *W. Harnisch*, a.a.O., S. 187 bzw. 83 ff.87.

rische Reminiszenz an den 4. Esra verstanden werden. Die literarische Abhängigkeit dieses Kapitels[122] erklärt am ungezwungensten dessen interpretatorische Schwierigkeiten. Kap. 14 eröffnet mit der Vielzahl der Probleme, die besonders auf ethischem Gebiet liegen, einen Fragehorizont. Jedoch nur auf einige Fragen geben die folgenden Kapitel Ansätze einer Antwort.

Die eschatologische Relevanz des Gesetzes (Kap. 15) entfalten die ersten ausführlichen Darlegungen zum Gesetzesverständnis, die zunächst die Einwände Baruchs wiederholen, die sodann (15,4–8) widerlegt werden. Dem Argument Baruchs, daß die Gerechten weggerafft würden und die Frevler im Glück seien (15,2 vgl. 14,2a.6) und daß niemand Gottes Gericht erkennen könne (15,3 vgl. 14,8a), wird mit dem Hinweis widersprochen, daß dem Menschen das Gesetz als Maßstab des Gerichts (15,5) bekannt ist. Dies entlastet Gott, dessen Gericht durch das Gesetz erkannt werden kann, und verweist den Menschen auf seine eigene Verantwortlichkeit (15,6).

Der Hinweis auf die zukünftige Welt um der Gerechten willen (V. 7) und auf die Herrlichkeit nach vielen Mühen (V. 8) gibt im Zusammenhang mit der Erwähnung des Gesetzes die Antwort auf 14,1–6.16–19. Zu beachten ist, daß der Hinweis auf das unparteiische Gericht (13,2–12) allein die Fragen Baruchs nicht zu beantworten vermag. Eine gültige Antwort gibt erst die Belehrung über das Gesetz und dessen Bedeutung für das Gericht, das zum Erlangen der eschatologischen Herrlichkeit unumgänglich ist. Es wird daran deutlich, daß im 2. Bar. die eschatologische Belehrung eng mit der Belehrung über die eschatologische Relevanz des Gesetzes verbunden ist.

Die eschatologische Relevanz der Zeit (Kap. 16–20) wird mit 16,1 ff. als typisches und zentrales Problem dieser Schrift thematisiert: „Nicht Nutzen und Sinn der Verheißung künftiger Heilsgaben sind der universalen Sündenverfallenheit wegen überhaupt in Frage gestellt, sondern ob die kurze Lebenszeit ausreicht, jene zu erwerben."[123] Es geht auch weniger um die Frage nach dem Zeitpunkt des erwarteten Endes als um die Frage, ob genügend Zeit zum Erlangen des Heils durch den Gesetzesgehorsam verbleibt. Hierbei wird eine intensivere Naherwartung als im 4. Esra deutlich (vgl. 2. Bar. 20,2.6; ferner 23,7; 48,30b.31). 2. Bar. 17,4 weist nach, daß die Länge der Lebenszeit hinsichtlich der Beurteilung durch Gott keine Rolle spielt: 930 Jahre Lebenszeit hinderten Adam nicht an der Übertretung der Gebote, während Mose in den 120 Jahren seines Lebens gehorsam war. Für die Teilhabe am Endheil ist also nicht die Länge des Lebens, sondern der Gehorsam gegenüber dem Schöpfer entscheidend (vgl. 18,1 f.; 19,1–4).

---

[122] Vgl. *H. Gunkel* in: *Kautzsch* AP II, S. 351. 2. Bar. 14 gibt das wichtigste Argument für die Priorität von 4. Esra an die Hand. Es ist eher denkbar, daß 2. Bar. Problemstellungen in relativ ungeordneter Weise übernimmt, ohne sie wie der 4. Esra in ihrer ganzen Tiefe auszuloten, als der umgekehrte Vorgang. Trotz mancher inhaltlicher Differenzen sind die Gemeinsamkeiten beider Schriften so stark, daß an der Abhängigkeit des 2. Bar. vom 4. Esra festzuhalten ist, anstatt lediglich „von einer beiden gemeinsamen apokalyptischen Tradition" zu sprechen (so *A. F. J. Klijn*, a.a.O., S. 113).

[123] *E. Brandenburger*, a.a.O. (Anm. 96), S. 36; vgl. *E. Sjöberg*, Gott und die Sünder im palästinischen Judentum (BWANT 79), Stuttgart 1938, S. 231 Anm. 2.

Der Mensch hat die Wahl zwischen Leben und Tod, zwischen dem Gesetz und der Sünde (19,1.3). Da Leben und Tod hier als eschatologische Größen zu verstehen sind, hat diese bedeutungsvolle Entscheidung, die in der Gegenwart zu treffen ist, eschatologische Bedeutsamkeit. Darum legt die kasuistisch anmutende Belehrung 19,6 ff. klar: Das Ende ist entscheidend.

Der 2. Bar. präzisiert das apokalyptische Theologumenon von der schnell eilenden Zeit, indem diese Zeit es ist, in der die Entscheidung für das eschatologische Ergehen fallen muß. Die Zeit dazu ist vorhanden und ist ausreichend, so daß sich der Mensch durch seinen Gehorsam des eschatologischen Heils versichern kann. Auch an anderen Stellen zeigt sich, daß das Zeitproblem zu den zentralen Fragestellungen im 2. Bar. gehört (vgl. 21,8.18; 48,12.19d u. ö.).

Die eschatologische Relevanz des Gesetzes wie auch die Bedeutung der verbleibenden Zeit zur Vorbereitung für das künftige Heil sind für den 2. Bar. von entscheidender Wichtigkeit bei der Frage, was nach der Katastrophe des Volkes geschehen wird bzw. von seiten des Menschen zu geschehen hat. Eine weiterführende Darstellung des Gesetzes- und Zeitverständnisses dieser Schrift kann sich aber erst an die Erörterung ethischer Aussagen im Zusammenhang mit der eschatologischen Belehrung anschließen.

6.2. Ethische Aussagen innerhalb eschatologischer Belehrung

Um Trost in der Gegenwart zu spenden, richtet der 2. Bar. den Blick auf die kommende Herrlichkeit (54,4). Die eschatologische Belehrung enthält zugleich Aussagen über das erwartete bzw. abzulehnende Verhalten des Menschen. Dies geschieht in den Visionen, Dialogen und Gebeten Baruchs. Um einige Grundlinien aufzeigen zu können, macht sich eine Anordnung der Texte nach systematischen Gesichtspunkten notwendig, der durch die oft uneinheitlichen eschatologischen Vorstellungen im 2. Bar. Grenzen gesetzt sind.

6.2.1. Die Drangsale der Endzeit

Die Beschreibung der Drangsale der Endzeit findet sich vor allem in Geschichtsüberblicken bzw. Visionen. Die sog. *Kleine Apokalypse* (Kap. 27–30) unterteilt die Wehen vor der Zeit des Messias in zwölf Abschnitte. Hinter den Charakteristika dieser Abschnitte verbergen sich zweifelsohne auch historische Ereignisse, die jedoch kaum eindeutig zu erklären sind. Die Drangsale sind einerseits kosmisch-naturhafter Art wie Todesfälle (27,2), Hunger und Regenmangel (V. 6), Erscheinungen und Dämonenbegegnungen (V. 9), Herabfallen von Feuer (V. 10). Andererseits sind sie ethisch akzentuiert als ein Zunehmen der Sünde in der Endzeit: Ermordung Hochstehender (V. 3), Beraubung und Bedrückung (V. 11) sowie Missetat und Unzucht (V. 12). Gemäß 29,3 gehen diese Ereignisse der Offenbarung des Messias voraus.

Die Zedernvision (Kap. 36) mit ihrer Deutung (Kap. 39 f.) verdeutlicht ebenfalls das apokalyptische Theologumenon von der zunehmenden physischen und moralischen Degeneration. Zwischen der Vision und deren Deutung zeigen sich auffällige Differenzen. Der Verfasser hat vermutlich eine Vision von Wald, Zeder, Weinstock und Quelle im Anschluß an 4. Esra 11,38 ff. bearbeitet (vgl. bes. 2. Bar. 36,7 ff.) und in der von ihm geschaffenen Deutung auf das umgedeutete Vier-Reiche-Schema von Dan. 7 bezogen, das an der ursprünglichen Vision keinen Anhalt hatte. Das Interesse konzentriert sich auf das vierte Reich, das die drei vorangehenden an Härte und Dauer der Herrschaft übertrifft. Die Endzeit ist durch negative ethische Erscheinungen charakterisiert: Die Wahrheit wird sich verstecken müssen, und die Übeltäter werden bei dem letzten Regenten Zuflucht suchen. 36,7 ff. und die Deutung der Vision zeigen, daß die signifikante ethische Akzentuierung von Vision und Deutung vor allem auf die redaktionelle Bearbeitung zurückzuführen ist.

Die Wolkenvision, bei der ebenfalls Vision (Kap. 53) und Deutung (Kap. 56–74) auseinanderklaffen, läßt in ihrer jetzigen Form vermuten, daß der Verfasser ein älteres Traditionsstück von der Deutung her überarbeitet hat.[124] Das letzte schwarze Wasser (69,1) wird auf die Drangsal der Endzeit vor der messianischen Zeit gedeutet. Charakteristisch sind Geistesverwirrung und Krieg (70,3.6), Trübsale und Katastrophen (70,7 ff.) sowie die Verkehrung aller bisherigen Ordnungen in das Gegenteil (70,3b.4). Die hier genannten Verkehrungen unterscheidet aber der 2. Bar. von den Umkehrungen im Zusammenhang mit dem Gericht. Dies zeigt die poetische Schilderung im Zusammenhang der Gerichtsbelehrung 82,3–8; 83,10–22.

Die drei in sich geschlossenen apokalyptischen Stücke in den drei Hauptteilen des 2. Bar. bringen jeweils eine Beschreibung der Drangsale der Endzeit, die neben naturhaften Kategorien auch ethische Charakteristika nennt. Die Endzeit erscheint als eine Steigerung (69,1!) des ethisch Verwerflichen dieses Äons, als Potenzierung der in der Geschichte sich manifestierenden Übel. Dies geschieht mit Zwangsläufigkeit. In diesem Kontext wird die Verantwortlichkeit des Menschen zwar nicht negiert, andererseits aber nicht expressis verbis hervorgehoben. Der Gedanke der Verkehrung alles Bestehenden in der Endzeit ist wohl von dem Gedanken der Umkehrung im Gericht abhängig. Wie die Beschreibung der Drangsale (48,30b–37) im Rahmen der Gerichtsausführung 48,26–50 zeigt, ist jedoch hierbei dem Verfasser an einer nicht zu übersehenden Unterscheidung gelegen. Die Umschreibung der Endzeit mit ethischen Kategorien veranschaulicht, worin die Schlechtigkeit dieses Äons besonders in ethischer Hinsicht besteht. Die Darstellung der Drangsale ist aber nicht mit ausdrücklichen Ermahnungen zum Gesetzesgehorsam verbunden. Im Vordergrund steht das Erdulden und Sich-Hindurchretten (vgl. 25,2–4 bzw. 70,8 ff.) anstatt eines aktiven Überwindens der Drangsale.

6.2.2. Ethische Charakteristika der messianischen Zeit und der Funktion des Messias

Die eschatologischen Erwartungen im 2. Bar. beruhen auf dem Wissen um die zwei Welten (83,8). Der 2. Bar. wie auch der 4. Esra versuchen, die diesseitige

---

[124] Zu den Einzelheiten vgl. U. B. Müller, a.a.O., S. 134–138; W. Harnisch, a.a.O., S. 261; zur Zedernvision vgl. ebd., S. 257 f.

messianische Heilszeit mit dem Gedanken des kommenden „transzendenten" Äons zu verbinden. Die Hoffnung der Gerechten richtet sich ganz auf die unvergängliche, kommende Welt. Das messianische Reich ist ein Durchgangsstadium im endgeschichtlichen Ablauf, nicht dessen zentraler Punkt. Ob es als Teil der kommenden Welt oder als der zu diesem Äon gehörige „Vorhof" zur kommenden Welt verstanden wird, bleibt in der Schwebe.[125]

Die „Kleine Apokalypse" beschreibt im Anschluß an die Drangsal der Endzeit (Kap. 27 f.) die messianische Zeit (29,3–8) mit wunderbaren, naturhaften Ereignissen. Was der Messias tut, wird nicht berichtet. Ethische Begriffe dienen auch nicht zur Umschreibung der Zeit des Messias, die von seiner Offenbarung (29,3) und dem Ende seiner Gegenwart (30,1) begrenzt ist. Gemäß 30,1 wird die als vorläufig gekennzeichnete messianische Periode von der endgültigen Heilszeit unterschieden. Den Aussagen zur Charakteristik der messianischen Zeit und zur Funktion des Messias sind keine Angaben zum Verständnis der Ethik zu entnehmen.

Die Zedernvision (Kap. 36 ff.) beschränkt die Aufgabe des Messias in ethischer Hinsicht auf die Zurechtweisung der Frevler, indem er die Feinde zurechtweist (36,7–11; 40,1) und durch sein Gericht vernichtet (39,7; 40,2). Die Rede des Weinstocks (36,7–11) als Entfaltung der Notiz 40,2, daß der Messias den letzten Regenten seiner Freveltaten wegen zurechtweisen wird, erinnert mit der Gerichtsankündigung (36,9), deren Entfaltung (V. 10 f.) sowie mit der Anklage (V. 7 f.) an die prophetische Gerichtsrede und läßt das Tun des Bösen, Überheblichkeit und Mitleidslosigkeit unter das Verdikt fallen. Militante Züge im Messiasbild treten zurück.[126] Das Heilswirken des Messias besteht darin, daß er sein Volk beschützt (40,2).

Die Deutung der Wolkenvision läßt auf die Schilderung der Drangsale der letzten Zeit mit Kap. 72–74 die Darstellung der Zeit des Messias folgen. Gegenüber der Bedeutung des Blitzstrahles für die Vision (53,8 f.) wirkt die Deutung auf die messianische Gestalt (Kap. 72) farblos, auch im Vergleich zu der Weise, in der das letzte helle Wasser nicht speziell auf den Messias, sondern auf die gesamte messianische Heilsepoche gedeutet wird. Vor allem übernatürliche, wunderhafte Erscheinungen charakterisieren die messianische Zeit. Die Übel dieser Welt hören auf: Gesundheit steigt herab, und Krankheit entfernt sich, Trübsal und Seufzen werden vergehen (vgl. zu 73,3 auch Jes. 65,20; zu 73,6 vgl. Jes. 11,6 ff.). Wonne, Ruhe sowie Freude greifen um sich (73,1 f.). Bemerkenswert ist ein Katalog menschlicher Verhaltensweisen, die ausgerottet werden, weil sie diese Welt mit Übeln erfüllten. Dies geschieht aber nicht wie Kap. 36 ff. durch die Zurechtweisung des Messias, sondern gilt als Charakteristik der messianischen Zeit: Prozesse, Anklagen, Streitigkeiten, Haß und Blutvergießen wird es nicht mehr geben (73,4 f.).

---

[125] Zur Unterordnung der messianischen Zeit unter die Heilszeit vgl. *P. Bogaert*, a.a.O., Bd. I, S. 415 f.; zu den Interpretationsschwierigkeiten auf Grund der Kombination von Messias- und Heilszeit vgl. ebd., S. 421 ff.

[126] Vgl. *U. B. Müller*, a.a.O., S. 102; *M. Hengel*, a.a.O. (Anm. 91), S. 283 Anm. 1.

Zusammenfassend ist festzuhalten, daß der Messias im 2. Bar. eine nur begrenzte Funktion hat. Wichtig für das Verständnis der Ethik ist die Nennung der unter das messianische Verdikt fallenden Verhaltensweisen. Der Messias weist zurecht, gibt aber selbst keine neuen Weisungen. Der Vergleich von 4. Esra 11,38 ff. mit 2. Bar. 36,7 ff. zeigt, daß die zurechtweisende Funktion des Messias im 2. Bar. nicht so stark ausgeprägt ist. Im Kontext der Aussagen über den Messias bzw. die messianische Zeit fehlt die Kontrastierung von Gerechten und Sündern. Die Teilhabe an der Zeit des Messias ohne Bedrückung durch Feinde (vgl. 36,7–11) hängt ab von der Stellung zum Volk Israel (72,4 ff.). In diesem Zusammenhang fehlt die stärker individuell akzentuierte Gesetzesterminologie, die besonders bei der Gerichtsbelehrung begegnet.[127] Die Aussagen über die ethischen Charakteristika der messianischen Zeit und die Funktion des Messias stehen in einer gewissen Spannung zu den übrigen ethischen Aussagen im 2. Bar., die stark am Gesetz und Gericht orientiert sind.

6.2.3. Das Gericht, die forensische Funktion des Gesetzes und die Heilszeit als zeitlos-ewige Bestätigung des Endgerichts

Im Unterschied zu den bildhaften Beschreibungen der messianischen Zeit fehlen im 2. Bar. Schilderungen des Äußeren und des Hergangs des Gerichts. Der 2. Bar. ist hauptsächlich an der bloßen Tatsache, am Inhalt und Maßstab des Gerichts interessiert. Es handelt sich also um Interpretationen des Gerichts, so daß man von einer Spiritualisierung der Gerichtsvorstellungen sprechen kann. Die Bedeutung der Aussagen über das Endgericht und die eschatologische Vergeltung zeigt sich darin, daß sie über die ganze Schrift verstreut sind und in den Dialogen mit ihren eschatologischen Belehrungen, in Paränesen, Gebeten und in den Deutungen der Visionen begegnen. Die Gerichtsaussagen sind hinsichtlich dessen, was in ethischer Hinsicht als normativ gelten soll, wesentlich, da sie die Verhaltensweisen nennen, die zur Bestrafung oder zur Belohnung führen.

Die Vergeltung im Gericht entspricht der Missetat (54,12), die als Unglaube (59,2), Sündigen (21,12; 48,40), Unzucht und Betrug (48,38) sowie als Sünde gegen das Gesetz, d. h. dessen Übertretung und Mißachtung, bezeichnet wird (51,4; 48,40.47; 54,14.17). Die Belohnung im Gericht entspricht dem Glauben (54,21 vgl. 59,2; 42,2), der als Bewahren des Gesetzes näher erläutert wird (44,14; 51,3.7). Die Gerechten werden beschirmt durch ihren Schatz guter Werke (14,12 vgl. 24,1). Weil sie sich Weisheit und Einsicht zu eigen gemacht haben (44,14), können sie auf Grund des Gesetzes gerecht handeln (51,3 vgl. 21,12) und werden durch ihre Handlungen gerettet (51,7 vgl. 14,12). Das Gericht spricht Gerechten und Sündern ein je unterschiedliches Schicksal zu, das in Gegensätzen umschrieben

---

[127] Vgl. *P. Bogaert*, a.a.O., Bd. I, S. 420: „L'âge messianique . . . se place davantage au niveau collectif, celui de la victoire d'Israël, et non au niveau personnel et moral". *P. Volz*, a.a.O., S. 44 sowie *W. Harnisch*, a.a.O., S. 261 u. Anm. 1, sehen 71,2 f. als ursprünglichen Schluß der Deutung an. Kap. 72–74 gilt dann als selbständige Apokalypse. Da die Deutung der Vision bereits auf den künftigen Lohn abhebt (66,6 bzw. 57,2; 59,4–11), ist Kap. 72 ff. kaum sekundär an Kap. 71 angehängt, vgl. *B. Violet*, a.a.O., S. 309; *U. B. Müller*, a.a.O., S. 140 Anm. 10.

wird (z. B. lebendig machen – vernichten, 85,15 vgl. 54,14; zurechtweisen – in Wonne versetzen, 55,8; ausruhen – verdammt werden, 85,11; Wonne – Pein, 85,9 vgl. 76,5; 19,1; 42,7).

Bemerkenswert ist, wie betont die Stellung dem Gesetz gegenüber zum Kriterium des Ergehens im Endgericht wird. Das eschatologische Heil der Menschen ist völlig abhängig vom Gehorsam gegenüber Gottes Gesetz und Gebot. Die Offenbarung der Tora ist die Bekanntgabe der Norm, nach der im Gericht über Heil oder Unheil entschieden wird. So nennt 59,4 ff. als Inhalt der Mosetora neben den Mahnungen und apokalyptischem Geheimwissen auch die Faktizität des Gerichts (V. 6) sowie den Beginn des Gerichtstages (V. 8). Der 2. Bar. versteht also das Gesetz als Gerichtsnorm und als eine forensische Größe. Der Mensch würde das Gericht nicht richtig erkennen, wenn er nicht das Gesetz empfangen hätte (15,5). Das Gesetz ist die Instanz, die zur Verantwortung zieht (19,3) und im Sinn einer Hypostase am Gerichtstag straft (48,47). 84,1 spricht geradezu von den Geboten des Gerichts. Der hymnische Lobpreis der Erwählung und des Gesetzes (48,22 ff.) wird in V. 27 ff. mit dem Hinweis auf das Gericht korrigiert: Nicht allein der Besitz der Tora oder die Zugehörigkeit zum erwählten Volk garantieren das eschatologische Heil, sondern der Gesetzesgehorsam.

Da das Gericht nicht parteiisch, sondern gerecht ist (13,8 vgl. 44,4) und das (bekannte) Gesetz als Maßstab des Gerichts gilt, ist der Mensch an seiner Verurteilung selbst schuld (48,38 ff.; 54,14 ff.; 82,9).[128] Das mit dem Gericht verbundene eschatologische Vergeltungsschema, das für Gerechte und Sünder gilt, unterstreicht die Verantwortlichkeit des Menschen. Der Zusammenhang von Tun und Ergehen, der für den Apokalyptiker in der Gegenwart nicht mehr erfahrbar ist, wird erst vom Eschaton her einsichtig (54,21). Der Verfasser bezieht den Vergeltungsgedanken auf das Zwei-Äonen-Schema. Dem als forensische Größe verstandenen Gesetz kommt in dieser Hinsicht eine besondere Bedeutung zu, weil der Zusammenhang zwischen Tun und Ergehen durch das Gesetz vermittelt wird. Da das Gesetz als Maßstab des Gerichts gilt, ist das Gericht objektiviert und der Willkür des Richters entnommen. Daher verwundert es nicht, daß das Gericht als gleichsam selbständige Größe auftritt und Gott als der Richter hinter dem Gericht zurücktritt: Gottes Gericht wahrt sein Recht (5,2 vgl. 48,27), es fordert das Seine (85,9).

Die mit dem Gesetz gegebene Unerbittlichkeit des Gerichtes schließt jedoch nicht die Barmherzigkeit Gottes aus, „weil Gott selbst unter dem Gesetz des Gerichtes stehend geglaubt wurde"[129]. Jüdisches Denken kann sehr wohl Gottes Gerechtigkeit und Barmherzigkeit verbinden, ohne darüber zu reflektieren, wie beides letzt-

---

[128] Von der Verantwortlichkeit des Menschen spricht das „Gebet" Kap. 54 (bes. V. 14–19), das einen erbaulich-belehrenden Charakter trägt. Nur V. 6 und 20 sind Gebet i. e. S. V. 16–19 muß nicht einer besonderen Quelle zugeschrieben werden (so z. B. *B. Violet*, a.a.O., S. 268; *E. Brandenburger*, a.a.O., S. 37), da V. 19 die Begründung für V. 17 gibt und V. 19 nach V. 15 „une inutile tautologie" (*P. Bogaert*, a.a.O., Bd. II, S. 104) wäre.

[129] *M. Limbeck* (Anm. 40), a.a.O., S. 116; zum Vertrauen auf Gottes Barmherzigkeit vgl. 84,10 f.; ferner 75,2.6; 78,5; 79,2; zu Test. Mos. vgl. o. § 4.1; vgl. 4. Esra 7,132 ff.; 8,20 ff.; vgl. insgesamt *E. Sjöberg*, a.a.O., S. 2–11,239 f.

lich vereinbar sei. Dieses Denken ist, wenn auch nicht so akzentuiert wie im rabbinischen Schrifttum, auch in der apokalyptischen Literatur nachzuweisen.

Eine ausführliche und zusammenhängende Beschreibung der kommenden Welt fehlt im 2. Bar. Wenige, über die gesamte Schrift verstreute Bemerkungen geben einen Hinweis auf die Charakteristika der endgültigen Heilszeit, die vor allem mit temporalen Kategorien umschrieben wird. Die neue Welt ist ewig (44,11 f.), unsterblich (51,3), endlos (48,50; 85,12) und unvergänglich (74,2 vgl. 28,5) im Gegensatz zu dieser vergänglichen Welt (48,50 vgl. 21,19; 28,5; 43,2; 44,9 u. ö.). Die Charakteristik der kommenden Welt ist ferner eng mit der Ankündigung des Ergehens für Gerechte und Sünder verbunden. Die Gerechten erhalten Leben (76,5 vgl. 42,7; 57,2 u. ö.), sind vor dem Untergang bewahrt (44,12) und altern nicht (51,16), da sie in Herrlichkeit und Licht von Mühe und Arbeit frei sind (15,8; 48,50 vgl. 51,16). Auch die Antwort auf die Frage nach der Gestalt des Weiterlebens derer, die am Gerichtstag am Leben sein werden, gibt Hinweise zur Charakteristik der Heilszeit (Kap. 49–51, bes. 51,1 ff. vgl. 4. Esra 7,77 ff.). Die endgültige Heilszeit wird also im 2. Bar. vom endgültigen Sein der Gerechten her beschrieben. Statt einer eigenständigen Charakterisierung der Heilszeit ist deren deutliche Verknüpfung mit den Gerichtsaussagen festzustellen. Das Gericht entscheidet nicht nur über Teilhabe oder Ausschluß vom kommenden Äon. Mit den Gerichtsaussagen ist auch die Charakteristik des Neuen Äons verbunden. Das Gericht und die eschatologische Heilszeit sind dergestalt aufeinander bezogen, daß in der kommenden Welt die Entscheidung des Gerichts auf Dauer für unbegrenzte Zeit bestätigt wird. Dieser Sachverhalt macht deutlich, wie stark im 2. Bar. das Verhältnis von Ethik und Eschatologie durch den Gerichtsgedanken und das damit verbundene Gesetz geprägt ist, so daß man hinsichtlich des 2. Bar. von einer Gerichtsethik sprechen muß.

6.3. Die Gegenwart als Vorbereitungszeit auf das künftige Heil

Die Charakteristik der Gegenwart als höchst negativ ist durch die historische Situation Israels sowie durch die apokalyptische Denkweise des Verfassers bedingt: Die gegenwärtige Welt ist eine Welt voller Drangsal, Seufzen und Übel (51,14.16). Sie ist durch Sünden befleckt (44,9; 21,19), verweslich und vergänglich. Die Deutung der Wolkenvision läßt die Geschichte mit einem dunklen Wasser beginnen, das auf die Epoche Adams gedeutet wird, da alle Leiden dieses Äons auf der verhängnisvollen Übertretung Adams beruhen (56, 6–16), die vorzeitigen Tod, Trauer, Trübsal, Schmerz, Mühsal, Hochmut sowie die Erniedrigung der Hoheit des Menschen bewirkte (V. 6). An dieser Welt ist nichts Verbesserliches. Da die Leiden im endgeschichtlichen Geschehen ein noch stärkeres Ausmaß annehmen (vgl. 32,6 bzw. 69,1), kann nur die eschatologische Hoffnung einen Ausweg zeigen.

Trost gewährt die Verheißung von Besserem (14,13; 21,25; 44,13; 51,3), das in der Zukunft liegt. Es kommt darauf an, auf das Verheißene zu warten (83,4; 52,6 f. vgl. 83,8), anstatt sich mit der Gegenwart zu beschäftigen. Erst die Zukunft bringt die Lösung, wie die Beschreibung der erwarteten Heilsgüter zeigt, insofern die Messiaszeit (vgl. 73,2.5) die Aufhebung der Leiden dieses Äons bzw. der kommende Äon die Aufhebung der Vergänglichkeit herbeiführen wird. Dieser Äon ist durch die Heilsferne, durch die Trennung vom Heil gekennzeichnet. Gegenwart und Zukunft sind voneinander geschieden. Die Einheit beider liegt aber nicht nur im Willen des Schöpfers (21,4 ff.), der das Künftige herbeiführen wird (83,8), also in einer i. e. S. theologischen Voraussetzung, sondern auch in dem Gesetz, das dem Menschen verfügbar, bekannt und erfüllbar ist, also in dem Bereich ethischer Bewährung.

Die Paränesen im 2. Bar. haben aus dem genannten Grunde eine besondere Bedeutung für die Gegenwart. Sie sind durch den Aufbau der Schrift besonders hervorgehoben. Ihr Sprecher ist Baruch, für den weniger wie im 4. Esra der Prozeß einer Selbstklärung im Dialog als die paränetische Funktion charakteristisch ist: Er soll sich um sein Volk kümmern (43,3), mahnen und die Gebote des Gesetzes bekanntmachen (84,1), denn dies ist lebensnotwendig für das Volk (32,8–34). Was im 2. Bar. an anderer Stelle vermittels anderer literarischer Formen an Informationen zum Verständnis der Ethik gegeben wird, erscheint nun besonders akzentuiert durch die paränetische Form, in der „die Grundgedanken der Konzeption des Apokalyptikers rekapituliert werden"[130]. Die drei Paränesen wie auch der Brief Baruchs erwähnen die Katastrophe Jerusalems (vgl. auch 80,1–7) und erscheinen so als Hilfe, die Zeit nach der Katastrophe existentiell zu bewältigen. Sie tragen den Charakter einer Abschiedsrede (32,8; 44,2; 78,5 vgl. 84,1), der bevorzugten Form der Mahnrede in den Apokalypsen.

Die erste Paränese Baruchs (31,3–32,7) gibt nach dem Lehreröffnungsruf (31,3 vgl. 77,2) und dem Hinweis auf die Not der Gegenwart eine eschatologische Belehrung, deren Zentrum die konditionale Mahnung mit futurischer Apodosis (32,1) bildet. Die folgende kleine Belehrung über das künftige Geschick Zions betont die Forderung, jetzt Früchte des Gesetzes in die Herzen zu säen, um im Eschaton beschirmt zu werden. Sie unterstreicht die eschatologische Relevanz des Gesetzes sowie die Notwendigkeit, die Gegenwart für den Gesetzesgehorsam zu nutzen. Das für den 2. Bar. typische Zeitproblem klingt also auch hier an.

Auch die zweite Paränese (44,2–46,6) thematisiert die Situation des Volkes. Hervorzuheben sind die ausführlichen Begründungen für die Imperative (44,3; 45,1; 46,5), teils in Form einer konditionalen Mahnung (46,6 vgl. 45,2), teils in Form einer konditionalen Mahnung mit einer angeschlossenen kleinen eschatologischen Belehrung (44,7). Das Gericht, die Verheißung sowie die Bedeutung des Gehorsams für die Teilhabe am Endheil kommen zur Sprache. Bemerkenswert ist die Ausrichtung der Paränese am Gesetz (44,3.7.14; 46,5 f.).

Die dritte Paränese (77,2–10) betont ausgehend von der historischen Situation die bleibende Geltung des Gesetzes trotz der Katastrophe. Das Zentrum bildet eine konditionale Mahnung mit nachfolgender Belehrung, daß die Einlösung der Verheißung Gottes von der Gehorsamsleistung Israels abhängt (77,6 ff.).

Der Brief Baruchs (78–86) als eine eigene literarische Form, wie der Briefanfang

---

[130] *W. Harnisch*, a.a.O., S. 209.

Kap. 78 ausweist und der Schluß Kap. 86 aufzeigt, steht in enger inhaltlicher, aber auch formaler Beziehung zu den übrigen Partien des 2. Bar. und macht den Eindruck einer in sich geschlossenen Zusammenfassung der Schrift. Dies mag seine separate Verbreitung begünstigt haben. Er berichtet nochmals von der Zerstörung Jerusalems (Kap. 79 f.), während Kap. 78,3 ff. bzw. 81 ff. ausführlicher als innerhalb der übrigen Paränesen über das Gericht und die Bedeutung des Gesetzes belehren. Eingefügt sind poetische Abschnitte von der künftigen Umkehrung alles Bestehenden (82,3–9; 83,10–21). Dies ist eingebettet in die paränetische Form, die zum Gesetzesgehorsam in der Gegenwart aufrufen will, indem sie auf den künftigen Lohn verweist (vgl. den motivierenden Mahnspruch 83,8 bzw. die konditionalen Mahnungen 78,6 f.; 84,6; 85,4 f.; 85,11).

In allen diesen Paränesen gehören die Mahnung und die eschatologische Belehrung eng zusammen. Diese an den Paränesen im Kleinen erkennbare Struktur kehrt im Großen in der Zuordnung der Visionen zu den Paränesen wieder, die als das zentrale Anliegen des Verfassers nicht von der eschatologischen Belehrung zu trennen sind.[131] Sie unterstreichen an hervorgehobener Stelle im 2. Bar. die Bedeutung des Gesetzesgehorsams in der Gegenwart für das Ergehen in der Zukunft.

6.4. Die Bedeutung des Gesetzes in der Gegenwart zur Vorbereitung auf die Zukunft

Auf Grund der forensischen Bedeutung des Gesetzes erhält die Gesetzesbelehrung in der Gegenwart ein besonderes Gewicht. Dies zeigt besonders der Dialog zwischen Baruch und dem Volk (77,11–14.15–17). Die Verheißung und Belehrung über das Heil ist in der Gegenwart weniger an Personen als an das Gesetz gebunden. Das Gesetz, nicht irgendeine Lehr- oder Kultinstanz, stiftet in der Gegenwart die Gemeinschaft Israels mit seinem Gott. Weise und Gesetzeskundige (46,4) sind dem Gesetz untergeordnet. Da es keine Gerechten und Propheten als Helfer mehr gibt, bleiben

---

[131] Gemäß 59,2 enthält das ewige Gesetz Mahnungen und Verordnungen (V. 4) über das Ende der Welten, den Anfang des Gerichtstages (V. 8) und die Tatsache des Gerichts (V. 6), über das Land des Glaubens und den Ort der Hoffnung (V. 11) sowie verschiedenartiges Geheimwissen. Die ‚Unordnung' innerhalb dieser Aufzählung zeigt die betonte Zuordnung von Mahnung und eschatologischer Belehrung. *A. F. J. Klijn* unterschätzt die Bedeutung der Visionen für die Paränesen, wenn er urteilt, „daß der Verfasser am Inhalt der Visionen nicht sonderlich interessiert war" (a.a.O., S. 117). In Kap. 78–86 fehlt zwar eine explizite Messianologie, die Visionen des Buches werden aber vorausgesetzt (vgl. Kap. 81). – Zur Bedeutung der Konditionalsätze für die Paränesen im 2. Bar. vgl. *W. Harnisch*, a.a.O., S. 210 ff.; *Chr. Kähler*, a.a.O. (Anm. 21), a.a.O., Bd. II, S. 151 u. ö.; zu der oben verwendeten Nomenklatur vgl. weitere Einzelheiten u. § 7.1.3.
Charles AP II, S. 507, versteht 54,17 f.; 48,48–50; 52,5–7 als Fragmente einer Rede Baruchs an das Volk (in anderer Ordnung *H. Greßmann* in: *B. Violet*, a.a.O., S. 348). Die hier isolierten Texte sind (vgl. Anm. 128) trotz gewisser Spannungen auch in ihrem jetzigen Kontext verständlich. Angesichts der paränetischen Ausrichtung des 2. Bar. ist es nichts allzu Ungewöhnliches, wenn der Verfasser innerhalb eines Dialoges, einer Belehrung bzw. eines meditationsartigen Gebetes in den paränetischen Stil verfällt (vgl. die motivierenden Mahnsprüche 54,17; 52,6 bzw. die konditionale Mahnung 48,50). Der unvermittelte Wechsel von der Beschreibung zur Anrede läßt sich auch in anderen Apokalypsen nachweisen (vgl. o. S. 34 u. ö.).

nur mehr der Allmächtige und sein Gesetz (85,1–3). Die Überordnung des Gesetzes über Personen zeigt 77,13 ff., denn auch die „Hirten", „Lampen" und „Quellen" stammen aus dem Gesetz. Statt der personalen Gegenwart Baruchs als des Offenbarers (vgl. 46,1–3) wird das Gesetz (V. 5 ff.) zum entscheidenden Heilsmittler.

Dem Selbstverständnis nach besteht die Funktion des Apokalyptikers nicht in der Schaffung neuer Gesetze oder deren Interpretation, sondern in der Weitergabe des geoffenbarten (d. h. durch Offenbarung interpretierten) Gesetzes. Dies zeigt, daß die Apokalyptiker sich selbst nicht als Interpretationsinstanz ansehen, sondern für die Tradition des durch Offenbarung Interpretierten verantwortlich sind. Darum trägt auch Baruch den Ältesten auf, das Volk um der eschatologischen Heilsgabe willen (45,1 f.) zu ermahnen. Diese Gesetzesparänese ist Tröstung (87,5; 81,1) und Belehrung (76,5) zugleich. Sie ist in der Gegenwart wichtig, weil die Gegenwart als die verbleibende Zeit gilt, um dem Gesetz gehorsam zu sein. Es kommt darauf an, diese zu nutzen (16,1 ff.), da das geschichtliche Beispiel zeigt, daß nur wenige vom Licht (des Gesetzes, vgl. 59,2 bzw. 18,1 f.) nahmen, aber viele von der Finsternis Adams (18,1 f.). In der Geschichte sind beide Verhaltensweisen möglich, wie die Abfolge der verschiedenen Geschichtsepochen in der Deutung der Wolkenvision Kap. 56 ff. erkennen läßt. Sechs Perioden, die durch die Sünde ihrer Repräsentanten gekennzeichnet sind, sowie sechs Perioden, die durch den Gehorsam ihrer dem Gesetz treuen Vertreter charakterisiert werden, lösen einander ab. Mit dieser Abfolge der von Gott vorausbestimmten Frevel- und Treuezeiten wird der Raum der Entscheidungsfreiheit des Menschen nicht eingeengt, sondern die menschliche Eigenverantwortlichkeit herausgestrichen, da in dem von Gott konzedierten Zeitraum das eschatologische Heil oder Unheil auf dem Spiel stehen. Die Geschichte liefert also den Beweis der Verantwortlichkeit des einzelnen gegenüber dem Gesetz. In dieser Verantwortlichkeit besteht die Freiheit des Menschen (85,7). Die Gegenwart wird zum Raum für die Freiheit des Menschen, sich für das Gesetz Gottes zu entscheiden und danach zu leben. 85,9 ff. zeigt, wie durch den Gesetzesgehorsam (V. 14) die Gegenwart positiver bewertet wird. Diese auch in anderen Apokalypsen in Andeutungen ablesbare Tendenz ist in diesem Abschnitt mit singulärer Betonung hervorgehoben. Dennoch bewirkt der Gehorsam keine Veränderung oder gar Verbesserung dieses Äons. Die Frucht des Gehorsams liegt im kommenden Äon (V. 9). Die Gegenwart ist eine Vorbereitungszeit auf das Kommende, in ihr kann das erwartete Heil nicht verwirklicht werden.[132]

Gesichtspunkte zum Inhalt der ethischen Weisungen finden sich auffälligerweise

---

[132] Vgl. *F. W. Schiefer*, Sünde und Schuld in der Apokalypse des Baruch, Ztschr. für wiss. Theologie 45 (1902), S. 327–339: „Wir vermissen einen Hauptpunkt: die sittliche Erneuerung im Diesseits" (S. 338 f.). Hier liegt ein wesentlicher Unterschied zum pharisäisch-rabbinischen Gesetzesverständnis, dazu s. u.; In 2. Bar. 85,9 ff. ist das Umspringen der Motivation von 10a (Nähe des Eschaton, vgl. V. 9.12) zu 10b (Nähe des Lebensendes) auffallend. Diese in der apokalyptischen Literatur singuläre Vermischung beider Motive zeigt, daß letztlich die befristete, noch verbleibende Zeit und nicht nur eine akute Naherwartung als Motivation der Paränese dient: Es wird eine Zeit geben, in der die jetzt bestehenden Möglichkeiten nicht mehr vorhanden sind. Dies bedeutet umgekehrt, daß die Gegenwart für Buße, Gebet, Finden von Erkenntnis und Hingabe aus Liebe (V. 12) Zeit gibt.

nicht in den Paränesen, die eine mehr grundsätzliche Gesetzesbelehrung geben. Wie bereits angedeutet, begegnen die Konkretionen im Umkreis eschatologischer Aussagen, indem die Taten hinsichtlich ihrer Bedeutung für das eschatologische Geschick beurteilt werden. Ähnlich den anderen Apokalypsen enthält der 2. Bar. mehr Hinweise auf solche Taten, die abgewehrt werden sollen, als Hinweise auf das, was als ethisch positiv und damit normierend gelten soll. So betrifft die Umkehrung am Ende der Zeiten den Frevel, Unzucht, Grausamkeit, Hochmut (82,3 ff.), ferner Großsprecherei, Ruhmsucht, Aufgeblasenheit, Prahlerei, Begierde, List und falsche Freundschaft (83,12 ff.). Zusätzlich zu dem bereits Genannten ist die Verachtung des Schöpfers bzw. der falsche Gebrauch der Schöpfung (54,18; 48,46b) als falsche Haltung gegenüber dem Gesetz zu nennen. Das Fehlen von Mitleid bewirkt die Zurechtweisung durch den Messias (36,7 f.). Das positive Verhalten besteht hingegen in Buße, Gebet, Fürbitte und Hingabe aus Liebe (85,12) sowie in den bereits aufgeführten Verhaltensweisen, die den Freispruch im Gericht bewirken. Auffällig ist die Betonung des Kultischen. Die Deutung der Wolkenvision hebt Bemühungen um den Kult hervor (61,2a; 66,1 ff.). Kultische Vergehen kennzeichnen hingegen die den dunklen Wassern verglichenen Geschichtsepochen (Kap. 62; 64). Das Interesse am Kult zeigt sich auch in 35,4 f.; 6,9 sowie 80,2. Zu erwähnen sind Mahnungen, die Feste und Sabbate nicht zu vergessen (84,8 bzw. 86,1 f.). Die Betonung des Kultischen läßt sich nicht lediglich als traditionell vorgegeben erklären, sondern verrät eine bestimmte Tendenz des Verfassers. Kultkritische Aussagen (10,18; 68,5 f.) fallen demgegenüber nicht ins Gewicht. Sie sind schwächer als in früheren Apokalypsen und entsprechen verbreiteten jüdischen Anschauungen. Für den 2. Bar. sind die Abschnitte charakteristisch, in denen das Verhältnis der Proselyten zu Israel zur Sprache kommt.[133] Hier wird eine Offenheit deutlich, die auch in der Tatsache zum Ausdruck kommt, daß Baruch einen Brief an die Exilierten abfaßt. Soziale Vergehen sowie Traditionen der sog. „Armenfrömmigkeit" spielen im 2. Bar. im Vergleich zu anderen Apokalypsen eine nur untergeordnete Rolle. Die angeführten Gesichtspunkte zum Inhalt dessen, was in ethischer Hinsicht als normativ gilt, zeigen, daß es auch im 2. Bar. nicht lediglich um eine Grundhaltung gegenüber dem Gesetz, sondern zugleich um inhaltliche Konkretionen geht. Die Gerechten werden durch ihre Handlungen (51,7, Plural!) gerettet. Diese können Zion vor der Zerstörung bewahren (2,2). Hiskias (63,3.5) und die Propheten (85,1 f.) können auf ihre Werke bzw. auf deren beschützende Wirkung (84,10; 14,7) vertrauen. Daß es hierbei um einzelne Taten geht, verdeutlicht die Vorstellung vom Schatz der guten Werke (14,2).

6.5. Das Verhältnis von Ethik und Eschatologie im 2. Bar.

Für den 2. Bar. ist wie für den 4. Esra die nationale Katastrophe nach dem Fall Jerusalems der Ausgangspunkt. Aber im Gegensatz zum 4. Esra zieht der 2. Bar. die

---

[133] Vgl. bes. Kap. 41 f., dazu *W. Harnisch*, a.a.O., S. 225 f.; *P. Volz*, a.a.O., S. 45; *B. Violet*, a.a.O., S. 257; *P. Bogaert*, a.a.O., Bd. I, S. 409–413.

Güte Gottes auf Grund dieses Ereignisses nicht in Zweifel. Die Erwählung (vgl. 21,21; 48,20) sowie die Schöpfung (21,4 ff.) werden nicht zum Anlaß der Anklage Gottes. Die vergangene Geschichte begründet im 2. Bar. zwar nicht die Hoffnung auf die eschatologische Wende, sie wird aber auch nicht zur Ursache der Anklage Gottes. Da für diese Schrift nur mehr die Bewältigung der „Zeit danach", d. h. nach der nationalen Katastrophe, das Hauptproblem darstellt, tritt mit der Eingrenzung der Thematik der theologischen Reflexion zugleich deren ethische Akzentuierung hervor.

Ohne die Eschatologie gäbe es keinen Ausweg aus der gegenwärtigen Lage. Die eschatologische Hoffnung richtet sich nicht auf diesen, sondern auf den kommenden Äon. Beide Äonen sind so gegensätzlich, daß dem Menschen deren Einheit, die im Schöpfer selbst begründet liegt, nicht erfahrbar wäre, gäbe es nicht das Gesetz. Die am geoffenbarten Gesetz ausgerichtete Ethik bewirkt eine dem Menschen zugängliche, einheitliche apokalyptische Weltsicht. Die Bedeutung der Ethik liegt darin, daß sie die voneinander getrennten Äonen zu einer dem Menschen erfahrbaren Einheit zwingt. Daher betont der 2. Bar. das Gesetz, das nicht eine die Lage der Gegenwart verbessernde, sondern eine ins heilvolle Eschaton führende Größe ist. Das Gesetz ist die Norm des Gerichts. Seine Heilswirksamkeit wird im 2. Bar. nicht bezweifelt, denn die Teilhabe am künftigen Heil ist von der (möglichen) Erfüllung des Gesetzes abhängig. Darum kommt der Gesetzesunterweisung und dem Gehorsam in der Gegenwart eine besondere Bedeutung zu. Die Paränesen erweisen sich als ein die Schrift gliederndes und inhaltlich bestimmendes Gestaltungselement. Der Apokalyptiker mahnt auf Grund des Gesetzes und dessen forensischer Funktion von der Gegenwart auf die Zukunft hin, um das kommende Heil erreichbar zu machen und den Weg dorthin aufzuweisen. In diesem Sinne bedingen die ethische und die eschatologische Belehrung einander mit Notwendigkeit.

Die Charakteristik der Heilszeit schlägt sich nicht im Inhalt der Mahnungen nieder. Die Heilszeit kann nicht in diesem Äon vermittels der Ethik antizipierend verwirklicht werden. Die Gegenwart ist lediglich Vorbereitungszeit auf das Gericht, um schließlich das Heil zu erlangen. Daraus folgt das große Interesse des Verfassers am Problem der Zeit, da die Gegenwart die Zeit zur Qualifikation für das Eschaton ist. Der Verfasser des 2. Bar. will in einer Zeit, die von der Frage bewegt ist, wie lange der unheilvolle Zustand noch andauern wird, mit dem Hinweis auf die eschatologische Wende den Ausweg aus der gegenwärtigen Lage weisen. Dies stellt nicht einfach eine Vertröstung auf ein Jenseits dar, da die Verheißung des kommenden Äons dem zuteil wird, der in der Gegenwart mit seinem Handeln den ethischen Normen entspricht. Für diese Welt hat jedoch der Apokalyptiker keine Hoffnung mehr.

7. Aspekte des Verhältnisses von Ethik und Eschatologie in der apokalyptischen Literatur

Der Versuch einer Zusammenschau wesentlicher Gesichtspunkte der Beziehungen von Ethik und Eschatologie steht in der Gefahr, daß die Spezifika der je verschiedenen Konzeptionen der einzelnen Apokalypsen, um derentwillen den Einzelanalysen ein so breiter Raum zugestanden wurde, verwischt werden und in eine „Apokalypsenharmonie" münden. Die Synthese als Zusammenschau des Ertrags der Einzelanalysen kann der Übersichtlichkeit halber auf eine systematisierende Anordnung nicht verzichten. Dieses Vorgehen setzt zwei Grundeinsichten voraus, auf die an dieser Stelle mit Nachdruck hinzuweisen ist:

1. Der Überblick basiert auf verschiedenartig akzentuierten und ausgeformten Schriften.

2. Der Überblick basiert auf zu unterschiedlicher Zeit entstandenen Schriften, die ihrerseits zu unterschiedlicher Zeit entstandene Traditionen verarbeiten. Ein geschlossenes Bild der Geschichte der apokalyptischen Bewegung läßt sich nicht nachzeichnen, da nur punktuell und sporadisch literarische Zeugnisse dieser über dreihundertjährigen Geschichte vorliegen, so Dan., 1. Hen. und Jub. aus der frühen makkabäischen Zeit, 1. Hen. 37–71, Test. Mos. sowie der Grundbestand des 2. Hen. aus der herodianisch-nachherodianischen Zeit, ferner 4. Esra und 2. Bar. aus der Zeit nach der Tempelzerstörung. Hingegen läßt sich die Geschichte einzelner Motive, Traditionen und Vorstellungskreise annähernd erhellen, etwa der Zeichen der Endzeit, des Motivs vom Schatz im Himmel, des Motivs der Heiligen Stadt sowie der Auferstehungslehre und Messianologie. Offenbar verfügten die Apokalyptiker über ein sich ständig erweiterndes und auch wandelndes Reservoir von Vorstellungen und Anschauungen, die entsprechend der jeweiligen Situation bzw. dem jeweiligen Gegenüber herangezogen und aktualisiert werden konnten.

Diese literarische und historische Distanz der zur Synthese herangezogenen Texte ist grundsätzlich vorauszusetzen, wenn nun versucht wird, im Voranschreiten von der Ausdrucksseite zur Inhaltsseite, d. h. von den Formen der Paränese (§ 7.1.) zu den theologischen Beziehungen von Ethik und Eschatologie, (§ 7.2.) das Gemeinsame aus der Vielgestaltigkeit der jeweiligen Konzeptionen hervortreten zu lassen.

7.1. Die Zusammengehörigkeit von ethischer und eschatologischer Belehrung in formaler und inhaltlicher Hinsicht

7.1.1. Einzelmahnungen

Einzelmahnungen begegnen als Heilszuspruch (Dan. 10,12.19; 2. Hen. 21,3; 22,4; 1,8; 4. Esra 12,46), als Aufforderung zum Hören und Aufmerken (Dan. 9,23;

10,11; 4. Esra 10,33; 2. Bar. 13,2), zum Bewahren und Aufschreiben des in der Vision Gesehenen (4. Esra 14,8; 2. Bar. 20,3 bzw. Jub. 1,5; 2,1; 4. Esra 12,37; 14,24 ff.) bzw. zum Aufbewahren des Geschriebenen (Dan. 12,4; Test. Mos. 1,17 f.). Ferner begegnen Einzelmahnungen als Aufforderung, die nachfolgenden Generationen bzw. das Volk zu belehren (1. Hen. 81,5; 2. Hen. 33,6; 36,1; Jub. 2,26; 6,13 u. ö.; 4. Esra 12,38 bzw. 14,13 f.; 2. Bar. 76,5 u. ö.). Sie stehen in der Rahmenerzählung der jeweiligen Apokalypse und beziehen sich auf den Traditionsvorgang als Empfang und Weitergabe von Offenbarungen.

Meist haben diese Einzelmahnungen keine Motivation (Begründung) bei sich. Es finden sich in der Erweiterung des Mahnwortes lediglich Angaben über den Zweck der Offenbarung (Test. Mos. 1,16; Jub. 1,5) oder eine in einen Satz gedrängte Kurzfassung des Inhalts der Offenbarung (vgl. 1. Hen. 81,5; 2. Hen. 36,1; 2. Bar. 76,5). Die Einzelmahnungen enthalten ihrer Kürze wegen keine wesentlichen Aussagen zum Verhältnis von Ethik und Eschatologie.

7.1.2. Kleinere paränetische Stücke

In die Apokalypsen sind zuweilen kleinere paränetische Stücke eingestreut, die entweder an den Offenbarungsempfänger selbst (1. Hen. 81,5–9) oder an die Nachkommen bzw. an das Volk gerichtet sind (4. Esra 12,46–49; 2. Hen. 2,1–4; vgl. Test. Mos. 9,2–7 sowie 1. Hen. 10,1 ff.). Diese kleineren paränetischen Stücke sind fest in den Erzählungszusammenhang eingebettet und besitzen nicht den Umfang der nachfolgend zu besprechenden in sich geschlossenen Paränesen. In den kleineren Paränesen finden sich Formen, die in den großen Paränesen wiederbegegnen, so Reihungen von Imperativen (2. Hen. 2,1–4), motivierende Mahnsprüche (4. Esra 12,46 f.; 1. Hen. 81,5.7 ff.), Geschichtsrückblicke bzw. konditionale Mahnungen (Test. Mos. 9,2–7).

7.1.3. Die Paränesen in den Apokalypsen

In den Apokalypsen finden sich an jeweils hervorgehobener Stelle größere, in sich abgeschlossene Mahnreden (1. Hen. 91 ff.; 2. Hen. 39 ff.; 4. Esra 14,27 ff.; 2. Bar. 31,1 ff.; 44,1 ff.; 77,1 ff.; 78,1 ff.). Ferner sind die Mahnreden der Patriarchen sowie die Belehrungen im Zusammenhang mit den Tafeln des Himmels im Jub. zu nennen.

Die Mahnreden zeigen folgende Charakteristika:

Die Aufforderung zum Hören: Die aus der weisheitlichen Lehrrede stammende Aufforderung zum Hören ist zum Charakteristikum der Mahnrede in der apokalyptischen Literatur geworden (Test. Rub. 1,5 u. ö.; 4. Esra 14,28; 2. Bar. 31,3 u. ö.).

Der motivierende Mahnspruch: In den Paränesen begegnen vereinzelt Mahnungen als Imperative oder Vetitive, die keine Begründung nach sich ziehen (z. B. 1. Hen. 94,3; 104,6.9; Jub. 7,30 f.; 21,6.11 ff.16 ff.; 2. Hen. 55,3). Die meisten Mahnungen haben jedoch entweder eine kausale („denn ...") oder finale („daß bzw. daß nicht ...") Begründung bei sich, so daß man tunlich im allgemeineren

Sinne von Motivierung bzw. vom motivierenden Mahnspruch redet.[134] Die Zweigliedrigkeit von Warnung oder Mahnung und anschließender Motivierung ist für zahlreiche Mahnsprüche in den Paränesen typisch. Bemerkenswert ist dabei die Art der Motivierung.

In den kanonischen Büchern des Alten Testaments wird eine Aufforderung oder ein Verbot durch eine Begründung aus der Erfahrung, durch Einsicht in bestimmte Sachverhalte sowie durch Verheißung oder Warnung im Blick auf künftige Geschehnisse motiviert. In der apokalyptischen Literatur stellen Motivierungen mit Begründungen aus der Erfahrung eine Ausnahme dar, wenn es z. B. um die Nichtigkeit der Götzen (Jub. 20,8 f.; 22,16 ff.) oder um Erfahrungen mit Gott geht (2. Hen. 66,1; 2. Bar. 44,4 vgl. Jub. 21,7.10.15 u. ö.). Häufig hebt die Begründung aber auch auf zukünftiges Geschehen ab (Jub. 7,32 ff.; 19,20 f. u. ö.). Damit ist die Verbindung dieser Motivierungen zu den eschatologischen Begründungen der Mahnworte aufgewiesen, die gegenüber den Mahnworten mit Begründungen aus Einsicht oder Erfahrung zahlenmäßig eindeutig überwiegen, denn der Mahnspruch in der Apokalyptik motiviert vor allem mit dem eschatologischen Geschehen.[135]

Die häufige Verwendung des motivierenden Mahnspruchs in der apokalyptischen Literatur zeigt die große Bedeutung, die bei der ethischen Belehrung der eschatologischen Motivierung zukommt. Es wird deutlich, daß auf der Motivierung das Schwergewicht und das Spezifikum der ethischen Belehrung in der Apokalyptik liegen.

Konditionale Relativsätze und konditionale Mahnungen mit futurischer Apodosis: In den Paränesen begegnen auch Sätze, deren gemeinsames Merkmal darin besteht, daß im Konditional- oder Partizipialstil in der Protasis ein Verhalten angegeben wird, dessen Folge die Apodosis nennt. Dabei wird sozusagen als eine allgemeingültige Regel die Verbindung zwischen einer Tat und deren Folge hergestellt, um den Angeredeten zu warnen oder zur Tat anzureizen. Diese Grundstruktur erscheint in verschiedenen Ausprägungen:

a) Konditionale Relativsätze mit futurischer Apodosis: Die Protasis beginnt bei dieser Form mit einer partizipialen oder konditionalen Einleitung („wer . . .“ bzw. „wenn jemand . . .“, vgl. Jub. 36,9; 2. Hen. 62,2–3 u. ö.). Die Herkunft solcher

---

[134] Vgl. zum ff. besonders *W. Richter*, Recht und Ethos. Versuch einer Ortung des weisheitlichen Mahnspruches, (StANT 15), München 1966, bes. S. 37 ff. Im prophetischen Schrifttum handelt es sich um formale, nicht um inhaltliche Analogien zu den Mahnsprüchen in der Weisheit, da der spezifisch weisheitliche Inhalt fehlt (vgl. Hos. 9,1; Joel 2,21 bzw. Hos. 2,4; Amos 5,6; Jer. 9,3); vgl. auch *H. J. Hermisson*, Studien zur israelitischen Spruchweisheit (WMANT 28), Neukirchen 1968, bes. S. 162; ferner *E. Stauffer*, Art. *hina* in: ThWBNT III, S. 330–334 zu „ethischen Finalsätzen“. Deren finale Motivierungen, „die sich an die Imperative anschließen, sind nicht mehr Ausdrucksformen einer kurzsichtigen Zweckmoral, sondern Ausblick auf die Zielsetzung Gottes“ (S. 331).

[135] Die Mahnungen werden motiviert mit der Unausweichlichkeit des Gerichts (1. Hen. 92,2; 98,7), mit dem Ergehen im Gericht (1. Hen. 94,1; 2. Bar. 31,5 vgl. 84,11; 83,8; 2. Hen. 50,4) als Bestrafung der Sünder (1. Hen. 96,1; 97,1 vgl. 98,10; 104,3 bzw. Jub. 20,4; 21,22 u. ö.) bzw. Belohnung der Gerechten (1. Hen. 96,3; 104,2.4b; 2. Hen. 50,5; 51,1 ff. vgl. 3. Bar. 17,4 u. ö.) und deren Herrschen über die Sünder (1. Hen. 96,1 u. ö.). Auch die Teilhabe an der künftigen Herrlichkeit dient zur Motivierung (2. Hen. 50,2; 52,16 vgl. 42,6; 2. Bar. 45,1 f.; 83,4).

Sätze aus der Weisheitsliteratur ist offenkundig. Obschon in der Weisheitsliteratur neben konditionalen Relativsätzen mit präsentischer Apodosis auch solche mit futurischer Apodosis begegnen, wird erst in der apokalyptischen Literatur „das in diesen Sätzen sich zeigende Vorstellungsschema verbunden mit der eschatologischen Umkehr aller Dinge"[136]. Eine gegenwärtige Tat und deren künftige Folge werden zueinander in Beziehung gesetzt. Dies geschieht innerhalb des apokalyptischen Zeitverständnisses, so daß nun das Zwei-Zeiten-Schema zugrunde liegt: Das Ergehen des Täters in der unmittelbar bevorstehenden Endzeit wird in Beziehung gesetzt zu seinem Verhalten in der vorangehenden Zeit. Auf Grund der Entsprechung des Ergehens in der Zukunft zum Handeln in der Gegenwart wird das Handeln in der Gegenwart von der Zukunft her motiviert. Die ursprünglich in der weisheitlichen Belehrung beheimateten konditionalen Relativsätze mit futurischer Apodosis werden dem apokalyptischen Zeitverständnis untergeordnet und dadurch modifiziert. Bereits an der äußeren Form dieser Sätze ist die enge Verbindung von Ethik und Eschatologie abzulesen.

b) Die sog. „Sätze heiligen Rechts" als Sonderform der konditionalen Relativsätze mit futurischer Apodosis: In den Apokalypsen begegnen auch Sätze, die den Anschein kasuistischer Rechtssätze erwecken (z. B. Jub. 2,25.27.28). Besonders zu beachten sind in diesem Zusammenhang Sätze mit einer talioähnlichen Vergeltung, bei denen Apodosis und Protasis in der Lexik übereinstimmen. In der Tat wird bei diesen Sätzen ein jus talionis geltend gemacht. Dies ist aber nicht innergeschichtlich erfahrbar, sondern wird im Blick auf die eschatologische Vergeltung als Lohn (2. Hen. 45,2 vgl. 59,2) oder Strafe (2. Hen. 60,1 vgl. 60,3; 59,1) behauptet. Aber es geht hierbei nicht um die Proklamation eines (an eine Rechtsinstanz gebundenen) eschatologischen Rechts, sondern um Paränese, die an der äußeren Struktur die Verbindung von Ethik und Eschatologie erkennen läßt, indem die der Tat entsprechende eschatologische Folge genannt wird.

c) Konditionale Mahnungen mit futurischer Apodosis: Weitaus häufiger als die genannten Formen begegnen in der Apokalyptik Sätze, die als konditionale Mahnungen bezeichnet werden sollen. Wie bei den konditionalen Relativsätzen nennt die Apodosis die eschatologische Folge des in der Protasis genannten Verhaltens. Eine Tat wird mit deren Folge für das eschatologische Ergehen syntaktisch verknüpft. Das Besondere der konditionalen Mahnungen besteht darin, daß die Protasis nicht unpersönlich formuliert ist („wer..." bzw. „wenn jemand..."), sondern die Adressaten in der 2. Pers. pl. direkt anredet. Es wird also stärker ad hominem formuliert und auf den Adressaten abgehoben (z. B. 2. Bar. 32,1; 44,7 vgl. 77,16; 84,2b; 1. Hen. 104,11 ff.). Konditionale Mahnungen können für sich allein stehen (2. Bar. 78,6 f.; 84,6) oder der Begründung eines vorhergehenden Imperativs die-

---

[136] *K. Berger*, Zu den sogenannten Sätzen Heiligen Rechts, NTS 17 (1970/71), S. 10–40, ebd. S. 21; vgl. *R. Bultmann*, Geschichte der synoptischen Tradition, Göttingen [7]1967, S. 138 ff.; zu Belegen in der Weisheitsliteratur vgl. Prov. 13,13; Sir. 4,10; 7,1; 22,8 bzw. 12,1; 13,3 u. ö.; zum ff. vgl. auch *E. Käsemann*, Sätze heiligen Rechtes im Neuen Testament, in: Exegetische Versuche und Besinnungen II, Göttingen [2]1967, S. 69–82, kritisch hierzu *K. Berger*, Die sogenannten „Sätze heiligen Rechts" im N. T., ThZ 28 (1972), S. 305–330.

nen (Test. Mos. 9,7; 2. Bar. 46,6). Sie können auch weitere Begründungen hinsichtlich des eschatologischen Geschehens (2. Bar. 77,6 ff.; 85,4 f.) in Form einer kleinen eschatologischen Belehrung nach sich ziehen (z. B. 4. Esra 14,34 f.; 2. Bar. 32,1 ff.; 44,7 ff. vgl. Test. Mos. 9,7 mit 10,1 ff.). Die konditionale Mahnung ist eine Form der Paränese, die in direkter Anrede zu einem bestimmten Tun mahnt, dessen Folge im Blick auf das erwartete Eschaton formuliert ist.

Auch für die konditionalen Mahnungen liegen die Wurzeln in der Weisheitsliteratur (z. B. Hiob 22,23 ff.27; Sir. 6,32 f.; 27,8 vgl. Prov. 2,1–5; Röm. 12,20b). Im Unterschied zur Weisheit, die eine innergeschichtliche Folge der Tat nennt, wird nun in der apokalyptischen Literatur die Folge auf das Eschaton verlagert. Die Anredeform unterstreicht die paränetische Absicht der Mahnungen mit futurischer Apodosis.[137] Die Struktur dieser Sätze verdeutlicht das Anliegen der Apokalyptiker, die Mahnungen im Blick auf die eschatologische Wende auszusprechen. Zu diesem Zweck werden Formen der weisheitlichen Mahnung durch Zuordnung zum apokalyptischen Zeitverständnis derart modifiziert, daß sie deutlich die für die ethische Belehrung in der Apokalyptik konstitutive Verbindung von Ethik und Eschatologie ausdrücken.

Weitere Elemente und Charakteristika der Paränesen: In den Einzelanalysen wurde bereits auf weitere kleinere Einheiten der Paränesen hingewiesen, so auf Makarismen, die wie die Schwurworte eine auf das eschatologische Geschehen bezogene Begründung bei sich haben können, auf eschatologische Ausblicke im Zusammenhang der Abschiedsrede (vgl. auch 1. Hen. 99,4 ff.; 100,1 ff.; Jub. 7,26 ff.), auf geschichtliche Belehrungen (Jub. 7,21 ff.; 20,5 ff. u. ö.) sowie auf Anspielungen auf die geschichtliche Situation (2. Bar. 31,4; 44,5; 77,8 ff.; 80,1 ff. vgl. 4. Esra 14,32). Ferner ist der weisheitliche Vergleich zu nennen (1. Hen. 101,2.4 ff.). Die genannten Bestandteile der Paränese werden bevorzugt in einer Abschiedsrede zusammengefaßt, die offensichtlich die für die Paränese in der apokalyptischen Literatur charakteristische Form darstellt, da sie vom Erzählungsrahmen her besondere Möglichkeiten bietet, die enge Verbindung von Ethik und Eschatologie zu verdeutlichen. Mit der Abschiedsrede wird dem scheidenden Offenbarungsempfänger auch eine paränetische Sonderfunktion zugeschrieben, insofern seine letzten ermahnenden Worte als besonderes Vermächtnis gelten.

---

[137] *Chr. Kähler*, a.a.O. (Anm. 21), Bd. I, S. 105 ff., spricht allgemeiner von Konditionalsätzen im Tat-Folge-Schema, indem er eine Reihe unterschiedlicher Satztypen auf ein Grundphänomen, nämlich das Tat-Folge-Schema mit futurischer Apodosis zurückführt. Die gleichartige inhaltliche Grundstruktur darf jedoch nicht die grammatikalische Struktur überdecken (so schwer diese bei den Sekundärübersetzungen der Apokalypsen zu erhellen ist). Daher sollte der Wechsel von der Aussageform (konditionale Relativsätze) zur Anredeform (konditionale Mahnungen mit futurischer Apodosis) nicht verwischt werden. Die oben getroffene Unterscheidung ist also unumgänglich.

Von den unter a)–c) genannten Formen ist der in der frühjüdischen Literatur selten begegnende „konditionale Weisungsspruch" zu unterscheiden (vgl. Tobit 4,8; Sir. 6,36; 12,11; 22,21; 27,17 u. ö., vgl. *H. Aschermann*, a.a.O. [Anm. 58], S. 82–86). Es handelt sich hier um imperativische Anweisungen, die infolge einer Situationsangabe konditional formuliert sind und zu einem Tun entsprechend der im Vordersatz genannten Bedingung aufrufen (Jub. 20,4; 21,7.16b; Test. Dan. 4,1–7; Test. Gad 6,3–7,6).

Die analysierten Paränesen zeigen eine je spezifische Form, so daß man nicht von einer festgeprägten Gattung der Paränesen sprechen kann. Die aufgezählten einzelnen Bestandteile begegnen in den Paränesen in unterschiedlicher Auswahl und Anordnung. Eine Definition der Gattung der paränetischen Rede in den Apokalypsen darf also nicht über diese Feststellung und die Beschreibung der einzelnen Bestandteile der Paränesen hinausgehen. Für die Anordnung der Einzelbestandteile ist innerhalb der Paränesen die Reihenbildung charakteristisch. Es finden sich Reihen von Mahnungen (z. B. 1. Hen. 104,9 ff.; 2. Hen. 50,2 ff. u. ö.), von konditionalen Mahnungen bzw. konditionalen Relativsätzen mit futurischer Apodosis (2. Hen. 62,2 ff.) sowie von Makarismen (2. Hen. 42,6 ff.) mit Weherufen (2. Hen. 52,1 ff.) bzw. Schwurworten und Imperativen (1. Hen. 94 ff.). Die Stilisierung der Paränesen als eine Volksszene (4. Esra 12,40 ff.; 14,27 ff.; 2. Bar. 31,1 ff. u. ö.; 2. Hen. 56 f.; 64; 67,3) stellt ein weiteres typisches Merkmal dar, das vom Erzählungsrahmen die dialogische Form (vgl. 1. Hen. 102,4 ff.; 103,5 ff.) einsichtig macht.

Die apokalyptische Literatur hat betreffs der einzelnen Bestandteile der Paränesen nicht neue Formen geschaffen. Die Paränesen erscheinen als ein Konglomerat verschiedener Formen von unterschiedlicher traditionsgeschichtlicher Herkunft, besonders aus Weisheit und Prophetie. Diese Formen wurden im Blick auf das apokalyptische Zeit- und Geschichtsverständnis derart modifiziert, daß ihre Aufnahme in die apokalyptische Paränese möglich wurde. Das spezifisch Apokalyptische besteht in der großen Bedeutung, die der eschatologischen Motivation der Ethik zukommt. Dies zeigt die „Mikrostruktur" der Paränesen, da die einzelnen Bestandteile wie Mahnworte, konditionale Mahnungen usf. eine eschatologische Begründung bei sich haben oder kleineren eschatologischen Belehrungen zugeordnet sind. Auch für die „Makrostruktur", d. h. für die Stellung der Paränesen als Ganzes, ist dieses Prinzip leitend, insofern die Paränesen am Ende der Schriften, also nach den Abschnitten mit geschichtlichen bzw. kosmologischen Offenbarungen ihren Platz haben (so 1. Hen., 4. Esra, 2. Hen.[138]) oder jeweils auf visionäre Offenbarungen folgen (2. Bar.). Da die Paränesen den Offenbarungen i. e. S. nachgeordnet sind, liegt der Schluß nahe, daß die Paränesen nicht nur ihre Begründung in den Offenbarungen haben, sondern im Blick auf die Adressaten auch als deren Ziel anzusehen sind.

Angesichts der Wichtigkeit der Begründung bei der ethischen Belehrung kommt dem Inhalt der konkreten Mahnungen offensichtlich eine nur zweitrangige Bedeutung zu. Der Hauptakzent der ethischen Belehrung liegt nicht auf der Tatebene (materielle Ethik), sondern im Bereich der eschatologischen Motivierung. Dies

---

[138] Im 2. Hen. ist der enge Zusammenhang von Mahnungen und belehrenden Partien besonders bemerkenswert. Die Abschlußparänese (Kap. 39 ff.) bezieht sich auf das zuvor bei der Himmelsreise Geschaute (Kap. 36 ff.). Auch der Rekurs auf die Schöpfung (43,1 ff.; 58,1 ff.; 65,1 ff.) hat eine ethische Zielrichtung, da jeweils auf das Endgericht verwiesen wird (49,1 ff.; 58,4 ff.; 65,6). Diese Schrift gilt daher als „Repräsentant einer eschatologisch begründeten Ethik" (O. *Plöger*, Art. Henochbücher, in: RGG³, Bd. III, Sp. 224).

zeigt der Blick auf die Mikro- bzw. Makrostruktur der Paränesen, die auch formal den grundlegenden Zusammenhang von Ethik und Eschatologie erkennen läßt.

7.1.4. *Der ethischen Unterweisung dienstbare Formen und Inhalte*

Bei den Einzelanalysen wurde deutlich, daß sich eine Darstellung des Verständnisses der Ethik nicht auf die oben genannten paränetischen Formen beschränken kann. Auch andere, der Paränese ursprünglich fremde Formen werden dem paränetischen Anliegen dienstbar gemacht. Sie erhalten vor allem durch die Zuordnung verschiedener Formen, entweder als selbstständige Form oder als Gliedgattung einer Rahmengattung, eine deutliche ethische Ausrichtung. Zu beachten ist auch die Akzentuierung, mit welcher der Stoff in der jeweiligen Form dargestellt wird.

Die ethische Akzentuierung von *Visionen* wird an der Einfügung von Scheltreden in die Visionen bzw. deren Deutung (4. Esra 11,38 ff.; 12,32; 2. Bar. 36,7 ff.) deutlich. Diese Tendenz zeigt auch der Gesamtaufbau der Apokalypsen mit der Zuordnung von Visionen bzw. Himmelsreisen und Paränesen. Für das Anliegen der Apokalyptiker waren Visionen besonders geeignet, da sie nach einer Deutung verlangen und eine Interpretation erfordern. Hier lassen sich dann Akzente, so auch in ethischer Hinsicht, setzen.

Die Aufnahme von *Beispielserzählungen* unterstreicht das paränetische Anliegen der Apokalypsen. In Dan. 1–6 sowie Apk. Abr. 1–8 tritt die Eingangslegende, die das rechte Verhalten exemplarisch vor Augen führt, an die Stelle der Paränese.[139]

Bei den *Geschichtsüberblicken*, teils in unverschlüsselter Form (1. Hen. 93,1 ff.; Dan. 11,2 ff.; Test. Mos. 2,1 ff. u. ö.), teils in Verschlüsselung durch Symbole und Bilder (Dan. 8,1 ff.; 1. Hen. 85,1 ff.; 4. Esra 11,1 ff.; 2. Bar. 36,2 ff.; 56,1 ff.), liegt die ethische Akzentuierung vor allem darin, daß einzelne Epochen, geschichtliche Ereignisse oder Personen einer Beurteilung unterworfen werden. Dies zeigt sich nicht an der Form des Geschichtsüberblicks, sondern an der Darbietung des mitzuteilenden Stoffes, der, indem ethisches Verhalten von Menschen zur Sprache kommt und gewertet wird, ethisch bedeutsame Informationen enthält. Zu nennen ist ferner die Darstellung der Sintflut (1. Hen. 10,22 u. ö.) und der Bestrafung Sodoms und Gomorrhas (Jub. 16,5 ff. u. ö.) als Typos künftigen Geschehens.

Einige *Stoffe* und *Motive* bewirken in besonders nachhaltiger Weise die ethische Akzentuierung der Geschichtsdarstellungen, Visionen und Himmelsreisen:

Die *Gerichtsdarstellungen* verdeutlichen das Theologumenon von der Verantwortlichkeit des Menschen vor Gott und von der künftigen Vergeltung. Nicht allein die Erwähnung des Gerichts, sondern auch die Darstellung der Gerichtshandlung läßt das ethische Anliegen erkennen, indem z. B. auf konkrete Sünden hingewiesen

---

[139] Die Legenden Dan. 1–6 präsentieren sich als eine Art „Lebensbeschreibung mit didaktischer Abzweckung" (*K. Koch*, Spätisraelitisches Geschichtsdenken am Beispiel des Buches Daniel, Hist. Ztschr. 193 (1961), S. 1–32, S. 11 f.), vgl. auch die Verbindung von Mahnung und biographischem Rückblick in den Test. XII sowie den Zusammenhang von Patriarchenerzählungen und ethischer Belehrung in Jub.

wird, deren Folge die geschilderte Bestrafung ist (vgl. auch Test. Abr. 10,3–16; Apk. Abr. 31,3 ff.).

Mit der Vorstellung vom Endgericht hängt die *Schilderung der künftigen Örter für die Gerechten bzw. die Sünder* zusammen (1. Hen. 25,4 ff. u. ö.; 2. Hen. 8,1 ff.; 42,3; Apk. Esr. 5,20 ff.; 3. Bar. 10,5 ff.). Bei Angaben zum Ort der Gerechten bzw. zum Ort der Verdammnis (1. Hen. 27,2 ff.; 53,1 ff.; 2. Hen. 10,1 ff.; 40,12 ff. u. ö.) handelt es sich nicht um spekulative Verirrungen, sondern um die Darstellung der Realität des künftigen Heils bzw. Unheils vermöge dessen topographischer Lokalisierung. Der Visionsempfänger sieht oder durchwandert jetzt schon die Orte, die für die Adressaten der Apokalypsen erst bei der eschatologischen Wende erfahrbar werden. Die ethische Akzentuierung zeigt sich besonders daran, daß genau mitgeteilt wird, für welches Verhalten man an welchen Ort gelangt (bes. 3. Bar. 2,7; 3,5; Apk. Esr. 4,18.24.27; 5,3.25; 1. Hen. 18,15 u. ö.; 2. Hen. 7,1ff.; 4. Esra 7,75 ff.). Auch der Gedanke der Präexistenz des Gerichts*ortes* (2. Hen. 49) als stärker materialisierende Weiterentwicklung der Vorstellung von der Präexistenz des Gerichts (4. Esra 7,70 u. ö.) ist in diesem Zusammenhang anzuführen. Das ethisch Relevante wird also nicht nur in Mahnungen ausgesagt, sondern auch an kosmischen, topographisch genau zu bestimmenden Gegebenheiten verdeutlicht, die nur durch Offenbarung erkannt werden können. Die ethische Aussage ist sozusagen in den geoffenbarten Realitäten des Kosmos verdinglicht. Die ethische Information gehört damit zur umfassenden Wissensvermittlung der kosmischen Phänomene. So wird z. B. bei der Nennung der Marterwerkzeuge für die Sünder bzw. der Meßschnüre für die Orte der Gerechten zugleich angegeben, für wen diese Marterwerkzeuge bestimmt sind bzw. welche Taten zur Bestrafung oder Belohnung führen (1. Hen. 53,4; 54,3; 56,2 bzw. 61,2; 70,3 vgl. 3. Bar. 4,5). Eine Materialisierung ethischer Sachverhalte zeigt sich auch bei dem Motiv der Tatenbücher (Jub. 39,6; 1. Hen. 81,4; 98,7; 47,3; 2. Bar. 24,1; 2. Hen. 50,1 u. ö.) sowie der Waage (1. Hen. 43,2; 2. Hen. 52,15; 44,5; 49,2 vgl. 1. Hen. 41,1; 61,8; 2. Bar. 41,6 u. ö.). Die real geschauten Gegebenheiten verbürgen die Realität des kommenden Gerichts.

Die Tendenz zur paränetischen Akzentuierung überkommener Traditionen manifestiert besonders die Umprägung der atl. Scheolvorstellung in der apokalyptischen Literatur, die zu einem beträchtlichen Teil auf griechische Einflüsse zurückzuführen ist. Während im AT Scheol als Ort der Nicht-Existenz des menschlichen Lebens in der Trennung von Gott gilt (Ps. 6,6; Jes. 38,18 u. ö.), wird in der Apokalyptik die Welt der Toten zu einem Bereich individueller Identität (vgl. Apk. Mos. 13,6; 31,4; 32,4; 1. Hen. 70,4). Die Seelen der Verstorbenen klagen, schreien und sind mit der Fähigkeit der Empfindung ausgestattet (1. Hen. 22,7; 9,10; 4. Esra 7,80 ff.). Sie werden für die eschatologische Wende aufbewahrt (2. Bar. 42,7; 48,6; 50,2; 1. Hen. 51,1, vgl. die Vorstellung der Behälter oder Kammern für die Geister der Verstorbenen bzw. 2. Bar. 21,23; 23,4; 20,3). Durch die Art ihres Lebens bestimmen die Menschen ihr Schicksal nach dem Tode (vgl. Test. Abr. 8; 11; ferner 2. Bar. 54,15; 51,16), also vor allem ethische Unterscheidungen und nicht soziale Unterschiede wie im AT (vgl. Hiob 21,22 ff.; 27,19;

Eccl. 9,1 ff.) sind beim Scheol-Verständnis leitend. Die verschiedenartigen in der Apokalyptik begegnenden Vorstellungen über das Fortbestehen des Menschen nach dem Tode sollen dazu mahnen, daß der Mensch auch nach dem Tode für sein Tun verantwortlich ist. Mannigfaltige Stoffe, Traditionen und Motive werden darum modifiziert und dem paränetischen Anliegen dienstbar gemacht.

Auch die Traditionen über *Engel und Himmelswesen* sind der ethischen und eschatologischen Belehrung zugeordnet. Der regelmäßige Lauf der kosmischen Erscheinungen ist das Werk der guten Engel bzw. Geister (2. Hen. 11; 19; 1. Hen. 43,2), während Unregelmäßigkeiten in der Natur auf die abtrünnigen Engel zurückgehen (1. Hen. 80,6; 21,6 u. ö.). Damit wird ausgesagt, daß es auch im kosmischen Bereich Gehorsam und Ungehorsam gegen das Gesetz gibt in Entsprechung zu dem im irdischen Bereich sich manifestierenden Gegensatz von Sündern und Gerechten. Der ethische Kontext der Engelvorstellungen wird auch daran deutlich, daß Aussagen über die Engel den Ursprung des Bösen und damit die gegenwärtige Lage der Welt erklären sollen (1. Hen. 7,1; 13,2; 16,3 u. ö.). Auch für das Tun der Gerechten ist die Existenz der Engel von Bedeutung, denn sie intervenieren bei Gott (1. Hen. 15,2; 99,3) und bringen die Gebete und guten Taten vor ihn (3. Bar. 11,8 ff.). Für die Eschatologie wesentliche Gesichtspunkte der Engelvorstellungen liegen darin, daß die vorläufige Bestrafung der gefallenen Engel als eine Vorabbildung der endgültigen gilt und zugleich eine Vorabbildung der Funktion der Engel beim Endgericht gibt, die Lohn und Strafe austeilen (1. Hen. 1,4.9; 102,3; 100,4) und die Seelen der Gerechten im Zwischenzustand bewahren (4. Esra 7,95). Andererseits vollziehen die Engel das ewige Gotteslob als Vorabbildung der Zukunftserwartung der Gerechten.

Das Ergehen der Engel entsprechend ihrem Verhalten im kosmischen Bereich antizipiert das eschatologische Ergehen des Menschen entsprechend seinem Gehorsam oder Ungehorsam. Die angelologischen Ausführungen bringen kosmologische, eschatologische und ethische Einsichten im Blick auf den zu belehrenden Menschen in einer bildhaften Weise zur Darstellung. Sie sind nicht ausufernde Spekulationen um ihrer selbst willen, sondern der ethischen Belehrung zugeordnet und dienstbar gemacht. Es ist zu vermuten, daß die Entwicklung und Ausweitung der Engelvorstellungen in der Apokalyptik, die nicht allein aus der Transzendierung Gottes erklärt werden können (vgl. 2. Bar. 22,1 u. ö. zum direkten Kontakt des Menschen zu Gott und umgekehrt ohne Zwischenwesen), zu einem nicht unwesentlichen Teil auf das Anliegen zurückzuführen sind, ethische Sachverhalte vermittels der Engelvorstellungen auszudrücken.

Die umfassende Erklärung kosmischer Erscheinungen in den Apokalypsen enthält zugleich ethische und eschatologische Belehrung, so daß man von einer „Ethisierung kosmologischer Vorstellungen" sprechen kann. Dies kommt z. B. vorzüglich darin zum Ausdruck, daß die Gerechten bzw. Engel mit den Gestirnen identifiziert bzw. in diese verwandelt werden (1. Hen. 43; Test. Mos. 10,9; 1. Hen. 51,4; Dan. 12,3; 2. Bar. 51,5; 4. Esra 7,97). Die Zukunftserwartung wird materialisiert, indem die mit der eschatologischen Wende verbundenen materiellen Gegebenheiten im kosmischen Bereich jetzt schon existent sind bzw. dem Offenbarungsempfänger in einer Vision gezeigt werden. Die Realität der Hoffnung soll sozusagen materiell beglaubigt werden. Diese „Materialisierung der Hoffnung"[140] umfaßt nicht allein die Hoffnungsgüter, die der Fromme erwartet. Es werden zugleich mit der Nennung der Vergehen bzw. Tugenden auch die Bedingungen für die Teilhabe am eschatologischen Heil „materialisiert". Die innergeschichtlich nicht mehr realisierbare Hoffnung ist offensichtlich auf massive, bildhafte Veranschaulichung angewiesen, um der Herausforderung durch den Hellenismus entgegenzutreten. Diese bildhafte Verkündigung hat als Charakteristikum der apokalyptischen Literatur und ihrer paränetisch-pädagogischen Ausrichtung zu gelten. Es ist bemerkenswert, daß in die bildhafte Veranschaulichung der eschatologischen Hoffnung die ethische Komponente einbezogen ist. Die häufig disparaten und schwer miteinander zu vereinbarenden Traditionen zu kosmischen Erscheinungen, die dem Erweis der Unabänderlichkeit der Ordnungen Gottes, der Beglaubigung der Determiniertheit des Weltgeschehens und der Präzision des Geschichtsablaufs dienen sollen, zeigen ein offenkundiges Gefälle zur Ethik. Indem sie ethische Sachverhalte ansprechen, sind auch die kosmologischen Belehrungen nicht Selbstzweck, sondern dem paränetischen Anliegen zugeordnet.

7.1.5. Zusammenfassung

Der Blick auf die Formen der ethischen Unterweisung sowie auf die ihr zugeordneten Traditionen und Stoffe zeigt den engen Zusammenhang von ethischer und eschatologischer Belehrung. Der Versuch einer Darstellung von Ethik und Eschatologie kann sich daher nicht auf die paränetischen Abschnitte in den Apokalypsen beschränken. Es müssen auch die anderen in den Apokalypsen mitgeteilten Stoffe und Traditionen auf ihre ethische Relevanz befragt werden. Deren deutliche ethische Akzentuierung verwehrt, die Paränesen lediglich als eine Nebenform der Apokalypsen zu bezeichnen, da sich mannigfaltige Beziehungen formaler (durch die Struktur der Schriften gegeben) und inhaltlicher Art (durch gleichartige Stoffe innerhalb verschiedener literarischer Formen gegeben) zwischen den belehrenden und ermahnenden Teilen der Apokalypsen feststellen lassen. Die Ermahnung stützt sich auf vorangehende Belehrungen, und die Belehrungen zielen auf ein entsprechendes Verhalten. Die Mikro- und Makrostruktur der Texte sowie die Modifikation und Einordnung übernommener Formen und Traditionen verdeutlichen die enge Verbindung von Ethik und Eschatologie in der apokalyptischen Literatur.

Die Apokalypsen präsentieren sich als ein Konglomerat verschiedener Formen und als eine Zusammenstellung differierender, oft nicht harmonisierbarer Stoffe und Traditionen. Als ein einigendes Band dieser oft so disparaten Stoffe wird man neben z. B. dem Gottesbild, also der Theologie i. e. S., auch das ethische Anliegen dieser Schriften ansehen können, das vermöge der engen Zuordnung von ethischer und eschatologischer Belehrung die einzelnen Bestandteile des „Konglomerats" verbindet. So liegt der Grund für die Zuordnung von Visionen und Paränesen weniger im Gottesbild als in der Verknüpfung von Ethik und Eschatologie.

---

[140] W. Baldensperger, a.a.O. (Anm. 4), S. 188.

Bemerkenswert ist die Vielfalt der dem paränetischen Anliegen zugeordneten Formen und Traditionen. Die Ursache dafür ist in der Herausforderung des jüdischen Glaubens durch das hellenistische Weltbild zu suchen, das eine zuvor nicht dagewesene Erweiterung des Gesichtskreises, eine kaum zu überschätzende Veränderung des Lebensgefühls mit sich brachte und den Monotheismus wie auch die Verbindlichkeit des Mosegesetzes in Frage stellte. Da es den Apokalyptikern wie den anderen jüdischen Gruppierungen um das Bewahren und Festhalten des den Vätern überlieferten Gesetzes ging, versuchten sie der Herausforderung durch den Hellenismus mit einer (sie von anderen jüdischen Gruppierungen unterscheidenden) umfassenden Gegenkonzeption zu begegnen, die ebenso den geschichtlichen wie den kosmischen Bereich umfaßt. Das Gesetzes- und Geschichtsverständnis gewinnt kosmische Dimensionen. Es zeigen sich aber wichtige Unterschiede.

In der Stoa wird der Logos, der die nach allgemeingriechischer Anschauung so vollkommene, gesetzmäßige und harmonische Welt durchdringt, zum Gesetz und zur inneren Norm, um dem Menschen das *homologoumenōs zän* ermöglichen zu können. In der Apokalyptik hingegen vermittelt die Erkenntnis des Kosmos noch nicht die ethische Norm, die nur durch Offenbarung erkennbar ist. Die aus der Stoa bekannte Gleichsetzung von ethischem und kosmischem Gesetz wird in der Apokalyptik durch die Übertragung der Sünde in den kosmischen Bereich und den Bezug des Gesetzes zur eschatologischen Wende wesentlich modifiziert. Geschichte und Kosmos zielen auf ein Ende hin und sind nicht wie für den Stoiker ein Zyklus ewig wiederkehrender Harmonie. Die Tatsache, daß die Theologie der Apokalyptiker weithin als eine Auseinandersetzung mit dem Hellenismus zu verstehen ist, erklärt die oft verwirrende Vielfalt im Detail wie auch das Phänomen, daß die Apokalyptik einer Überfremdung durch den Hellenismus wehren will und zu diesem Zweck hellenistisches Gedankengut adaptiert und modifiziert. Die Apokalyptik ist also zu verstehen als eine Antwort auf die historische Herausforderung des jüdischen Glaubens und nicht als Sammlung zeitloser, von der historischen Situation ablösbarer Theologumena.[141]

Es ist problematisch, die häufig chiffrierten, bewußt vage gehaltenen Aussagen in den Apokalypsen historischen Ereignissen zuzuordnen. Gleichwohl kann die Bedeutung der akuten Gefahr der hellenistischen Überfremdung des Judentums, die unter Antiochus IV. besonders kraß sichtbar wird, für die Entstehung der Apokalyptik nicht geleugnet werden. Die Zeit Antiochus' IV. ist zwar nicht Anlaß für die Entstehung apokalyptischen Denkens überhaupt, sondern ein Kristallisationspunkt, der die Entstehung von Apokalypsen bewirkt. Sie ist zugleich Typos der für den gesamten Zeitraum der apokalyptischen Bewegung anhaltenden Gefahr der Hellenisierung des Judentums, wie sie sich in der dem Hellenismus aufgeschlossenen „Kulturpolitik" des Herodes, in der Präsenz der den Hellenismus repräsentie-

---

[141] Vgl. *M. Hengel*, Judentum und Hellenismus (WUNT 10), Tübingen 1969, S. 386 ff., 457 u. ö.; *H. D. Betz*, Zum Problem des religionsgeschichtlichen Verständnisses der Apokalyptik, ZThK 63 (1966), S. 391–409; *D. S. Russell*, a.a.O. (Anm. 1), S. 18 ff., 257; vgl. ferner *T. F. Glasson*, Greek Influences in Jewish Eschatology, London 1961.

renden feindlichen Mächte wie Seleukiden und Römer, in der Tempelschändung durch Pompejus (63 v. Chr.) sowie in der Tempelzerstörung durch Titus (70 n. Chr.) zeigt. Die Apokalyptik steht also in einem Spannungsfeld ständiger geistiger wie politischer Auseinandersetzungen, da der Hellenismus als geistige wie auch politische Größe zu verstehen ist, die sich in der jeweiligen Fremdherrschaft über das jüdische Volk bzw. in der Kollaboration jüdischer Gruppen mit diesen Herrschern manifestiert. Es ist wohl bedeutungsvoll, daß nach den proto-apokalyptischen Texten die Apokalyptik als eine eigenständige literarische Größe erst in der Zeit Antiochus' IV. faßbar wird. Angesichts einer konkreten historischen Herausforderung brechen offenkundig bestehende Ansätze gleichsam eruptiv hervor und führen zu einer neuen Qualität, nämlich der literarischen Gattung der Apokalypsen. Der Versuch einer zeitgeschichtlichen Erklärung der Entstehung und Ausprägung der Apokalyptik[142] darf nicht mechanistisch mißverstanden werden, als hätten bestimmte historische Konstellationen mit Notwendigkeit die uns vorliegende Gestalt der apokalyptischen Theologie produziert. Da die Apokalyptiker anders als die übrigen Gruppierungen im Frühjudentum auf die historische Herausforderung reagierten, läßt sich die besondere Ausprägung der apokalyptischen Theologie aus den historischen Bedingungen allein nicht erklären.

7.2. Die Zusammengehörigkeit von ethischer und eschatologischer Belehrung in theologischer Hinsicht

7.2.1. Die Apokalypsen als preudepigraphe Offenbarung

Die Pseudepigraphie, also die Verbindung von Offenbarungen in Träumen, Auditionen, Visionen, Berichten von Himmelsreisen und Abschiedsreden mit dem Namen eines bevorzugten Mannes der Vergangenheit als Offenbarungsempfänger, ist nicht nur für die Form der Apokalypsen, sondern auch für deren Theologie bedeutsam: Die als Offenbarung ausgegebene Gesetzesinterpretation ist damit der Beliebigkeit menschlicher Interpretation entnommen. Der Pharisäismus hingegen sieht die Tora als abgeschlossene Offenbarung an, die in schriftlicher und mündlicher Form tradiert wird und den Menschen zur jeweiligen Aktualisierung in der jeweiligen veränderten Lebenssituation anvertraut ist. Die Apokalypsen sind letztgültige Offenbarungen, d. h. keine durch schriftgelehrte Diskussion gefundene Weiterbildungen und Aktualisierungen der biblischen Gesetze. Die apokalyptischen Offenbarungen bedürfen keiner Interpretation durch Menschen. Eine Neuinterpretation ist nur durch neue Offenbarung möglich (vgl. 4. Esra 12,11 f. mit Dan. 7,7 f.). Die Schlußnotizen der Apokalypsen zeigen, daß die vorliegende Offenbarung als abgeschlossen gilt. Sie verwehren eine weitere Interpretation (vgl. 1. Hen. 104,10–13; 4. Esra 14; 2. Bar. 86; 87 bzw. 77,18 ff.; Jub. 50,13; Apk. Esr. 7,9 ff.). Dadurch erhalten die Aussagen zur Ethik ein besonderes Gewicht, denn sie gelten damit nicht als Ratschläge

---

[142] *A. Strobel*, Kerygma und Apokalyptik, Göttingen 1967, S. 124 f., bestreitet die zeitgeschichtliche Erklärung; zur Kritik vgl. *F. Dexinger*, a.a.O. (Anm. 36), S. 62 f.

einzelner Menschen oder Menschengruppen, sondern als letztgültige Offenbarung. Mit der Pseudepigraphie ist ein spezifisches Verständnis von Tradition und deren Interpretation verknüpft.

Im besonderen ist die Funktion der Pseudepigraphie innerhalb der Auseinandersetzungen des Judentums mit dem Hellenismus zu berücksichtigen. Im Mittelpunkt steht nicht das Subjekt des tatsächlichen Verfassers, der das Licht der Öffentlichkeit scheut, sondern die Sache selbst, die den Verfasser dazu treibt, die zu vermittelnde Offenbarung pseudepigraphisch einzukleiden. Die Apokalypsen prangern das Verachten der Traditionen der Väter (1. Hen. 99,14; 2. Hen. 52,9 f.) und das Aufschreiben von Lügenworten an (1. Hen. 98,15 u. ö.). Hieran wird deutlich, daß die Pseudepigraphie ein zeitgeschichtlich bedingter Bestandteil der Auseinandersetzung mit dem Hellenismus ist. Der Hinweis auf das Alter der Offenbarungen soll den Anspruch auf Glaubwürdigkeit und Allgemeingültigkeit unterstreichen. Es liegt also eine apologetische Tendenz zugrunde, die aber stärker nach „innen", d. h. an das eigene Volk bzw. an die anderen frühjüdischen Gruppierungen gerichtet ist als nach „außen". So wird z. B. der jüdische Glaube nicht wie bei Philo und Josephus mit allgemein bekannten Erscheinungen des hellenistischen Geisteslebens verglichen. Es geht nicht um eine Apologie des Judentums schlechthin, sondern die geoffenbarte, spezifisch apokalyptische Gesetzesinterpretation soll im Rahmen der gesamten Offenbarung besondere Andringlichkeit und Verbindlichkeit erhalten: „Die spezifische Interpretation des Gesetzes führt zur Absonderung und Ausbildung einer sich elitär verstehenden Sondergruppe, die ihr Gesetzesverständnis durch Pseudonymie legitimiert."[143] Wesentlich dabei ist, daß dieses Gesetzesverständnis wie auch die anderen für die apokalyptische Theologie wesentlichen Themen (Theologie i. e. S., Erwählung, Protologie und Eschatologie) auf die gleiche Offenbarung zurückgehen und damit von dem gleichen Ursprung ihrer Bekanntgabe her in einem unauflöslichen Zusammenhang stehen.

7.2.2. Weltdeutung und Existenzerhellung durch Dualitäten

Das Ziel der Apokalypsen, das herkömmlich vor allem in Trost und Erbauung gesehen wird, läßt sich allgemeiner als Weltdeutung und Existenzerhellung umschreiben, die dem Menschen sein Herkommen, seine Gegenwart und seine Zukunft begreiflich machen.[144] Die theologische Leistung der Apokalyptiker liegt vor allem darin, daß sie komplexe Wirklichkeitserfahrungen ihrer Gegenwart reduzieren und das eigene Dasein in umgreifende Zusammenhänge einordnen. Es geht darum, die hoffnungslose Situation der Gegenwart zu deuten, um in dieser Lage Hoffnung zu

---

[143] *F. Dexinger*, a.a.O., S. 213 f.; zur Pseudepigraphie in der Apokalyptik vgl. u. a. *K. Koch*, a.a.O. (Anm. 1), S. 22 Anm. 21; *D. S. Russell*, a.a.O., S. 134 bzw. 127 ff.

[144] Vgl. *E. Stauffer*, Das theologische Weltbild der Apokalyptik, ZSyTh 8 (1930/31), S. 203–215, bes. S. 211; *J. C. H. Lebram*, Apokalyptik und Hellenismus im Buche Daniel, VetTest 20 (1970), S. 503–524, bes. S. 519; *U. Luck*, Das Weltverständnis in der jüdischen Apokalyptik, ZThK 73 (1976), S. 283–305.

gewähren, die eine Paralyse der negativen Welterfahrung bewirkt. Daher setzt der Apokalyptiker den Realitäten seines Lebens andere, auf Offenbarung gegründete und von Gott gesetzte Realitäten entgegen. Der markante Ausdruck hiervon ist der sog. Dualismus, der als das wesentlichste inhaltliche Merkmal der Apokalyptik gilt. Da mit dem Begriff „Dualismus" sehr verschiedene theologische Sachverhalte umschrieben werden, sollte man stärker differenzieren und von „Dualitäten" sprechen.[145]

Die *kosmische* Dualität als Dualismus zweier Prinzipien (Gott und sein Widersacher) kommt in den Apokalypsen nicht voll zum Tragen. Es handelt sich nicht um einen prinzipiellen, metaphysischen Gegensatz von Gott und Satan, Gut und Böse, da dieser Gegensatz einen geschichtlichen Anfang hat und im endzeitlichen Handeln Gottes aufgehoben wird, sein Anfang und Ende tragen einen monistischen Charakter. Das Böse bleibt Gott untertan und wird von ihm beseitigt (vgl. zur Unterordnung des Satans 1. Hen. 40,7). Es handelt sich um einen gemäßigten bzw. permissiven Dualismus.

Die *temporale* Dualität von unheilvoller Gegenwart und eschatologischer Heilszeit drückt sich in der Anschauung von den zwei Äonen aus (1. Hen. 71,15; 4. Esra 7,50.113).

Die *lokale* Dualität von irdischem und himmlischem Bereich wird bei Visionen und Himmelsreisen deutlich.

Die *ethische* Dualität äußert sich im Gegensatz von Gerechten und Sündern. Dabei geht es nicht mehr wie in der Weisheit um das unmittelbar zukünftige Ergehen von Frevlern und Weisen (vgl. Prov. 10–15), sondern um die eschatologische Bestimmung der Gerechten und Ungerechten. Ist für die Weisheit eine stabilisierte Weltordnung noch konstitutiv (vgl. Sir. 42,24 f.; 36,10 ff.), so bedeutet für den Apokalyptiker die Übermacht des Bösen eine reale Gegenwartserfahrung, so daß der Gedanke von der Harmonie der Schöpfung nicht auch auf das Verhältnis von Gerechten und Sündern übertragen werden kann. Vielmehr ermöglicht die Ethisierung der kosmologischen Vorstellungen mit der Ausweitung des Sündenbegriffs auf den gesamten Kosmos als Bestandteil des dualistischen Weltbildes, dieses diastatische Denken auf die eigene Gruppensituation im Gegensatz zu Nichtjuden bzw. anderen jüdischen Gruppierungen zu übertragen.

Innerhalb dieser Dualitäten, die sich gegenseitig durchdringen und nicht einzeln verabsolutiert werden können, findet der Mensch den Ort seiner Existenz beschrieben, denn im Hintergrund für die Formulierung dieser Dualitäten stehen Aporien in der Gegenwartserfahrung, die in allen Apokalypsen in der Grundtendenz wiederkehren:

– Die gegenwärtige historische Situation widerspricht der Verheißung Gottes für Israel, das unter der Bedrückung zu leiden hat und seine Existenz nur mehr als

---

[145] Zum folgenden vgl. bes. *J. G. Gammie*, a.a.O. (Anm. 49), S. 356–385; zur Erklärung des Dualismus aus innerjüdischen Denkvoraussetzungen vgl. *P. v. d. Osten-Sacken*, Gott und Belial (StUNT 6), Göttingen 1969, S. 87, Anm. 1; *I. Willi-Plein*, Das Geheimnis der Apokalyptik, VetTest 27 (1977), S. 62–81, bes. S. 75 Anm. 42.

heilsfern beschreiben kann, da auch der Tempel nicht mehr uneingeschränkt als Ort der Heilsgegenwart Gottes gelten kann.

– Der Gesetzesgehorsam nur eines kleinen Teiles des Volkes widerspricht dem universalen Heilswillen des Gesetzes Gottes.

– Die Bedrückung der Gerechten widerspricht der Lohnverheißung für das Tun des Willens Gottes.

Diese durch die historische Situation bedingten, aus den geistigen und politischen Folgen des Hellenismus für Palästina zu erklärenden Widersprüche sollen durch die genannten Dualitäten erklärt, gedeutet und vermittels der eschatologischen Hoffnung gelöst werden.

Der Bezug zur *Eschatologie* zeigt sich darin, daß die Dualitäten lokaler und ethischer Art bei der Auflösung des temporalen Dualismus durch das eschatologische Handeln Gottes zugleich mit aufgelöst werden. Die genannten Dualitäten mindern also nicht die Souveränität Gottes als des Herrn der Geschichte, weil sein Handeln die in Dualitäten ausgedrückten Aporien aufhebt. Die Eschatologie setzt den überlieferten Monotheismus in sein Recht ein.

Der Bezug zur *Ethik* besteht darin, daß die Formulierung der kosmischen, temporalen und lokalen Dualität die Frage nach dem Ursprung des Bösen in der Welt, nach dem Ausbleiben des Lohnes für den Gesetzesgehorsam und der Verheißung in der Gegenwart aufnimmt. Die ethische Dualität thematisiert das Problem, warum nur so wenige als Gerechte leben, während der größte Teil des Volkes in den Augen der Apokalyptiker vom Gesetz abgefallen ist. Die ethische Dimension der Dualitäten führt in das Zentrum der apokalyptischen Theologie, insofern der Mensch zwischen dem Leben als Gerechter oder Sünder, zwischen dem eschatologischen Heil oder Unheil zu wählen hat. Der Weg des Gesetzes als Ausharren und Bewahren ist nicht mehr der allgemein übliche, sondern erfordert die Entscheidung, sich gegen den Abfall, gegen hellenistische Tendenzen, ja gegen die Gesetzesinterpretation anderer Gruppierungen im Frühjudentum zu entscheiden. Insofern kann man auch hinsichtlich der Apokalyptik von einem Entscheidungsdualismus sprechen. Die Verfasser der Apokalypsen konnten vermöge der Dualitäten ihre eigene Situation zureichend beschreiben und zugleich die bleibende Gültigkeit des Gesetzes und der Verheißung Gottes sowie die eschatologische Unterordnung alles Widergöttlichen unter Gott behaupten.

Die genannte ethische Dualität wirkt sich markant auf die Formulierung ethischer Aussagen aus, denn die Unterscheidung von Gerechten und Sündern ist die Ursache eines wesentlichen formalen Merkmals der ethischen Belehrung in der Apokalyptik, des sog. Kontrastmotivs. Tun und Ergehen der Gerechten und Sünder in der Gegenwart bzw. Zukunft kontrastieren einander. Dabei zeigt sich, daß die Darstellung der Negativen überwiegt, d. h., die Vergehen der Frevler werden ausführlicher geschildert als die Taten der Gerechten. Es wird stärker hervorgehoben, welches Tun im Gericht bestraft wird, als das, was gelten soll und daher als normativ angesehen werden kann. Entsprechend sind die Schilderungen der Orte der Sünder und ihrer Pein breiter angelegt als diejenigen der künftigen Seligkeit der Gerechten. Die Motivierungen der Mahnsprüche nennen häufiger die Warnung vor künftigem Unheil als die Schilderung der ewigen Herrlichkeit. Es ist nicht zu übersehen, daß die ethischen Sachverhalte stärker per negationem als per affirmationem ausgesagt werden.

Diesem Charakteristikum entpricht die Eigentümlichkeit, daß in den Apokalypsen die Sünder angeredet werden (vgl. bes. 1. Hen. 94,1 ff.; 2. Bar. 54,17 f.), obschon sie nicht die Adressaten der Apokalypsen und ihrer Paränesen sind. Daher handelt es sich durchweg nicht um eine aktuelle Verfluchung der Ungerechten. So werden auch die Weherufe nicht mehr in ihrer eigentlichen Funktion, sondern mit einer neuen Intention als Heilszusage und Aufmunterung der Gerechten verwendet. Die Formulierung ethischer Sachverhalte per negationem ist folglich als eine besondere Form der Heilszusage an die Gerechten anzusehen, die nicht zu den Sündern gehören und gemahnt werden sollen, ihnen nicht anheimzufallen. Die aus der Prophetie übernommene Anklage hat also nun den Sinn, die Gerechten zu stärken und zu trösten. Ferner wird man in der negativen Formulierung die pädagogische Absicht nicht verkennen dürfen, stark und eindrücklich auf das Abzuwehrende und Abschreckende hinzuweisen. Diese Eigentümlichkeit der Formulierung ethischer Aussagen ist die Folge der für das apokalyptische Weltverständnis konstitutiven ethischen Dualität. Die äußere Form macht die gespannte Entscheidungssituation deutlich, in die der Mensch gestellt ist. Dieser ist wohl auch das klischeehafte Denken, die Schwarz-Weiß-Malerei anzulasten, denn als gottlos und ungerecht gelten nicht allein die Ungläubigen, sondern alle, die der spezifischen Gesetzesauslegung in den Apokalypsen nicht zu folgen vermögen. Die ethische Wirklichkeit der anderen, sei es der Angehörigen des eigenen Volkes, sei es der Heiden, wird nur in Verzerrungen deutlich, die auf die genannte ethische Dualität zurückzuführen sind.

7.2.3. Die Beziehungen des apokalyptischen Zeitverständnisses zur Ethik

Die oben genannte temporale Dualität, der Gegensatz von „Jetzt" und „Dann" läßt die Bedeutung des Problems der Zeit in den Apokalypsen erkennen. In ihnen allen kommt das Bewußtsein der Apokalyptiker zum Ausdruck, in der letzten Zeit zu leben, wie vor allem die Geschichtsüberblicke belegen. Die häufig gestellte Frage nach dem Zeitpunkt des Endes (Dan. 8,13; 12,6; 4. Esra 4,35.35; 2. Bar. 21,18 u. ö.) wird undeutlich und verschwommen beantwortet, oder die Antwort fällt so aus, daß trotz einer exakt erscheinenden Zahlenangabe eine definitive Berechnung des Endtermins nicht möglich ist. Z. B. geht die Deutung Dan. 8,17 ff. auf die Zeitangabe V. 14 nicht ein. Die Datierungen Dan. 9,24 ff.; 12,11 f. sind bewußt so offen formuliert, daß mehrere Deutungen möglich sind, vgl. auch Dan. 12,7 f. mit der Bemerkung, daß Daniel diese Zeitangabe nicht versteht. Wenn von Zeitabschnitten gesprochen wird (Test. Mos. 7,1; 1. Hen. 93,3 ff. bzw. 91,12 ff.), geht es hauptsächlich um die Charakterisierung von Zeitperioden, nicht um deren in Zahlen auszudrückende Dauer.

Trotz der häufig in den Apokalypsen begegnenden Zahlenangaben geht es letztlich nicht um eine zahlenmäßige Errechnung des Endtermins. In 4. Esra 11 f.; 2. Bar. 35 ff.; 53 ff. bleibt die Frage nach dem genauen Zeitpunkt des Endes letztlich offen. Daher ist es nicht möglich, „jene Art der Vorausberechnung in der

Apokalyptik nachzuweisen, wie sie die Exegeten postulieren", da statt dessen „das Theologumenon vom unbekannten Termin . . . in der gesamten apokalyptischen Literatur . . . als apokalyptische Zentralaussage"[146] erscheint. Trotz Naherwartung und Periodisierung der Geschichte kann der Mensch den Endtermin nicht exakt wissen, da Gott allein über die Zeit verfügt (1. Hen. 22,4; 4. Esra 4,36 f.; 7,74; 2. Bar. 48,2 ff.). Instruktiv ist 2. Bar. 21,18 f., da die Bitte Baruchs um Offenbarung des Endtermins nicht erfüllt wird, obschon die Ankündigung der Nähe des Endes bedeutsam ist (23,7). Das Nichtwissen des genauen Endtermins durch die Menschen und dessen genaue Determinierung durch Gott zeigt die Funktion der Zahlenangaben: Sie sind ein Interpretament der Souveränität Gottes, der den Ablauf aller Geschichte bestimmt, als „packendes Gegenstück . . . zu dem zerfahrenen Weltbild des Hellenismus mit seiner nervenzerreißenden Resignation gegenüber dem schicksalsbeherrschten Zufall"[147].

Trotz des Bewußtseins, in der letzten Zeit zu leben, und der akuten Naherwartung, die sich in den einzelnen Apokalypsen mit unterschiedlicher Schärfe manifestiert, ziehen die Apokalyptiker das nahe bevorstehende Ende bzw. die Kürze der Zeit nicht zur Motivierung der Ethik heran. Wie die konditionalen Mahnungen und Relativsätze zeigen, liegt alles Gewicht auf dem kommenden Gericht, das die Umkehrung bringen wird. Die Naherwartung bzw. die Kürze der Zeit wird nicht angesprochen. Die unmittelbare Nähe des Endes verdeutlichen nicht die Begründungen der Mahnungen, sondern die belehrenden Partien in den Apokalypsen. Die Angaben über die Plötzlichkeit der kommenden Wende in den Begründungen im 1. Hen. 94,1 ff. bezeichnen als eine nähere Charakterisierung des Gerichts dessen plötzliches Eintreffen. Sie beziehen sich nicht auf die Kürze der noch verbliebenden Zeit (94,1.6.7; 95,6; 97,10; 99,9). Auch im 2. Bar. 85,8–15 ist der Gerichtsgedanke als Rahmen der gesamten Erörterung beherrschend (V. 8 f. bzw. 12 f.). Die Ethik in der Apokalyptik ist daher eher als Gerichtsethik denn als Kurzzeitethik zu bezeichnen, weil sie mit der Schärfe und Unausbleiblichkeit des Gerichts und nicht mit der Kürze der Zeit eindringlich gemacht wird. Der temporale Dualismus schlägt sich in der Motivierung dergestalt nieder, daß auf der kommenden eschatologischen Wende der Akzent ruht. Erst in einem zweiten Denkschritt kommt durch die in den belehrenden Partien ausgedrückte Naherwartung die Einsicht hinzu, daß diese Wende bald eintreffen wird. Als Ergebnis läßt sich daher festhalten, daß die akute Naherwartung in der Apokalyptik der ethischen Ausrichtung der Apokalypsen nicht entgegensteht. Es mag unbestritten sein, daß das Nachlassen der Naherwartung für die Ausformung ethischer Belehrung nicht ohne Auswirkung bleiben kann. Im Blick auf die frühjüdische Apokalyptik kann man je-

---

[146] *A. Strobel*, a.a.O. (Anm. 142), S. 85; vgl. bes. Apk. Esra 3,3 f.; vgl. auch *L. Hartman*, The Function of some so-called apocalyptic timetables, NTS 22 (1975/76), S. 1–14; vgl. *D. S. Russell*, a.a.O. (Anm. 1), S. 212: Die Verfasser der Apokalypsen „were concerned with the character of temporal events and not with the bare measurement of time". Vgl. andererseits *P. Volz*, a.a.O. (Anm. 61), S. 141: „Die zahlenmäßige Berechnung des Weltendes ist vor allem das charakteristische Geschäft des Apokalyptikers."

[147] *A. Bentzen*, Daniel (HAT I, 19), Tübingen ²1952, S. 10.

doch nicht von einem grundsätzlichen Gegensatz von Naherwartung und Paränese, Eschatologie und Ethik sprechen.

7.2.4. *Die Beziehungen des apokalyptischen Geschichtsverständnisses zur Ethik*

Die für das apokalyptische Weltbild konstitutiven Dualitäten bewirken die schroffe Entgegensetzung von „Jetzt" und „Dann", vom gegenwärtigen und zukünftigen Äon, ohne die das pessimistische Bild der Gegenwart und die Hoffnung auf eine völlig anders geartete, heilvolle Zukunft nicht möglich wäre. Im Vergleich zur Weisheit fällt auf, in welch radikaler Weise sich der Apokalyptiker der Geschichte zuwendet. Die Geschichte wird nicht mehr wie in der Weisheit punktuell gesehen. Es geht um ein großes, umgreifendes Geschichtsbild, das die Geschichte in ihrer Stringenz zum Ende hin in den Blick nimmt, insofern die Geschichtsdarstellungen auf die in Kürze zu erwartende eschatologische Wende hinauslaufen. Das Gegenüber zur Gottesherrschaft fügt die vielfältigen geschichtlichen Erfahrungen zu einer Einheit zusammen.

Neben dieser ausgesprochenen Ausrichtung aller Geschichte auf das Kommende als Aufhebung aller bisherigen Geschichte ist eine außerordentlich starke Geschichtsbezogenheit der Apokalyptik zu konstatieren, die sich an den Geschichtsüberblicken, am typologischen Verständnis geschichtlicher Ereignisse oder Epochen, an der Periodisierung der Geschichte (Dan. 9; 2. Bar. 27; 4. Esra 7,28; 1. Hen. 85 ff.; Apk. Abr. 29), am gleichsam seismographischen Reagieren auf Ereignisse der Geschichte und am Interesse für die Zeichen der Endzeit ablesen läßt. Ferner ist die große Intensität zu nennen, mit der die Vergänglichkeit dieser Welt, der ständige Hang zum Schlechteren (2. Bar. 69,1; 85,10; Test. Mos. 8,1; 9,3; 4. Esra 5,50 ff.; Jub. 23,15 u. ö.), die wachsende physische und moralische Degeneration zum Ausdruck kommen. Insgesamt ist das Geschichtsbild der Apokalyptik als pessimistisch zu bezeichnen. Innerhalb des gegenwärtigen Äons ist das Heil nicht mehr realisierbar. Zwar kann vergangene Geschichte als Typos künftigen Heils oder Unheils bzw. des eschatologischen Heilshandelns Gottes verstanden werden, aber die Geschichte kann nicht mehr zum Heilsbereich werden.[148]

Diese nur im Zusammenhang der politischen und geistigen Situation in Palästina zu verstehende negative Weltwertung[149] wird durch die eschatologische Hoffnung nicht aufgehoben. Sie vermag der Gegenwart keinen positiveren Akzent zu verlei-

---

[148] Auch die Stoa kennt den Gedanken vom Verfall des ursprünglichen Idealzustandes in einen Zustand dekadenter Depravation. Aber nach der Lehre von der Ekpyrosis in Entsprechung zum zyklischen Geschichtsbild der Stoiker entwickelt sich die Welt immer wieder bis ins Kleinste hinein auf die gleiche Weise. Mit dieser Lehre kommt die Vollkommenheit der Welt zum Ausdruck. Trotz der Reflexion über die Übel in der Welt bleibt das stoische Geschichtsbild ein optimistisches, da vermittels der „Theodizee" die Übel mit dem Zweckvollen in Einklang zu bringen sind, wie auch das Ideal der Ataraxie und Apathie das Leiden an der Gegenwart ausschließt.

[149] Die Nöte der Gegenwart, die in der Makkabäerzeit und mit der Zerstörung Jerusalems ein besonderes Ausmaß annahmen, waren aber „nur Anlaß, nicht Ursache der apokalyptischen Endzeitstimmung, sonst wäre diese mit jenem verschwunden; sie ist aber durchgängig" (*Ph. Vielhauer*, a.a.O. [Anm. 1], S. 416).

hen, da beide Äonen in einander ausschließender Gegensätzlichkeit konfrontiert werden. Wohl aber kann die eschatologische Hoffnung die negative Weltbewertung relativieren, da durch Gottes eschatologisches Handeln die Leidenszeit dieses Äons begrenzt ist. Auch die Erkenntnis, daß trotz der Sündenverfallenheit und der Herrschaft des (Gott untergeordneten) Bösen die Welt Gottes Schöpfung bleibt, ändert nichts an der negativen Geschichtssicht. Die eschatologische Hoffnung als solche macht die radikale Diskontinuität beider Äonen deutlich.

Der Gesetzesgehorsam, also das ethische Verhalten, stellt zwar für den Menschen eine Brücke dar, um die (in der Herrschaft Gottes längst aufgehobene) Diskontinuität beider Welten zu überwinden; aber auch die Einsicht, daß die Gegenwart eine Zeit ethischer Bewährung ist, gibt der Weltsicht insgesamt nicht einen positiveren Akzent. Da die jeweilige Gegenwart als der Ort zur Vorbereitung auf das Kommende gilt, wird der Mensch als ein geschichtliches, auf die Geschichte dieses Äons gewiesenes Wesen verstanden. Im Ernstnehmen der Geschichtlichkeit des Menschen erweist sich die Geschichtsbezogenheit der Apokalyptik. Der Apokalyptiker kann seine Geschichtlichkeit nicht abstreifen, da er vom eschatologischen Heil zeitlich und räumlich (insofern die eschatologischen Heilsgüter im himmlischen Bereich bereits existieren) noch getrennt ist. Das Überspringen dieser Schranken ist nur dem Visionsempfänger für kurze Zeit möglich, er kehrt auch von den Himmelsreisen jeweils wieder auf die Erde zurück, um die Nachkommen zu belehren. Für den Apokalyptiker gibt es keine proleptische, enthusiastische Heilsaneignung.[150] Der Weg zum Heil ist der Weg der Ethik, der an diesen Äon verweist. Das Heil kann in der Gegenwart aus Offenbarungen gewußt werden, es ist aber letztlich hier nicht präsent, da die Offenbarung auf das Heil hinweist, aber nicht das Heil schon selbst ist.

Wenn die Gegenwart als Zeit des Bewährens, Reinigens, Prüfens und Läuterns (Dan. 11,35; 12,10) verstanden wird, so ist damit ein konkretes Tun angesprochen. Dieses Tun verleiht der Gegenwart keinen positiveren Akzent. Zwar sind auch mitmenschliche und soziale Verhaltensweisen als Konkretisierung des Willens Gottes im Blick — es wird aber nicht darüber reflektiert, daß dieses Tun eine weltverbessernde oder weltgestaltende Kraft besitzt. Das ethische Verhalten ist vor allem soteriologisch bedeutsam, da es um die ethische Qualifizierung des Menschen für das eschatologische Heil geht. Ethik wird verstanden als Überbrückung der Zeit, nicht als Qualifizierung der Geschichte. Daher ist die Ethik, die ein konkretes

---

[150] In den Apokalypsen wird eine Identifikation von irdischem und himmlischem Kult nicht vollzogen. Es gibt zwar eine Analogie des Kultus in beiden Bereichen (Urbild und Abbild), da z. B. im Himmel und auf Erden die gleichen kultischen Bedingungen gelten (bes. Jub. 2,30; 15,27). Es gibt aber keine Ineinssetzung bzw. Identifikation. Nirgends wird berichtet, daß die irdische Gemeinde in das himmlische Loben Gottes einstimmt. Nur im himmlischen Bereich, z. B. auf seiner Himmelsreise, stimmt der Visionsempfänger in den Lobgesang der Engel ein (vgl. Asc. Jes. 8,13.17 u. ö.). Nur dort singt er das von dem Engel mitgeteilte Lied (Apk. Abr. 17,4). Da eine ausdrückliche Gleichsetzung von irdischem und himmlischem Gotteslob fehlt, handelt es sich offensichtlich um getrennte Bereiche, deren Distanz in der kultischen Betätigung nicht übersprungen werden kann. Es bleibt für die Apokalyptiker eine Distanzerfahrung, weil das in der oberen Welt jetzt schon reale Heil erst nach Überwindung der noch ausstehenden zeitlichen Distanz zugänglich sein wird.

Tun erfordert, vor allem als Ethik des Bewahrens und Ausharrens formuliert. Das pessimistische Gegenwartsverständnis wird im Blick auf die eschatologische Wende als zeitlich begrenzt und überwindbar ausgesagt. Es wird nicht aufgegeben, wohl aber vermittels der Aussagen zur Ethik und Eschatologie relativiert. Dies erklärt die Komplementarität von ausgeprägter Geschichtsbezogenheit und pessimistischem Geschichtsverständnis.

Auf Grund dieser Komplementarität ist es nicht möglich, pauschal vom „Geschichtsverlust" bzw. von einer „durch die Apokalyptik vollzogenen Entgeschichtlichung der Geschichte"[151] zu sprechen; dies ist wohl nur möglich, wenn man ein Geschichtsverständnis als normativ ansieht, dem das Ziel der Geschichte inhärent ist und nicht von außen, als durch göttliche Determination gesetztes Ziel zukommt. Ohne Zweifel verstehen die Apokalyptiker die eschatologische Heilszeit als Ende aller Geschichte, das nur mehr mit Kategorien wie „ewig" und „endlos" beschreibbar ist (1. Hen. 72,1; 91,17; 4. Esra 7,113.119 u. ö.). Dennoch kann für die der Heilszeit voraufgehende Zeit nicht schlechthin ein Geschichtsverlust postuliert werden. Der Apokalyptiker verliert die Hoffnung für diese Welt, aber nicht den Bezug zur Geschichte, da sie den Raum für seinen Gesetzesgehorsam gewährt. Mit dem Wissen um die Unverbesserlichkeit dieser Welt verbindet er das präzise Beobachten des Geschichtsverlaufs und seiner Zeichen.

Das Besondere der apokalyptischen Theologie liegt im Ernstnehmen der eigenen geschichtlichen Situation. Die Apokalyptiker reflektieren sorgfältig die Lage der Welt, die im Blick auf die historischen Gegebenheiten, die Sündenverfallenheit und die kleine Zahl der Gerechten heillos und böse ist. In dieser Situation macht die apokalyptische Theologie Mut und Hoffnung zum Bewahren und Tun des Gesetzes Gottes, so daß „die pessimistische, vielleicht deshalb nicht unrealistische Bewertung der Gegenwart nicht zur Verzweiflung führt"[152].

7.2.5. Die Determinierung durch Gott und die Eigenverantwortlichkeit des Menschen

Die für das apokalyptische Weltverständnis charakteristischen Dualitäten werden durch das eschatologische Handeln Gottes aufgehoben. Diese Gewißheit bringen die Apokalyptiker mit deterministischen Aussagen zum Ausdruck, mit denen sie die Souveränität Gottes gegenüber allem geschichtlichem Geschehen sowie sein letztgültiges Heilshandeln behaupten. Der festliegende Plan Gottes umfaßt die Geschichte (1. Hen. 92,2; 39,11; 2. Bar. 54,1; 69,2; Apk. Abr. 26,5) und den kosmischen Bereich (2. Hen. 19,1 ff.; 4. Esra 4,36 f. u. ö.). Durch Gottes Setzung haben

---

[151] G. v. Rad, Theologie des Alten Testaments, Bd. II, München ⁵1968, S. 320 f. bzw. R. Bultmann, Geschichte und Eschatologie, Tübingen ²1964, S. 35; vgl. u. a. B. Noack, (a.a.O. Anm. 49), S. 84, demzufolge mit der Apokalyptik „ein geschichtsloser Mensch und ein geschichtsloses Geschlecht" vor Augen treten.

[152] F. Dexinger, Das Buch Daniel und seine Probleme (SBS 36), Stuttgart 1969, S. 53; vgl. auch M. Hengel, a.a.O. (Anm. 152), S. 381 zur Apokalyptik: „Der Wesenszug ‚eines im Grunde geschichtslosen Denkens' (– so G. v. Rad, vgl. Anm. 151 –) gilt nicht ihr, sondern ihrem Gegenüber, dem durch das willkürliche Walten der Tyche oder durch den astralen Determinismus bestimmten Weltbild der hellenistischen Zeit."

Zeiten und Stunden ihr festes Maß (vgl. 4. Esra 14,5.11; Jub. 1,29; 4,17 ff.; 2. Bar. 48,3). Solche deterministischen Aussagen lassen sich bereits im weisheitlichen Denken nachweisen, sie sind aber im Unterschied zur Weisheit in einen umfassenden Kontext eingeordnet, weil es nicht schlechthin um Gottes Ordnung, sondern um die Verbindlichkeit des eschatologischen Handelns Gottes geht, das die Zeit des Leidens in diesem Äon beendet. Im Unterschied zum stoischen Denken beruht für den Apokalyptiker alles Geschehen nicht auf der rätselhaften Heimarmene, sondern auf Gottes Plan und Setzung.

Von großer Tragweite für das Verständnis der Ethik ist die Beobachtung, daß die deterministischen Aussagen die Freiheit des Menschen keineswegs einschränken. Auch die Festsetzung der Zahl der Gerechten durch Gott (2. Bar. 23,5; 4. Esra 4,35 ff.) greift der Entscheidung des einzelnen Menschen für oder gegen das Gesetz nicht vor. Es gibt in der Apokalyptik zwar einen geschichtlichen, aber keinen ethischen Determinismus. Die Freiheit des Menschen bleibt unangetastet.[153]

Mit der Heraufkunft der künftigen Heilszeit wird von Gott der im Blick auf die Gegenwart nicht mehr einsichtige Tun-Ergehen-Zusammenhang wieder ins Recht gesetzt. Sowohl der in Kummer sterbende Gerechte als auch der in Freude sterbende Sünder (1. Hen. 102,4 ff.) werden ihrem dem Tun entsprechenden eschatologischen Schicksal nicht entgehen. Der einzelne steht und fällt sich selbst, da in der Apokalyptik auch das zukünftige Bestehen des Volkes stärker vom Individuum her gesehen wird. Diese Betonung des einzelnen[154], der das Gesetz festhalten und bewahren soll, liegt in der geschichtlichen Situation begründet, da ein einheitliches Volk Israel nicht mehr existierte und, wie die Geschichte des Frühjudentums ausweist, die Antwort auf die Herausforderung durch den Hellenismus in sehr verschiedener Art ausfiel.

Für den Apokalyptiker besitzt die ethische Eigenverantwortlichkeit und das Festhalten der Entscheidungsfreiheit für oder gegen das Gesetz existentielle Bedeutung. Dabei umgreift „Entscheidung" für ihn, wie die Betonung des „Bewahrens"

---

[153] Vgl. bes. die Auseinandersetzungen im 4. Esra um das Problem eines Sündenverhängnisses, vgl. auch 1. Hen. 98,4; 4. Esra 8,55 ff.; 2. Bar. 15,2 ff.; 85,7. Zutreffend bemerkt K. Koch, a.a.O. (Anm. 1), S. 26, daß „nirgendwo ... das Verhalten des einzelnen Menschen zum Guten oder Bösen vorherbestimmt gilt, sondern stets nur das der Völker oder Epochen". Die Aussagen über die Existenz des Menschen nach dem Tode sollen ja auch die Verantwortlichkeit des einzelnen für sein Tun verdeutlichen.

[154] Vgl. R. Bultmann, a.a.O (Anm. 151), S. 35: „In der apokalyptischen Hoffnung trägt der Einzelne nur Verantwortung für sich selbst", vgl. G. F. Moore, a.a.O. (Anm. 68), Bd. II, S. 377. F. Dexinger, a.a.O. (Anm. 36), S. 39 f., hebt hervor, „... daß trotz des universalen Horizonts es gerade der Einzelmensch ist, dessen Schicksal einer Lösung zugeführt werden soll". Während die Prophetie mit dem Schicksal ganz Israels befaßt sei, wende sich die Apokalyptik dem Individuum zu, der sein Schicksal in einem umgreifenden Rahmen eingeordnet erfährt. – Auf historische Gründe für die Betonung des einzelnen weist M. Hengel, a.a.O. (Anm. 141), S. 356, „weil noch nie in der jüdischen Geschichte in dieser Weise von jedem einzelnen eine klare Entscheidung zwischen dem Glauben der Väter und dem Abfall zu einem jüdisch-synkretistischen Mischkult gefordert war". Die oft recht allgemein gehaltenen Mahnungen zur Treue gegenüber Gott und zum Bewahren des Gesetzes werden in dieser konkreten Situation angesichts der akuten Gefahr der Hellenisierung und Überfremdung des Judentums zu Mahnungen sehr konkreten Inhalts.

und „Nicht-Abweichens" in den Paränesen zeigt, das Festhalten und Bewahren des überkommenen Gesetzes, das nun vermöge des Aufweises der eschatologischen Relevanz in seiner Bedeutsamkeit besonders hervorgehoben werden soll. Sowohl im Blick auf die Realität der Sünde im Leben des Menschen als auch im Blick auf die politischen und sozialen Verhältnisse wissen die Apokalyptiker sehr genau um die eigene Machtlosigkeit, diese Welt verbessern zu können. Dennoch verfallen sie nicht der Resignation, denn mit der Hoffnung auf das von Gott heraufzuführende Ende mit dem über Heil oder Unheil entscheidenden Gericht ist Ethik sinnvoll. Sie „lohnt" sich, auch in der ausweglosen Gegenwart, weil die Vergeltung kommen wird. Die deterministischen Aussagen bekräftigen diese Hoffnung und ermutigen, die Gegenwart als Zeit eigenverantwortlichen Handelns aus dieser Hoffnung heraus zu nutzen.

Dem Handeln des Menschen sind aber offensichtlich Grenzen gesetzt; nicht durch deterministische Aussagen, sondern durch das Verständnis der Gegenwart und der Geschichte werden diese aufgerichtet. Wenn gesagt wird, daß Gott durch Menschen in die Geschichte eingreift (1. Hen. 89,21.59; Test. Mos. 4,6 u. ö.), dann wird damit festgehalten, daß dem Tun des Menschen ohne Gottes Wissen bzw. Eingreifen keine geschichtsverändernde Kraft innewohnt. Das Tun des Menschen ist zwar geschichtsbezogen als Tun des Gesetzes im Raum der Geschichte. Es ist aber kein geschichtsveränderndes Tun im Sinne einer Geschichtsanschauung, die eine innergeschichtliche Realisierung des Heils erhofft, da Gott selbst das Heil nicht mehr in dieser Geschichte, sondern im kommenden Äon realisieren wird.

In der Forschung werden die Apokalyptiker häufig als „quietistisch" oder aktivistisch bezeichnet oder in eine aktiv-zelotische oder passiv-quietistische Richtung unterteilt.[155] Obschon das Tun der Gerechten nicht als geschichtsverändernd verstanden wird, kann man nicht grundsätzlich von einem Quietismus in der Apokalyptik sprechen. Keine der herangezogenen Schriften gibt die Ethik zugunsten der

---

[155] Zum „Quietismus" im 1. Hen. vgl. R. T. Herford, a.a.O. (Anm. 3), S. 219 f.; der Verfasser des Test. Mos. wird häufig als pharisäischer Quietist bzw. als Quietist bezeichnet, der im Gegensatz zum führenden Pharisäertum steht (vgl. o. Anm. 91; ferner W. Baldensperger, a.a.O [Anm. 4], S. 40 ff.; C. Clemen, in: Kautzsch AP II, S. 314 f.; E. Schürer, a.a.O [Anm. 119], Bd. III, S. 300; A.-M. Denis, a.a.O. [Anm. 9], S. 135 u. a.; Nach Test. Mos. 9,4 besteht die virtus der Vorfahren darin, daß sie die Gebote nicht übertraten. Dieser Gehorsam, auch wenn es um Aushalten und Bewahren geht, setzt aber aktives Handeln voraus, während nur das Nicht-Bewahren des Gesetzes einem ethischen Quietismus gleichkäme. – A. Strobel, a.a.O (Anm. 142), S. 37 ff., findet im 1. Makk. 2,61.66 „die Überzeugung der aktiv-zelotischen Apokalyptik" (S. 38). Es ist jedoch problematisch, die hier genannten Gruppen von vornherein mit Apokalyptikergruppen zu identifizieren, da verschiedene Gruppierungen im Frühjudentum den gleichen asidäischen Ursprung haben. Auch die Gleichsetzung von Nachrichten über Handlungen zelotisch eingestellter Gruppen mit den nur aus ihren literarischen Quellen bekannten Apokalyptikern läßt sich aus diesem Grunde nicht vollziehen, obwohl es zahlreiche Berührungspunkte zwischen Anschauungen der Zeloten und Apokalyptiker gegeben hat: „There can be little doubt that the Zealot party . . . found in this literature just the kind of propaganda they needed . . .", so D. S. Russell, a.a.O. (Anm. 1), S. 17. Der Unterschied liegt jedoch in der Praxis: Die Apokalyptiker „wrote as men of reflection . . . but not themselves concerned with the application of what they taught" (R. T. Herford, a.a.O., S. 194). Die Hoffnung für die Apokalyptiker war nicht „in terms of politics or on the plane of human history" (D. S. Russell, a.a.O., S. 17) aussagbar.

eschatologischen Naherwartung oder der Alleinwirksamkeit Gottes preis, da die Ethik als das im Blick auf das Eschaton angemessene Verhalten ein wesentlicher Bestandteil der apokalyptischen Lebens- und Daseinsbewältigung ist.

Eine Unterscheidung von aktivistischen und quietistischen Tendenzen ist nur bezüglich des Verhaltens der Gerechten im Endgeschehen möglich. Es begegnet sowohl die Anschauung, daß die Gerechten am Endgeschehen aktiv beteiligt sind, als auch die Vorstellung, daß das Heil allein vom Handeln Gottes zu erwarten sei.[156] Diese Beobachtung zeigt, daß hinsichtlich der Beteiligung der Gerechten am Endgeschehen bei gleicher theologischer Grundeinstellung verschiedene Haltungen möglich waren. Es gab in dieser Frage offenbar keine dogmatische Festlegung. Nur bezüglich der Beteiligung der Gerechten am Endgeschehen kann von einer aktivistischen oder quietistischen Haltung gesprochen werden. Grundsätzlich geht es in den Apokalypsen um einen aktiven Gesetzesgehorsam, der mit dem Hinweis auf die eschatologische Bedeutsamkeit des eigenverantwortlichen Tuns eingeschärft werden soll.

7.3. Exkurs: Gesichtspunkte der materialen Ethik

Die folgende Zusammenstellung dessen, was in den Apokalypsen als erstrebenswertes bzw. als abzulehnendes Verhalten gilt, soll zur Vorsicht gegenüber dem Urteil von *W. Schmithals* mahnen, „daß die Apokalyptik keinerlei Interesse an einer konkreten ethischen Bestimmung des Gesetzesinhaltes hatte und sich deshalb an den innerjüdischen Auseinandersetzungen um die Konkretionen des Gesetzes nicht beteiligte, weil sie im Blick auf das Ende dieses Äons ohne Bedeutung waren" (a.a.O., S. 35; vgl. oben bei Anm. 113). Die systematisierende Zusammenstellung ist aber eine von außen aufgezwungene, nicht dem gebotenen Material innewohnende, d. h., daß „die Notwendigkeit der systematischen Methode ... aus demjenigen Zug der jüdischen Glaubenswelt, der ihr am meisten zuwiderzulaufen scheint: aus der Systemlosigkeit der jüdischen Tradition" erwächst (*A. Nissen*, Gott und der Nächste im antiken Judentum, WUNT 15, Tübingen 1974, S. 12).

Das Verhalten des Menschen gegenüber Gott:
– Leugnung Gottes: 1. Hen. 38,2; 41,2; 45,2; 46,6 f.; 60,6; 67,10; 4. Esra 8,56 ff.
– Mißbrauch des Namens Gottes, Gotteslästerung und Hybris: 1. Hen. 1,9; 27,2; 60,6; 68,4; 101,3 vgl. 2. Bar. 67,7; 3. Bar. 2,7; 3,5
– Abfall von Gott: Apk. Abr. 13,7; 1. Hen. 10,20 u. ö.
– Götzendienst: 1. Hen. 99,7 (äth.); 104,9; 46,7; 2. Hen. 2,2; 34,2; Jub. 20,7; 22,17 ff.; Test. Mos. 2,8; 5,3; 8,4; 2. Bar. 62,1 ff.; 64,1 ff.; 3. Bar. 8,5; Apk. Abr. 1 ff.; Dan. 11,36 u. ö.

---

[156] Vgl. bes. Dan. 2,34.44 f.; 8,25 bzw. 11,11.34 sowie 4. Esra 6,6 mit einer vermutlich antimessianischen Tendenz, die die Alleinwirksamkeit Gottes festhalten soll; vgl. dazu *U. B. Müller*, a.a.O. (Anm. 22), S. 106.131 f.; anders *A. Strobel*, a.a.O., S. 37 ff. Zu 1. Hen. 95,3–7; 96,1 (anders 2. Bar. 52,6) ist zu beachten, daß in den Apokalypsen so detaillierte Angaben über den Endkampf der Gerechten wie in 1 QM fehlen. Für die Apokalypsen ist wesentlich, daß die Aktionen der Frommen erst nach dem Eingreifen Gottes einsetzen und dieses nicht herbeizwingen.

– Übertretung des Bilderverbotes: 1. Hen. 65,6; Jub. 11,4; Test. Mos. 2,9
– Magie und Astrologie: 1. Hen. 7,1 f.; 8,3; 9,7; 3. Bar. 8,5; 13,4 vgl. Jub. 8,3 ff.; 11,8 ff.; 43,10; 2. Bar. 66,2; 2. Hen. 10,4
– Verlassen oder Verachten des Gesetzes: 1. Hen. 5,4; 18,15; 21,6; Jub. 23,19; 4. Esra 7,79; 8,56; 9,11.32; 2. Bar. 51,4; 54,14 u. ö.)
– Beugung des Gesetzes: 1. Hen. 60,6; 4. Esra 8,55
– Veränderung des Gesetzes oder falsche Auslegung: 1. Hen. 104,10; 108,6 vgl. 98,15 ff.; 2. Hen. 52,10

Mit diesen Mahnungen befinden wir uns auf der breiten Plattform dessen, was für das gesamte Judentum konstitutiv ist, nämlich „die . . . Identifizierung von Tora und Offenbarung und die Identität der Offenbarung mit dem sich offenbarenden Gott . . . Den von Gott fixierten Offenbarungsbereich – die Tora – zu verlassen, heißt, ihn selber zu verlassen; sich Gott zuzuwenden, heißt, sich der Tora zuzuwenden" (*A. Nissen*, a.a.O., S. 43).

Das Verhalten in kultischer Hinsicht:
– Beschneidung: Jub. 15,3 ff.; 20,3; Test. Mos. 8,1 ff.; 2. Bar. 66,5
– Speisegebote: Test. Mos. 11,13; 3. Bar. 4,16 (Weingenuß), vgl. Dan. 1,8 ff.; Verbot des Blutgenusses Jub. 6,7.12; 7,1 ff. u. ö.
– Reinheitsvorschriften: Jub. 3,10 ff.; 31,1; 33,7 ff. vgl. Test. Mos. 7,9 gegen Heuchelei der Reinheit wegen
– Einhalten von kalendarischen Bestimmungen: 1. Hen. 82,4 ff. u. ö., Jub. 6,29–38 u. ö.; Feste: Jub. 15,1 f.; 16,20–31; 49; Sabbate: Jub. 2,17–33; 50,6–13; vgl. 2. Bar. 66,4; Jub. 6,17.37; 23,19; 2. Bar. 66,4
– kultische Abgaben: Jub. 13,25; 32,9 ff.
– Opferbestimmungen: Jub. 21,7 ff. u. ö.; 2. Hen. 59,2 (B); Ablehnung unreiner Opfer: Test. Mos. 5,4; 1. Hen. 89,73; zur opferfreundlichen Haltung vgl. Apk. Abr. 9; 11.5 ff.; Jub. 4,25 u. ö.; ferner Apk. Abr. 25,4 f.; 2. Hen. 51,4 zur Stellung zum Tempel
– Lobpreis Gottes: 1. Hen. 106,11; Apk. Abr. 17,4 f.7–17; bes. als Antwort auf eine Offenbarung, vgl. 1. Hen. 22,14;25,7; 27,5; 36,4; 81,3 vgl. 71,11 f.; 81,10; 90,40; 4. Esra 13,57
– Gebete: 1. Hen. 83,10; Test. Mos. 12,6; Jub. 1,19 ff.; 11,17 ff.; 12,19 ff.; vgl. 2. Bar. 34; 48,1–24; 4. Esra 8,45; 1. Hen. 84,5 ff.; im Zusammenhang mit dem Visionsempfang bzw. Deutung vgl. 3. Bar. 4,14; 4. Esra 6,32 ff.; 9,25; 2. Bar. 21,4 ff. bzw. 4. Esra 12,7 ff.; 13,14 ff.; 2. Bar. 38,1 ff.; 54,1 ff. vgl. Dan. 9,21.23a u. ö.
– Fasten: 1. Hen. 108,7 ff.; Test. Jos. 3,4 f.; 10,1 u. ö.; als Vorbereitung auf das eschatologische Geschehen: Test. Mos. 9,6; Fasten im Zusammenhang mit Visionsempfang vgl. o. nach Anm. 91; vgl. 2. Bar. 5,7; Vit. Ad. 6 u. ö.; Fasten als Verstärkung des Gebetes: Test. Jos. 4,8; 10,1
– Mahnungen zum Aufbewahren der Offenbarungsschriften bzw. zu deren Überlieferung: 4. Esra 12,37; Dan. 12,4; Test. Mos. 1,16 f.; vgl. 4. Esra 12,38; 1. Hen. 82,1–3; Apk. Esr. 7,9 vgl. 4. Esra 14,13.19; 1. Hen. 81,5; 91,1; 2. Hen. 33,6; 36,1; vgl. ferner 2. Bar. 84,9; 44,3; 45,1 f.; 2. Hen. 54,1

Die Übersicht läßt eine kultfreundliche Tendenz erkennen. Dies zeigt das Interesse an rituellen Belangen sowie die große Bedeutung, die dem Tempel innerhalb der eschatologischen Erwartung zukommt (vgl. 1. Hen. 90,28 f.; 91,13; Jub. 8,19; 4,26 vgl. 1,1.27 ff. u. ö.; 4. Esra 10,55 f.; 2. Bar. 4,2 ff.; vgl. die Klagen über die Tempelzerstörung 4. Esra 10,21 ff.; 2. Bar. 11,1 ff. bzw. Dan. 8,1 ff.; 9,27; 11,31; vgl. das Interesse an den Tempelgeräten 2. Bar. 6,7 ff.; Dan. 5,2 f. u. ö.; die täglichen Opfer sind Maßeinheit für die Zeit bis zum Ende der Greuel, Dan. 8,13 f.; 12,11). Eine kultkritische Tendenz (vgl. 1. Hen. 89,72 ff.; Jub. 23,21; Test. Mos. 5,4; 6,1; 2. Bar. 10,18; 67,6 u. ö.) brach dort auf, wo man der gegenwärtigen Kultpraxis kritisch gegenüberstand.

Die Ambivalenz von kultkritischen und kultfreundlichen Aussagen (vgl. auch 1. Hen. 89,50) läßt den Schluß zu, daß für die Apokalyptiker zwar eine kultkritische, aber keine generell kultfeindliche Einstellung charakteristisch ist. Im Kult hat die Gemeinde nicht proleptisch Anteil an der Vollendung in der oberen Welt, denn dies ist ein kontingentes Geschehen bei Himmelsreisen bzw. Offenbarungen. Erst die kommende Heilszeit ermöglicht den Gerechten das Einstimmen in das himmlische Loben. D. h.: Der Bereich des Kultischen ist ein Bereich der Ethik, auf den bestimmte Verhaltensnormen bezogen werden, aber nicht der Bereich des Heils. Das streng zukünftig gedachte Heil ist nur auf dem Weg der Ethik erreichbar, zu dem auch kultische Betätigung gehört.

Asketische Tendenzen treten nur spurenhaft zutage (vgl. *W. Schrage*, Die Stellung zur Welt bei Paulus, Epiktet und in der Apokalyptik, ZThK 61 [1964], S. 125–154, bes. 149 f.). Auf einen eschatologisch motivierten asketischen Rigorismus kann nicht geschlossen werden. Ausgesprochen leibfeindliche Aussagen fehlen. Die Vermischung der Wächter mit den Menschentöchtern gilt zwar als Ursprung der Sünde. Damit ist nicht die Sexualität als solche abgewertet, sondern deren Mißbrauch (vgl. 1. Hen. 67,8.10). Die Zeugung gehört zur schöpfungsmäßigen Bestimmung des Menschen (1. Hen. 15,5 vgl. 83,2 f.; 88,3 f.; 106,14). In 1. Hen. 108,7 f. wird der für vergänglich gehaltene Körper „nicht der Seele, dem Geist gegenübergestellt . . ., sondern der himmlischen Welt" (*G. Stemberger*, Der Leib der Auferstehung, Analecta Biblica 56, Rom 1972, S. 33). Die gewisse Abwertung des Leiblichen in 2. Bar. 56,6 (vgl. auch 2. Bar. 49,3 bzw. 4. Esra 7,114 – syr. –) hebt vermutlich auf dessen Mißbrauch ab.

Ein Taufritus wird nicht erwähnt. An den Texten läßt sich nicht die These verifizieren, daß „häufig auch apokalyptische Kreise mit rituellen Waschungen bezeugt sind" (*E. Dinkler*, Die Taufaussagen des Neuen Testaments, neu untersucht im Hinblick auf K. Barths Tauflehre, in: Zu Karl Barths Lehre von der Taufe, hrsg. v. *F. Viering*, Gütersloh 1971, S. 60–153, ebd. S. 63). Jub. 21,16 kann der engen Verbindung zu den Opferanschauungen wegen nicht als Parallele zu Waschungen der Essener bzw. Qumrangemeinde angesehen werden.

Die Vergehen im sozialen Bereich:
– Diebstahl: 3. Bar. 4,17; 8,5
– Gewalttätigkeit: 1. Hen. 94,1; 98,6.8; 2. Hen. 10,5
– Ungerechtigkeit: 1. Hen. 94,1; 98,12; 2. Hen. 34,2; 66,1; 4. Esra 5,10; 12,32
– Betrug: 1. Hen. 96,7; 94,6; Apk. Esr. 5,25; Apk. Soph. 15,8
– Bestechlichkeit und ungerechtes Gericht: 1. Hen. 95,6; 103,14; Test. Mos. 5,6; 3. Bar. 13,3; Apk. Soph. 15,5; 4. Esra 11,41
– falsche Maße: 1. Hen. 99,12
– Lüge: 1. Hen. 95,6 ff.; 104,9; 2. Hen. 10,4(A) vgl. 1. Hen. 98,15 ff. bzw. 69,6
– Reichtum: 1. Hen. 46,6; 94,6 ff.; 96,4; 97,7; 98,1 ff. vgl. Test. Mos. 7,3–9
– Hochmut und Selbstüberhebung: 1. Hen. 46,6; 48,8; 67,12 f.; 97,7 ff.; 98,2 ff. vgl. Test. Mos. 7,3 ff.; 2. Bar. 36,8
– Mitleidlosigkeit: 2. Bar. 36,7
– Bedrückung der Armen und Gerechten: 1. Hen. 53,1 f.; 95,5; Jub. 23,21; 2. Hen. 10,4; Test. Mos. 7,3–9; 4. Esra 8,57; 11,42
– Mord: 1. Hen. 99,15 vgl. 69,6; Jub. 4,5 ff.; 7,28 ff.; 2. Hen. 10,5; 2. Bar. 64,2; 3. Bar. 4,17; 8,5; Test. Abr. 10,5 ff.; 12,9

Die Rechtschaffenheit im sozialen Bereich:
– Gerechtigkeit: 2. Bar. 61,6; 1. Hen. 91,3 f.18 f.; 92,3; 94,1.4; Jub. 20,2; 36,3; 2. Hen. 42,11; 66,6(A); Test. Mos. 5,3
– Wahrheitsliebe: 2. Hen. 42,12(B)

– Rechtschaffenheit: 1. Hen. 67,1
– Barmherzigkeit und Sanftmut: 2. Hen. 42,13 vgl. Test. Seb. 5,1 ff.
– Friedensliebe: 2. Hen. 52,11–14(A)
– Menschenfreundlichkeit: 2. Hen. 44,1 ff., anders 2. Hen. 52,2.6
– Geduld und Langmut: 2. Hen. 66,6(A) vgl. Test. Dan. 2,1; 6,8
– Demut: Dan. 10,12
– Bruderliebe: Jub. 36,4 ff.; 7,20; 20,2; 37,4 anders 7,26
– Verzicht auf Reichtum: 2. Hen. 50,5; 1. Hen. 108,8
– Almosen: 2. Hen. 51,1 vgl. Test. Iss. 5,2
– Hilfe für Arme, Waisen und Witwen: 2. Hen. 51,1; 42,9 vgl. Dan. 4,24; Apk. Soph. 11,5
– Bekleiden der Nackten: 2. Hen. 63,1; 42,8; 9,1 anders 10,5
– Speisen der Hungrigen: 2. Hen. 9,1; 42,8(B)

Das Verhalten in sexueller Hinsicht:
– Bedecken der Scham: Jub. 3,31 vgl. 7,7 ff.
– Ehe: 1. Hen. 15,5 vgl. 83,2 f.; 85,3 bzw. 2. Bar. 56,6; 1. Hen. 67,8.10 vgl. 106,14 u. ö.
– Ehebruch: Test. Abr. 12,2; 3. Bar. 4,17; 8,5; 13,4
– Eifersucht: Apk. Abr. 24,7; 3. Bar. 8,5; 13,4
– Hurerei und Unzucht: Jub. 7,21; 16,5; 23,14; 33,20; 39,6; 20,3 ff.; 2. Hen. 10,4(A); 34,2; 3. Bar. 4,17; 8,5; 13,4
– Unkeuschheit: Apk. Abr. 24,7; 4. Esra 5,10
– Befleckung: Jub. 20,6; 23,14; 33,19; 41,26; Apk. Abr. 24,7
– Unreinheit: 1. Hen. 10,20; Jub. 7,21; 16,5; 20,3 ff.; 23,14; 30,5 ff.; 33,10 ff.; 33,19; 41,26 f.
– Mischehen als Unzucht: Jub. 30,7–15; 20,4 f.; 25,7 vgl. 25,5; 20,20; 30,11
– Weitere Vergehen: Apk. Esr. 4,24; 2. Hen. 10,4(A); Apk. Abr. 24,9

Mit der Betonung der sexuellen Reinheit ist wohl kaum beabsichtigt, die Sünde auf den Bereich des Sexuellen zu konzentrieren. Da Unzucht und Götzendienst miteinander in Zusammenhang gebracht werden (vgl. dazu Jub. 30,7–15; 33,10–20 u. ö.), erhalten angesichts der hellenisierenden Tendenzen im Judentum die sexuellen Vergehen ein besonderes Gewicht. Das Problem der Gemeinschaft mit den Heiden spitzte sich im sexuellen Bereich akut zu. Mahnungen dieser Art waren daher „niemals so dringend notwendig und gerechtfertigt wie zu der Zeit, da in Jerusalem griechische Sitten gefördert wurden" (*H. H. Rowley*, a.a.O. Anm. 47, S. 83). Die antihellenistische Tendenz zeigt sich auch am bewußten Festhalten der Traditionen der Väter (1. Hen. 99,14 vgl. 2. Hen. 52,9 f.) sowie an der Ablehnung hellenistischer Lebensweise und „kultureller" Errungenschaften (vgl. Jub. 15,33; 1. Hen. 7,1 f.; 8,1 f.; 98,2 vgl. 65,6 ff.; Test. Mos. 8,1 ff.).

7.4. Zusammenfassung

Die vorangehenden Erwägungen zu den Formen ethischer Belehrung sowie zu weiteren, der ethischen Belehrung zugeordneten Stoffen und Traditionen zeigen auf vielfältige Weise die ethische Ausrichtung der apokalyptischen Theologie. Insofern die Apokalyptik als Versuch einer Weltdeutung und Existenzerhellung angesichts einer negativ erfahrenen Gegenwart zu verstehen ist, kommt den Aussagen zur Ethik, als einer wichtigen Komponente der apokalyptischen Theologie, eine entscheidende Bedeutung zu. Obwohl die Apokalyptiker keine neuen Formen der Paränese bzw. ethischen Belehrung schaffen, erweist die Zuordnung und Modifikation überkommener Formen und Traditionen zur Entfaltung einer eschatologisch motivierten Ethik ihre Originalität und die enge Verbindung von Eschatologie und Ethik. Diesem Anliegen dienen die Paränesen mit ihren Mahnungen und Warnungen. Zum Verständnis der Ethik tragen aber auch die anderen vielschichtigen Traditionen und Stoffe in den Apokalypsen bei, die z. T. auch in verschlüsselter, indirekter Form, z. B. in der Rede eines (fiktiven) Deuteengels an einen (fiktiven) Offenbarungsempfänger, wesentliche Aussagen darüber enthalten, was als ethisch normativ, also als erstrebenswert gilt oder abzulehnen ist. Die Zuordnung von Aussagen zur Ethik und von Aussagen zur Eschatologie beschränkt sich nicht auf die an ihrer grammatikalischen oder formalen Struktur erkennbaren paränetischen Texte, sondern ist insgesamt für die Apokalypsen charakteristisch.

Diese Zuordnung von ethischer und eschatologischer Belehrung in der Apokalyptik bedeutet nicht lediglich eine Komplettierung der ethischen Belehrung durch eine eschatologische Motivierung oder ein Anhängsel der Eschatologie. Ethik und Eschatologie bedingen einander mit Notwendigkeit. In dieser Interdependenz von Ethik und Eschatologie liegt ein wesentliches Spezifikum der apokalyptischen Theologie.

Die Eschatologie als Ausdruck der erwarteten künftigen Heilssetzung Gottes legt für den Apokalyptiker den Ausweg aus seiner bedrängend erfahrenen Gegenwart frei. Diese Heilssetzung Gottes ermutigt aber nur dann den Menschen zur Hoffnung, wenn zugleich die Frage der Heilsaneignung beantwortet wird (vgl. 4. Esra 7,117 ff.). Diese Antwort gibt die Ethik. Die Heilssetzung ist sozusagen die von Gott her gegebene Antwort auf die Fragen des Daseins, also die i. e. S. theologische Seite, während die Ethik die auf den Menschen bezogene Antwort dieser Fragen gibt, also die anthropologische Seite umfaßt. Das bloße Wissen um das eschatologische Heil reicht nicht aus, solange nicht aufgezeigt werden kann, wie dieses Heil für den Menschen erreichbar ist. Angesichts der negativen Gegenwartserfahrung der Apokalyptiker wäre die ethische Mahnung allein nicht wirksam, solange die eschatologische Relevanz dieses Tuns nicht ausgesagt wird. Ethik und Eschatologie bedingen einander, so daß man die apokalyptische Theologie weder auf ein ethisches noch auf ein eschatologisches Substrat reduzieren kann. Die Eschatologie macht die Ethik entgegen dém pessimistischen Gegenwartsverständnis erst möglich, indem sie dieses relativiert und die Gegenwart als eine Zeit der Vorbereitung für das eschatologische Heil zu verstehen lehrt. Andererseits überbrückt die Ethik die den Menschen noch bedrängende Diskontinuität zwischen diesem und dem kommenden Äon, die in Gottes Handeln ohnehin aufgehoben ist, insofern vermittels der Ethik ein *dem Menschen* gangbarer Weg von diesem zum kommenden Äon aufgezeigt wird. Angesichts dieser starken Ausrichtung der Ethik auf die eschatologischen Heilsgüter ist bemerkenswert, daß dem Messias bzw. Menschensohn keine besondere Bedeutung hinsichtlich der ethischen Belehrung zukommt. Diese Heilsgestalt verkündet nicht ein neues Gesetz, sondern weist die Sünder zurecht und bringt den Gerechten in vorläufiger oder endgültiger Weise Schutz und Heil.

Obschon bei den Einzelanalysen deutlich wurde, daß die Ethik in der Apokalyptik stärker deskriptiv als präskriptiv ausgesagt wird und das Proprium vor allem auf der Motivierungsebene zu suchen ist, muß zugleich der Bezug der Ethik in der

Apokalyptik zu konkreten Geboten unterstrichen werden. Konkrete Inhalte sind dabei nicht nur den paränetischen Stücken selbst, sondern auch den der ethischen Belehrung zugeordneten Formen und Traditionen zu entnehmen, da z. B. in den Schilderungen einer Himmelsreise ethische Normen dezidiert vor Augen geführt werden. Beschränkt man sich also nicht auf die paränetischen Abschnitte, sondern berücksichtigt auch die Vielfalt dessen, womit Aussagen zum Verständnis der Ethik gemacht werden, so ist der Behauptung zu widersprechen, daß es in der Apokalyptik nur ein allgemeines Gesetzesverständnis und keine konkrete Ethik gebe. Die Angaben zur materialen Ethik (vgl. o. § 7.3) verdeutlichen, daß es in der Apokalyptik durchaus konkrete Einzelgebote sowie die Vermittlung von Normen zu konkretem Tun gibt, die als Entfaltung des Gesetzes anzusehen sind.[157] Das, was in den apokalyptischen Schriften zur überlieferten Mosetora neu hinzukommt, ist vor allem die eschatologische Motivierung der Ethik. Der Hauptakzent der ethischen Belehrung liegt also nicht auf der Tatebene, sondern auf der eschatologischen Motivierung.

Die Einzelanalysen zeigten, daß die Eschatologie bzw. die eschatologische Begründung der Ethik keine neuen Handlungsmodelle aus sich heraussetzt. Die Gebote in ihrer konkreten Ausgestaltung werden nicht vom Charakter bzw. der inhaltlichen Umschreibung der kommenden Heilszeit abgeleitet. Die Eschatologie gibt zum ethischen Tun die Kraft, sie nennt die „Einlaßbedingungen" für den Zugang zum eschatologischen Heil. Sie prägt aber nicht in der Weise die Ethik, daß sich durch ethisches Tun in diesem Äon die eschatologische Hoffnung (auf welche Weise auch immer) antizipatorisch verwirklichen ließe. Im Vergleich mit dem Verständnis der Ethik in anderen Gruppierungen des Frühjudentums ist die Ausprägung der Angaben zur konkreten Ethik nicht derart charakteristisch, daß man von einer spezifisch apokalyptischen Endzeitsethik sprechen könnte.[158] Das Postulat, daß das Judentum keine „Orthodoxie", sondern eine „Orthopraxie" kenne, trifft auch für die apokalyptische Bewegung nicht zu, da z. B. aktivistische und quietistische Aussagen über die Teilnahme der Gerechten am Endkampf, kultkritische und kult-

---

[157] Vgl. *A. Nissen*, a.a.O. (Anm. 3), S. 263: „Allein die Möglichkeit, am Maßstab der Toravorschriften auch Einzeltaten als gut oder böse zu bestimmen, eröffnete den Apokalyptikern den Bereich der Ethik." Vgl. *H. Thyen*, Studien zur Sündenvergebung im Neuen Testament und seinen alttestamentlichen und jüdischen Voraussetzungen (FRLANT 96), Göttingen 1970, S. 55 mit dem Hinweis, daß „das totum pro parte steht, wie umgekehrt gilt: pars pro toto. Denn wie soll das ‚Bewahren des Gesetzes', an dem sich die Gerechtigkeit des Frommen erweist, anders realisiert werden als durch Erfüllung der konkreten Einzelgebote?" Da sich die Mosetora und die apokalyptischen Sonderüberlieferungen komplementär zueinander verhalten (vgl. bes. 4. Esra 14; dazu s. *D. S. Russell*, a.a.O., S. 85 ff.), sind offensichtlich jeweils die Tora *und* die Sonderüberlieferungen gemeint, wenn vom „Gesetz" die Rede ist.

[158] Vgl. *R. T. Herford*, a.a.O. (Anm. 3), S. 294: „Even the Apocalyptic writings, so far as their teaching is ethical at all, are, on whole, in accord with the general teaching of the time." Das wichtigste Unterscheidende sind nicht vom übrigen Judentum differierende Bestimmungen wie z. B. die Opfervorschriften bzw. Kalenderordnung im Jub. und 1. Hen., sondern: „It is not merely the ethical teaching but the associated matter which gives its peculiar character to the literature in which it is found" (ebd., S. 2).

freundliche, herrschaftsfeindliche und herrschaftsfreundliche Anschauungen nebeneinander begegnen können. In der eschatologischen Motivierung, nicht in der konkreten Ethik selbst, liegt die hauptsächlichste Unterscheidung der Apokalyptiker von den übrigen Gruppierungen im Judentum.

Das Gesetzesverständnis ist in allen herangezogenen Schriften der Apokalyptik bestimmend, obwohl sich eine jeweils andere Akzentuierung feststellen läßt. 1. Hen. entwickelt sein Gesetzesverständnis vorab im Zusammenhang der kosmischen Ordnung. Jub. legt den Akzent auf die Erwählung durch das Gesetz im Unterschied zu den Heiden, während Test. Mos. das Gesetz vor allem als geschichtliche Größe begreift, weil sich an der Stellung zum Gesetz die Frage von Heil oder Unheil entscheidet. 4. Esra und besonders 2. Bar. sehen das Gesetz vor allem als forensische Größe, da es den Maßstab des Endgerichts abgibt. Als die Grundfrage jüdischer Religiosität hat die Frage nach dem Gesetz zu gelten, die das Problem der authentischen Interpretation und deren Legitimation umfaßt. Daher sind die verschiedenen jüdischen Gruppen gezwungen, ihr jeweiliges spezifisches Gesetzesverständnis zu legitimieren. In der Apokalyptik geschieht dies in unverwechselbarer Weise, indem die apokalyptische Gesetzesinterpretation als Offenbarung ausgegeben wird und folglich qua Offenbarung im Gegensatz zu anderen Gesetzesinterpretationen legitimiert ist. Der Apokalyptiker versteht das Gesetz nicht nur als eine Anweisung zum Handeln, sondern diese Anweisung ist ein Bestandteil der umfassenderen Offenbarung, die dem Menschen seine Stelle im Weltganzen aufzeigt und den Plan Gottes enthüllt.[159] Es ist wesentlich, daß in den apokalyptischen Kreisen die Gesetzesinterpretation als Offenbarung angesehen wird, weil damit die Einheit der Gesetzesoffenbarung und der übrigen Offenbarungen festgehalten wird, die Aussagen zur Eschatologie, zur Kosmologie, zur Geschichte, zum Verständnis Gottes und zur Erwählung des Volkes mitteilen. Offenbarungen zur Ethik und zur Eschatologie haben den gleichen Ursprung. Dabei wird zudem deutlich, daß Ethik und Eschatologie sowie beide Größen in ihrer Beziehung zueinander nur Teilbereiche der apokalyptischen Theologie insgesamt sind, denen allerdings – wie oben dargelegt – eine besondere Bedeutung zukommt.

Die Interdependenz von göttlicher Heilssetzung (Eschatologie) und menschlicher Heilsaneignung (Ethik) spiegelt sich im Gesetzesverständnis wider, denn das Gesetz enthüllt einerseits die Gesamtheit der alles umfassenden und bestimmenden göttlichen Ordnungen sowie andererseits den Maßstab für das Handeln des Menschen. Das Gesetz ist unabdingbar für die Teilhabe am eschatologischen Heil, während die Eschatologie die tatsächliche Heilswirksamkeit und Heilsbedeutung des Gesetzes vor Augen stellt. Daher können die Apokalypsen auch angesichts einer pessimistischen Gegenwartserfahrung zu unbedingtem Gesetzesgehorsam aufrufen und aus dieser Hoffnung zum Handeln ermuntern.

Wie die enge Verbindung von Ethik und Eschatologie tritt nun auch die enge Ver-

---

[159] „In der Tora waren die Regeln für die Beziehung zwischen Gott und Israel kodifiziert, in der Apokalyptik aber liegt eine Gesamtdarstellung des Planes vor, den Gott mit der Menschheit hat" (F. Dexinger, a.a.O. [Anm. 36], S. 44).

bindung von Gesetz und Eschatologie vor Augen, weil eins das andere nicht aufhebt, sondern beide Größen einander bedingen. Daher ist der These von der Unvereinbarkeit von Gesetz und Eschatologie, die zur These von der Unvereinbarkeit von Ethik und Eschatologie führt, deutlich zu widersprechen. Es ist den Texten nicht zu entnehmen, „daß das Gesetz stetig von der Eschatologie her bedroht ist"[160]. Statt dessen setzt die Eschatologie die Ethik und damit das Gesetz ins Recht, so daß auf diese Weise eine tatsächlich tragfähige Brücke von diesem zum kommenden Äon gebaut wird. Dabei geht es für die letzte Zeit vor dem Ende nicht um unmittelbare und absolute Ethik, um ein spontanes Handeln, sondern um das eigenverantwortliche Tun des von Gott geoffenbarten Gesetzes trotz negativer Gegenwartserfahrung.

Die Ethik in der Apokalyptik ist ganz auf die kommende Wende ausgerichtet, da das Heil innergeschichtlich nicht zu realisieren ist. Die eschatologische Ausrichtung macht einerseits das ethische Verhalten möglich, läßt es als „lohnend" erscheinen und motiviert zum Bewahren des Gesetzes. Andererseits schränkt die eschatologische Ausrichtung die Möglichkeiten und die Wirksamkeit ethischen Handelns ein, da im Blick auf die eschatologische Wende an dieser sich ständig verschlechternden Welt nichts Verbesserliches ist. Die eschatologisch motivierte Ethik gilt als Vorbereitung und Qualifizierung für das streng eschatologisch, jenseits der menschlichen Möglichkeiten gedachte Heil. Das Gesetz selbst ist nicht das Heil, sondern führt zum Heil hin. Es fehlt der Versuch, das Heil wenigstens zeichenhaft, antizipatorisch in dieser Welt zu verwirklichen. Es wird nicht reflektiert, daß (wie etwa nach pharisäisch-rabbinischer Anschauung) das Befolgen des Gesetzes welterhaltende, weltstabilisierende, ja weltbessernde Auswirkungen haben kann. Der mit der eschatologischen Hoffnung verbundene Geschichtspessimismus bewirkt ein derart gebrochenes Verhältnis zu dieser Welt, daß von einem Weltbezug oder einer Weltzugewandtheit der Ethik in den Apokalypsen nicht gesprochen werden kann, denn die Ethik ist voll und ganz auf die kommende Welt bezogen und dieser zugewandt. Mit diesen offenkundigen Grenzen der ethischen Anschauungen in den Apokalypsen geht eine soteriologische Verengung der Ethik einher: Auf Grund der Ethik wird über das Heil des einzelnen bzw. des Volkes, nicht aber über das Heil dieser Welt entschieden. Die Betonung des Gerichts beim eschatologischen Geschehen zeigt den hohen Stellenwert, der dem Gedanken einer künftigen Vergeltung zukommt.

Der Vergeltungsgedanke ist häufig im pejorativen Sinne interpretiert worden als Zeichen für die gebrochene sittliche Kraft des Judentums.[161] Es ist aber festzuhal-

---

[160] *A. Schweitzer*, a.a.O. (Anm. 6), S. 186; vgl. o. bei Anm. 6. Daß für das Eschaton keine Angaben über das Gesetz gemacht werden (vgl. aber Jub. 23,26 sowie die Vorstellung vom Aufhören von Sünde und Gesetzlosigkeit), kann nicht e silentio das Aufhören der Gültigkeit des Gesetzes im Eschaton erweisen. Hingegen ist das Wissen des Gesetzes und seine Offenbarung an die Gerechten ein Merkmal der Endzeit, vgl. 1. Hen. 93,10; Jub. 23,26 u. ö.

[161] Vgl. *P. Volz*, a.a.O (Anm. 61), S. 124: „Das Mangelhafte ... ist, daß die jüdische Ethik von der eschatologischen bzw. jenseitigen Vergeltung, nicht von der Eschatologie selbst beherrscht wird; der fromme Mensch des Judentums bemüht sich, das Gute zu tun, um dereinst selig zu werden, aber er

ten, daß trotz des Vergeltungsgedankens eine starre Do-ut-des-Mentalität durch die Betonung der Souveränität und der barmherzigen Langmut Gottes durchbrochen wird. Die genannte soteriologische Verengung der Ethik hängt auch damit zusammen, daß die Sünde und das Heil zwei einander ausschließende Gegensätze darstellen, die auf das Zwei-Äonen-Schema bezogen sind: Auch der in Sündlosigkeit lebende Gerechte kann in dieser Welt das Heil nicht erlangen, sondern hofft auf die eschatologische Vergeltung, die ja nicht nur Strafe, sondern auch die Belohnung für das Tun des Guten in dieser Welt (!) zum Inhalt hat. Gleichwohl liegt in der Anschauung von der gänzlichen Unverbesserlichkeit dieser Welt eine Grenze, die der Apokalyptiker nicht zu überschreiten vermag. Er befindet sich in einem Dilemma: Einerseits bemüht er ein ganzes Arsenal kosmischer und geschichtlicher Erscheinungen, um im Blick auf die Eschatologie zum Tun des Gesetzes zu motivieren, das auch hinsichtlich seiner sozialen Konsequenzen entfaltet wird. Die positiven Auswirkungen dieses Tuns vermag er andererseits nicht mehr in dieser Welt, sondern nur mehr in der kommenden zu erblicken. Er sieht keine Möglichkeit, zum Bestehen und zum Bau dieser Welt beizutragen, weil sie ganz von der Vergänglichkeit und Vorläufigkeit gezeichnet ist. Es wird reflektiert über das Gelten-Sollende für das Leben in dieser Welt, aber nicht im Blick auf diese Welt, sondern im Blick auf die kommende Welt. Die apokalyptische Theologie macht Hoffnung zum Handeln in der Welt. Hoffnung zum Handeln für die Welt vermag sie nicht zu gewähren. Die Hoffnung wird einzig aus der Zukünftigkeit genährt. So ruft die Apokalyptik auf zu einem Handeln aus Hoffnung auf Zukünftiges, nicht zu einem Handeln aus Hoffnung für Gegenwärtiges.

Wenn in diesem Zusammenhang vom Geschichtspessimismus der Apokalyptik die Rede ist, muß zugleich die oben genannte Interdependenz von Ethik und Eschatologie zur Sprache kommen, die einem anthropologischen Pessimismus und einem ethischen Defaitismus wehrt. Das Bonum der Geschichte liegt nämlich auch darin, daß sie Raum und Zeit für die ethische Bewährung gewährt. Der Mensch wird in seiner Geschichtsbezogenheit und Eigenverantwortlichkeit ernst genommen. Ihn trifft in seiner konkreten, nicht enthusiastisch negierbaren Existenz der geoffenbarte Gotteswille, der ihn befähigt, auch in einer notvollen Gegenwart das Gesetz Gottes nun tatsächlich zu befolgen. Hierin liegt die besondere Leistung der theologischen Konzeption der Apokalyptiker. Wir sahen andererseits, daß die Ethik der Gegenwart nicht bereits den Stempel kommenden Heils aufzuprägen vermag. Es wird nicht erwogen, ob das Tun des Gesetzes zeichenhaft Heil verwirklichen oder weltverändernde Kraft haben kann.

In dieser Doppelheit liegt die Größe und Grenze einer durch ihre Vielgestaltigkeit und Gedankentiefe imponierenden theologischen Konzeption, zu deren Fundament die enge Verknüpfung von Ethik und Eschatologie gehört.

---

hat es noch nicht gelernt, sich dranzugeben, damit die großen eschatologischen Ideen in der Welt ihre Verwirklichung finden." Zum ff. vgl. Test. Mos. 9,4 ff.; 12,7 ff.; ferner 4. Esra 8,33 ff.; 37 ff.; 2. Bar. 48,18; 75,6; 84,11; Test. Abr. 12,12 f. Auch die Apokalyptik hält an der für das Judentum typischen, von Gerechtigkeit und Gnade geprägten Gottesanschauung fest, vgl. dazu *G. F. Moore*, a.a.O. (Anm. 68), Bd. I, S. 386 ff.; *E. Sjöberg*, a.a.O. (Anm. 63), S. 148 ff.

7.5. Exkurs: Apokalyptik und Gruppenbildung im Frühjudentum

Wer sich mit der Geschichte des Frühjudentums beschäftigt, wird bald die geschichtliche Bedeutung der verschiedenen, von teils unterschiedlichen religiösen oder politischen Zielsetzungen geleiteten Gruppierungen im Frühjudentum erkennen. Zeloten und Sikarier, die Essener und die Qumrangemeinschaft, die Sadduzäer, der Pharisäismus bzw. der Rabbinismus als „der aus einer Gruppenexistenz in die Gesamtverantwortung für das Judentum hineingezogene Pharisäismus" (*C. Thoma*, Der Pharisäismus, in: Literatur und Religion des Frühjudentums, hrsg. v. *J. Maier* und *J. Schreiner*, Würzburg 1973, S. 254–272, S. 271) sind aus eigenen literarischen Zeugnissen bzw. aus Zeugnissen anderer (z. B. Flavius Josephus, Philo) in ihrer jeweiligen Eigenheit annähernd beschreibbar. Schwieriger ist es hinsichtlich derjenigen Gruppierungen, in denen Apokalypsen entstanden bzw. tradiert wurden, da nur schwer zu erhellen ist, wie die sog. „Apokalyptikergruppen" bzw. „apokalyptischen Kreise" näher zu charakterisieren sind; es ist bestritten worden, die Apokalyptik „als eine bestimmte ‚Bewegung' anzusprechen und diese dann sogar einer grundsätzlich anderen Geisteshaltung des gesetzlichen Judentums entgegenzusetzen" (*I. Willi-Plein*, a.a.O. [Anm. 145], S. 80). Im folgenden soll daher versucht werden, anhand einiger Ergebnisse der bisherigen Erörterungen in einem knappen Vergleich das Besondere der Apokalyptikergruppen deutlicher hervortreten zu lassen. Das in einzelne Gruppierungen polarisierte jüdische Volk reagierte auf je verschiedene Weise auf die Herausforderung durch den Hellenismus. Die hierbei in den Blick tretenden Unterschiede machen eine sorgfältige Unterscheidung der Apokalyptikergruppen von den übrigen bekannten Gruppen des Frühjudentums notwendig.

Bislang ist vor allem die Frage umstritten, ob die Apokalyptik aus der Weisheit oder aus der Prophetie abzuleiten sei. Bei Erwägungen zu einzelnen Formen (z. B. Mahnrede, Mahnspruch) oder zu bestimmten Traditionen und Vorstellungen (z. B. Dualismus, Determinismus) in den Apokalypsen kam immer wieder die Weisheit in den Blick. Der gravierendste Unterschied zwischen Weisheit und Apokalyptik zeigt sich im Geschichtsverständnis. Für die Weisheit ist ein punktuelles Geschichtsverständnis typisch, indem sie die Geschichte auf eine punktuelle Aneinanderreihung von Musterbeispielen in der Geschichte zu weisheitlicher bzw. ethischer Belehrung reduziert (vgl. bes. Sir. 44–60). Das lineare Geschichtsverständnis der Apokalyptik, das große Geschichtsräume deutet, kann nicht als eine konsequente Weiterentwicklung weisheitlicher Gedanken begriffen werden, da die eschatologischen Fragen in der Apokalyptik „nicht als ein Teilbereich universalen Wissens, sondern als eine das gesamte apokalyptische Daseinsverständnis fundamental bestimmende Problematik" (*W. Schmithals*, a.a.O. [Anm. 5], S. 97) erscheinen. Daher sind die weisheitlichen Elemente „nicht als Basis, sondern als Einschlag zu werten" (*Ph. Vielhauer*, a.a.O [Anm. 1], S. 420). Die Apokalyptik fällt somit in den Bereich der Nachgeschichte und Wirkungsgeschichte der atl. Prophetie. So knüpft z. B. die Apokalyptik an unerfüllte Prophetien an (Jer. 25,12; 29,10 vgl. Dan. 9,2; 1. Hen. 85–90; vgl. auch die Einwirkung von Ez. 1,1 auf 4. Esra 3,1 ff.

bzw. von Ez. 40,1 auf 2. Bar. 1,1). Die Apokalyptik präsentiert sich als ein Phänomen sui generis „in äußerlicher Anknüpfung an prophetische und innerer Rezep-
tion weisheitlicher Traditionen" (*H. Thyen*, a.a.O. [Anm. 157], S. 53; zur Kritik an
G. v. Rad, Weisheit in Israel, Neukirchen 1970, vgl. bes. S. 358 zur organischen
Entwicklung von der Weisheit zur Apokalyptik, bzw. *ders.*, Theologie des Alten
Testaments, a.a.O. [Anm. 151], Bd. II, S. 328, vgl. *P. v. d. Osten-Sacken*, Die Apokalyptik in ihrem Verhältnis zu Prophetie und Weisheit, ThExh 157, München
1969).

Die *Sadduzäer* als Mitglieder der Oberschicht wollten die Institution der jüdischen
Theokratie beibehalten. Ihre Gesetzesinterpretation besteht darin, „auf den schriftlich fixierten Text der Thora allein zu achten und jede Deutelei an der also fest-
stehenden Überlieferung abzulehnen" (*A. Schalit*, König Herodes, Studia Judaica 4,
Berlin 1969, S. 520 f.). Vermutlich lehnten sie die Angelologie grundsätzlich
ab (vgl. Act. 23,8) und standen eschatologischen Vorstellungen skeptisch gegen-
über (vgl. u. a. *G. Baumbach*, Der sadduzäische Konservativismus, in: *J. Maier* u.
J. Schreiner [Hrsg.], Literatur und Religion des Frühjudentums, a.a.O., S. 201–213,
bes. S. 212 f., Anm. 65). Die unapokalyptische Einstellung bewirkte wohl auch den
Untergang der Sadduzäer mit dem Jahre 70 n. Chr. (vgl. *K. Schubert*, Die jüdischen
Religionsparteien in neutestamentlicher Zeit, SBS 43, Stuttgart 1970, S. 48 f.). Die
Apokalyptiker unterscheiden sich von ihnen durch die Eschatologie, die Angelologie sowie durch das Offenbarungsverständnis. Die hellenismusfreundliche Haltung der Sadduzäer, die mit der Ausübung von Macht gepaart ist, wird zum An-
griffspunkt de Polemik (vgl. Test. Mos. 7,3–8).

Die *Pharisäer* unterscheiden sich von den Apokalyptikern sowohl durch die Gesetzesinterpretation, nämlich durch einen Zaun um die Tora „als eine Art Vorfeld das
biblische Gebot abzuschirmen" (*C. Thoma*, a.a.O., S. 266) und somit den mannig-
fachen und veränderten Lebenslagen anzupassen, als auch durch die damit verbundene Organisationsform in den Chaburot, die der Praktizierung dieses Gesetzesverständnisses dienen soll. Für die Apokalyptiker trat die Frage der Praktikabilität des
Gesetzes hinter der Einschärfung der Dringlichkeit des Gehorsams im Blick auf
das Eschaton zurück (zu Unterschieden zu den Pharisäern bes. in der Sabbatheiligung sowie beim Verfahren bei Mordangelegenheiten im Jub. vgl. *L. Finkelstein*,
a.a.O. [Anm. 73], S. 530 f.; *A. Büchler*, a.a.O. [Anm. 45], S. 253; *R. T. Herford*,
a.a.O. [Anm. 3], S. 224 f.). Unterschiede zeigen sich auch im Traditionsverständnis, da in der Apokalyptik eine neue Gesetzesinterpretation an eine neue Offenbarung an einen (fiktiven) Offenbarungsempfänger gebunden ist, während im Pharisäismus die Interpretation des Gesetzes von lebenden Zeitgenossen gegeben werden kann. So werden die einzelnen Bestimmungen festgelegt durch die Herleitung
von Mose, Mehrheitsbeschluß der Rabbinen und Gewohnheitsrecht sind das Resultat schriftgelehrter, an den Schriften noch ablesbarer Diskussionen (vgl.
o. S.62 bes. bei Anm. 78). Die apokalyptischen Sonderüberlieferungen verstehen
sich hingegen durchweg als besondere Offenbarungen an einen Offenbarungsempfänger. Ferner waren die Pharisäer zeitweise um eine dezidiert herrschaftsfreundliche Haltung bemüht (bes. 76–67 v. Chr. sowie nach 70 n. Chr.), die sich in dieser

Weise für die Apokalyptiker nicht nachweisen läßt. Schließlich ist die antipharisäische Polemik in Test. Mos. 7,9 bzw. 5,5 (dazu *E. Stauffer*, a.a.O. [Anm. 91], S. 141; *E. M. Laperrousaz*, a.a.O. [Anm. 82], S. 114) zu nennen, die nicht als eine innerpharisäische Opposition gegen die Politisierung der ursprünglichen pharisäischen Bewegung mit einer Verherrlichung des Ideals der Chassidim der früheren makkabäischen Epoche anzusehen ist (gegen z. B. *Charles* AP II, S. 405.411, der dieser These wegen Test. Mos. 5,5 emendieren muß).

Der 4. Esra und 2. Bar. gelten als ein Zeugnis dafür, daß sich der Übergang der Apokalyptik in den Rabbinismus vollzieht, aber noch nicht vollzogen ist; sie stehen am „Grenzübergang der Apokalyptik in den Pharisäismus" (*K. Schubert*, Bibel und zeitgemäßer Glaube, Bd. I, S. 281, Klosterneuburg 1965; erst ab der Mitte des 2. Jh. n. Chr. ist eine ausgeprägte rabbinische Apokalyptik nachweisbar, vgl. ebd., S. 281 ff.). Gleichwohl können 4. Esra und 2. Bar. nicht als pharisäische Schriften angesehen werden. Beide Schriften stehen vor der Aufgabe, die Tempelzerstörung in die apokalyptische Endzeithoffnung zu integrieren. 4. Esra tut dies z. B. mit dem Motiv des Neuen Tempels bzw. des Neuen Jerusalems. Die rabbinische Theologie bewältigt dieses Ereignis nicht vermittels apokalyptischer Hoffnungen, sondern mit dem Ausweichen auf die Ethik (vgl. die Haggada über R. Jochanan ben Zakkai, der einen über die Tempelzerstörung trauernden Schüler belehrt: „Mein Sohn, brich deshalb nicht zusammen! Wir haben ja eine andere Sühnemöglichkeit, die dieser [sc. im Tempel] gleich ist: die Übung von Liebeswerken!", vgl. ARN 4, dazu *C. Thoma*, a.a.O., S. 272). Die Apokalyptiker hingegen ließen „im Gegensatz zum Rabbinismus keinen religiösen Hoffnungsweg außerhalb der unmittelbaren Naherwartung offen" (*ders.*, Jüdische Apokalyptik, a.a.O. [Anm. 99], S. 144). Im 4. Esra ist ferner zu erwähnen das Motiv vom verbrannten Gesetz (*lex incensa*, 4,23 vgl. 14,21), das die Niederschrift der 94 Bücher (vgl. 14,44) begründet: Weil das Gesetz nach dem Fall Jerusalems vernichtet ist, machen sich neue Offenbarungen bzw. deren Niederschrift notwendig. Ein solcher Gedanke liegt der sich nach 70 n. Ch. profilierenden rabbinischen Theologie fern, weil der Besitz der Tora über den Verlust des Tempels und das Aufhören der Opfer hinweghilft (vgl. u. a. Abot 6,6; Pea 1,1; vgl. mit weiteren Belegen *C. Thoma*, Auswirkungen des jüdischen Krieges, a.a.O. [Anm. 106], S. 199 ff. bzw. 41 ff.).

Ein entscheidender Differenzpunkt zwischen Pharisäismus und Apokalyptik wird vor allem in der Zurückweisung einer akut-eschatologischen Naherwartung durch die Pharisäer erblickt (z. B. *F. Dexinger*, Ein „messianisches Szenarium" als Gemeingut des Judentums in nachherodianischer Zeit?, Kairos 17, 1975, S. 249–278, S. 266.273 f.). *K. Schubert* sieht die Skepsis gegenüber einer ungebrochenen Naherwartung als Charakteristikum des Pharisäismus vor 70 n. Chr. an, der „aus Opposition gegen die in den asidäischen Apokalyptikerkreisen weiterhin ungebrochene apokalyptische Naherwartung" entstanden sei (Die jüdischen Religionsparteien, a.a.O., S. 23 bzw. 21 f.; nach *F. Dexinger*, a.a.O., S. 273, Anm. 107, dürfen die Pharisäer nicht zu den apokalyptischen Gruppen der nachherodianischen Zeit gezählt werden; für die Zeit um 100 n. Chr. vgl. *C. Thoma*, a.a.O., S. 30 ff. 186 ff.). Obschon der erste pharisäische akut-messianische Ausspruch erst um das Jahr 80 n. Chr. zu datieren ist (bBer 28b), kann man e silentio apokalyp-tisch-eschatologische Gedanken im Pharisäismus nicht von vornherein abweisen. Einige Ereignisse unter Herodes I., um das Jahr 6 bzw. 38/39 n. Chr., sowie die Aufstände in den Jahren nach 66 bzw. 132 n. Chr. deuten auf ein „teilweises Ver-fechten oder Tolerieren der Naherwartung im Pharisäismus" (*C. Thoma*, Pharisäis-mus, a.a.O., S. 269; vgl. Jos. Ant. 17,269 f.; 18,271; Jos. Bell. 1,648 ff.; 2,411 ff.; *K. Schubert*, Bibel und zeitgemäßer Glaube, a.a.O., S. 281, warnt, „aus Histörchen bei Josephus Flavius auf einen akut-messianischen Trend im Rahmen des Pharisäis-mus zu schließen"). Gemeinsamkeiten in der Eschatologie von Pharisäismus und Apokalyptik erklären sich wohl vor allem daraus, daß beide Bewegungen aus der gleichen Quelle, der asidäischen Sammelbewegung, stammen.

Vor allem aber Unterschiede im Weltverständnis verwehren, die Apokalypsen aus pharisäischem Milieu zu erklären. Trotz des Wissens um die Begrenztheit dieses Äons, um eschatologische Hoffnungen, zeichnet sich das pharisäisch-rabbinische Gegenwartsverständnis durch eine größere Diesseitszugewandtheit und eine opti-mistischere Bewertung der Gegenwart aus.

Die Tora dient der Verbesserung des Lebens bereits in dieser Welt (dies reflektie-ren die Apokalyptiker nicht), sie trägt schon in dieser Welt ihren Lohn und ist nicht eine (vgl. bes. 2. Bar.) streng auf das Eschaton bezogene Größe. Nach Pea 1,1 gehört das Torastudium zu den Tätigkeiten, die den vorläufigen Lohn (Zinsen) in dieser Welt, den Hauptlohn (Kapital) in der kommenden Welt einbrin-gen, vgl. R. Meir (um 150) nach Abot 6,1: „Wer sich mit der Tora beschäftigt um ihrer selbst willen, der erlangt viele Dinge, und nicht bloß dies, sondern die ganze Welt ist für ihn da"; vgl. Abot 6,7: „Groß ist die Tora, denn sie verleiht ihrem Täter Leben in dieser Welt und in der zukünftigen Welt." Die Worte der Tora sind Leben bzw. Licht für die Welt, vgl. DtR 7 (204a) bzw. SifrDt 32,3 § 306 (131b): „Wie der Regen Leben für die Welt ist, so sind auch die Worte der Tora Leben für die Welt."

Heilsaussagen sind nicht wie in der Apokalyptik allein auf den kommenden Äon bezogen. Der Lohn liegt im Diesseits wie im Jenseits, während der Sünder in bei-den Welten Strafe erleidet: „Der Mensch genießt die Früchte in dieser Welt, der Stamm verbleibt ihm in jener Welt" (jPea 15a; bKidd 39a.b; ARN 40,1; vgl. den sek. Zusatz zu Abot 5,19: „[die Schüler Abrahams] essen in dieser Welt und er-erben die kommende Welt"; vgl. bBB 78b: „Wer seinen Trieb beherrscht, wird er-baut in dieser Welt und gefestigt in der kommenden Welt"; vgl. formelhafte Wen-dungen wie: „Wenn du so tust: ‚Heil dir und wohl dir!' ‚Heil dir' in dieser Welt und ‚wohl dir' in der kommenden Welt!", vgl. dazu *P. Volz*, a.a.O. [Anm. 61], S. 125). Die stärkere Weltzugewandtheit der rabbinischen Theologie zeigt auch TosSanh 11,8 (432): R. Schimon ben Jehuda im Namen des R. Schimon ben Jochai (um 150): „Schönheit, Kraft, Weisheit, Reichtum, Alter, Ehre und Kinder sind ein Schmuck für die Gerechten selbst und auch ein Schmuck für die Welt." Nach rabbinischen Anschauungen kann diese Welt bereits eine Vorabbildung künftigen Heils geben. Eine solche Aussage ist für einen Apokalyptiker undenkbar. Z. B. hat nach MekEx 31,13 (109b) der Sabbat an sich etwas von der Heiligkeit der zukünftigen Welt. Gemäß jBer 57b,24 stellt er ein Sechzigstel des künftigen Olam dar (vgl. *Bill.* Bd. IV, S. 839 f.). Diese positive Bewertung der Welt und ihrer Güter widerspricht dem apokalyptischen Welt- und Geschichtsverständnis und wehrt einer Identifikation der apokalyptischen und pharisäisch-rabbinischen Bewegung.

Die Gleichsetzung der Apokalyptiker mit den *Essenern* ist insofern problematisch, als z. B. einzelne Bestimmungen im Jub. dem von Josephus und Philo vermittelten Bild der essenischen Bewegung widersprechen. Es finden sich Ehebestimmungen, hingegen fehlen Hinweise auf den Zölibat, das zurückgezogene Leben, besondere Kleidung sowie rituelle Waschungen. Auch die Hochschätzung des Tempels sowie der Opfer (vgl. auch Test. Mos. 2,4.8.9; 3,2; 5,3 f.; 6,1) ist in essenischen Kreisen schwer denkbar. Für die typische Organisationsform der Essener bzw. der *Qumran-gemeinde* finden sich in den Apokalypsen keine Anzeichen (vgl. neben den Qumran-schriften z. B. Jos. Bell. 2,150). Die in Qumran gefundenen Fragmente des Jub. können die Entstehung dieser Schrift in Qumran nicht zwingend beweisen, zumal sich hinsichtlich der Messianologie sowie des Selbstverständnisses der durch die Qumranschriften bzw. Jub. repräsentierten Gruppen deutliche Unterschiede zeigen (vgl. u. a. *B. Noack*, a.a.O. [Anm. 48], S. 201 ff.; *W. Kirchschläger*, Exorzismus in Qumran?, Kairos 18, 1976, S. 135–153, bes. S. 137; zu 1. Hen. vgl. o. bei Anm. 10). Die Apokalyptiker haben sich nicht wie die Qumrangemeinde völlig ab-gesondert (in Test. Mos. 9,6 steht die Sezession noch aus). Obschon auch in den Apokalypsen priesterliche Traditionen begegnen (z. B. Kalendarisches, die Vorstel-lung vom Gottesthron als Offenbarungsort in 1. Hen. 14; 62; 71; 2. Hen. 21; Apk. Abr. 18 f.; Beschäftigung mit Chronologie, Astronomie, Beobachtung von Zeitperioden und Jahreseinteilungen), ist die priesterlich-kultische Ausrichtung in Qumran bedeutend stärker. So versteht sich die Qumrangemeinschaft selbst als das wahre Tempelheiligtum. In Entsprechung dazu geschieht Entsühnung durch die Gruppenexistenz der Gemeinde (vgl. 1 QS V,6; VII,6; 1 QSa I,3 u. ö.), durch Lob-preis und den rechten Wandel. Eine solche Umprägung der Opferterminologie fehlt in den Apokalypsen (vgl. *G. Klinzing*, Die Umdeutung des Kultus in der Qumrangemeinde und im Neuen Testament, StUNT 7, Göttingen 1971, bes. S. 93 ff.). Zudem vermag das Verständnis der Gemeinde als wahres Tempelheilig-tum der Gegenwart einen positiven Akzent zu verleihen, den der Apokalyptiker der Gegenwart nicht zugestehen kann (vgl. *J. Maier*, Zum Begriff *JḤD* in den Tex-ten von Qumran, ZAW 72, 1960, S. 148–166, S. 163, Anm. 82: „Der für den Apokalyptiker so negativ bestimmte Zeitraum ... muß nicht durch bloßes ange-strengtes Ausharren allein überstanden werden. Viel wirksamer erwiesen sich aber bestimmte priesterliche Traditionen, deren Aufnahme durch die Tempelsymbolik ermöglicht wurde").

Die *Zeloten* und die Apokalyptiker gleichzusetzen (zu 1. Hen. 93,3b ff.; 91,12 ff. vgl. *A. C. Welch*, A Zealot Pamphlete, The Expositor, Ser. 8, Vol. 25, 1923, bes. S. 281 f.), ist ebenfalls nicht möglich (vgl. bes. die unmilitante Eschatologie im Test. Mos.). Auch im 4. Esra und 2. Bar. widerrät die unmilitante Eschatologie, die Verfasser als Zeloten zu bezeichnen (anders *R. Kabisch*, a.a.O. [Anm. 94], S. 174 f.). Das Motiv vom Neuen Jerusalem bzw. vom Neuen Tempel soll die Verheißung der endzeitlichen Erneuerung verdeutlichen und dient nicht mehr zum Ausdruck der Anklage in den Auseinandersetzungen der religiös-politischen Gruppierungen (vgl. 4. Esra 7,26; 13,35 ff.). Es ist sehr wahrscheinlich, daß die Kreise, aus denen der 4. Esra und 2. Bar. stammen, abseits vom Kriegsgeschehen standen, so daß sie nach der Niederlage noch fähig waren, „ihre Situation zu deuten und geistig-religiöse Adaptierungsversuche zu unternehmen" (*C. Thoma*, a.a.O. [Anm. 106], S. 208).

Eine Gleichsetzung der Apokalyptiker mit diesen Gruppen ist nicht möglich. Daß auch in anderen Gruppierungen apokalyptisches Ideengut rezipiert wird (vgl. o. Anm. 155), erklärt sich aus der weiten Verbreitung apokalyptischer Anschauungen sowie aus der Tatsache, daß sich (abgesehen von den Sadduzäern) die verschiedenen Gruppierungen innerhalb des Frühjudentums aus dem inhomogenen Sammelbecken des antihellenistischen Judentums, den Asidäern, herauskristallisierten. 1. Hen. und Jub. sind zudem in einer Zeit entstanden, als dieser Prozeß noch im Gange war.

Vor allem die Weise, in der Ethik und Eschatologie aufeinander bezogen werden, unterscheidet die Apokalyptiker von anderen Gruppierungen. Es ist in dieser Hinsicht nur zu bedenken, welche Ausprägung und Bedeutung jeweils die Eschatologie hat und welche Bedeutung dementsprechend dem Tun des Menschen beigemessen werden kann oder muß. Zahlreiche charakteristische Erscheinungen, die allein für die Apokalyptik zutreffen, legen nahe, von einer apokalyptischen Bewegung zu sprechen, in der zahlreiche traditionsgeschichtliche Verbindungslinien aufweisbar sind. Zu erinnern ist an die Abhängigkeit des 2. Bar. vom 4. Esra, an die Beziehung von 4. Esra 13,6.36 zu Dan. 2,45, von 4. Esra 12,11 zu Dan. 7,7 f., von 2. Bar. 39,3 ff. zu Dan. 7,3 ff. Ferner kann man gewisse „Traditionskreise" konstatieren, so z. B. 1. Hen. und 2. Hen. (Henochtradition), Jub. und Test. Mos. (Mosetradition), Apk. Abr. und Jub. (Vätertradition). 2. Bar., 4. Esra und Dan. stehen über das Motiv des zerstörten Tempels in einem deutlichen Zusammenhang.

Es ist nicht sachgemäß, die Apokalyptikerkreise als periphere Erscheinung anderer Gruppierungen (etwa „Peripheres Essenertum" bzw. „Peripherer Pharisäismus") anzusehen (zum Problem vgl. bes. *D. Flusser*, Jesus, Hamburg 1968, S. 99 f.) oder den sog. „Stillen im Lande" zuzurechnen (vgl. *P. Oelkers*, Die Stillen im Lande, Diss.theol. –masch.–, Berlin 1940), da sonst die Originalität der Apokalyptikergruppen sowie deren Bedeutung für die Geschichte des Frühjudentums ohne Zweifel unterschätzt würde. Über ihre Beteiligung an den politischen Auseinandersetzungen wissen wir nichts, wohl aber nahmen sie mit ihren Schriften aktiv an den innerjüdischen Auseinandersetzungen teil. Sie lassen sich daher nicht den „Stillen im Lande" zuordnen oder als eine Randbewegung des Judentums (*D. S. Russell*, a.a.O. [Anm. 1], S. 23) bezeichnen. Das herkömmliche, stark von der Darstellung des Josephus geprägte Bild des Frühjudentums ist daher zu differenzieren, indem neben Sadduzäern, Pharisäern, Zeloten und Sikariern, Essenern und prophetischen Gestalten auch den Apokalyptikergruppen derjenige besondere Rang zugesprochen wird, der ihnen entsprechend ihrer Bedeutung für die Theologie und Geschichte des Frühjudentums zukommt.

8. Ausblick: Zum Verhältnis von Eschatologie und Ethik im Neuen Testament

Die folgenden Erwägungen sollen in exemplarischer Weise einige Aspekte ins Blickfeld rücken, die sich aus der Beschäftigung mit Ethik und Eschatologie in der Apokalyptik für die Auslegung des Neuen Testaments ergeben. Dem Charakter eines Ausblicks entsprechend können nur einige wenige Gesichtspunkte berücksichtigt werden, nicht die gesamte Vielschichtigkeit der Probleme, die angesichts der Übernahme apokalyptischer Traditionen im Neuen Testament aufbrechen. Es können auch nur ausgewählte Beispiele der neutestamentlichen Briefliteratur in größtmöglicher Kürze herangezogen werden. Dennoch dürfte es sinnvoll sein, einen solchen Ausblick anzufügen, da herkommend von einer Darstellung von Ethik und Eschatologie in den Apokalypsen und im Vergleich hierzu für einige Probleme der neutestamentlichen Exegese zusätzliche oder neue Gesichtspunkte gewonnen werden können. So liegt es nahe, die Frage „Ist die Apokalyptik die Mutter der Theologie?"[162] hinsichtlich des Verhältnisses von Ethik und Eschatologie in der Apokalyptik bzw. im Neuen Testament zu durchdenken. Auch die Problemstellung, die mit dem Stichwort „Frühkatholizismus im Neuen Testament" verbunden ist, insofern dieser als „die Katholisierung der Gestalt, Geschichte und Theologie des Paulus" sowie als die „Katholisierung des gesetzlich-apokalyptischen Judenchristentums"[163] verstanden wird, läßt sich im Blick auf das Verhältnis von Ethik und Eschatologie präzisieren. Ferner bedarf die weitverbreitete Anschauung, daß das Besondere der ntl. Theologie in der ethischen Applizierung apokalyptischer Traditionen liege, nach den obigen Darlegungen einer Korrektur. Die Beschäftigung mit der apokalyptischen Literatur, auch unter Eingrenzung des Gesichtskreises auf die Probleme von Ethik und Eschatologie, dürfte geeignet sein, einige exegetische Fragen schärfer zu fassen oder überzeugender zu beantworten. Diesem Anliegen wollen die folgenden Erwägungen dienen.

---

[162] Vgl. dazu *E. Käsemann*, Die Anfänge christlicher Theologie, in: Exegetische Versuche und Besinnungen, a.a.O., Bd. II, S. 82–104; *ders.*, Zum Thema der urchristlichen Apokalyptik, ebd., S. 105–131; vgl. *G. Ebeling*, Der Grund christlicher Theologie, ZThK 58 (1961), S. 227–244; *E. Fuchs*, Über die Aufgabe einer christlichen Theologie, ebd., S. 245–267; *R. Bultmann*, Ist die Apokalyptik die Mutter der christlichen Theologie?, in: Exegetica. Aufsätze zur Erforschung des Neuen Testaments, hrsg. v. *E. Dinkler*, Tübingen 1967, S. 476–482.

[163] *S. Schulz*, Die Mitte der Schrift, Stuttgart 1976, S. 86 bzw. 131 (Lit.!); insgesamt ablehnend *F. Hahn*, Das Problem des Frühkatholizismus, EvTh 38 (1978), S. 340–357.

8.1. Paulus

Wie das gesamte NT enthalten die paulinischen Briefe keine „Ethik" als ein logisch gegliedertes System, das sich sozusagen aus einem Kern entwickelt. Dieser „Systemlosigkeit" der ethischen Anschauungen bei Paulus entspricht die Mannigfaltigkeit der Motivierungen, mit deren Hilfe die ethischen Mahnungen eindringlich gemacht werden sollen. Zu nennen sind Stichworte wie Taufe, Geistbesitz, Leib Christi, Christologie usw. Diese Nebenordnung bzw. Vielzahl der Motivationen macht deutlich, daß die Eschatologie als ein Teilbereich des theologischen Verständnisses der Ethik bei Paulus anzusehen ist.

Mit dem Stichwort „Eschatologie" bricht die Frage nach Gegenwart und Zukunft in der paulinischen Eschatologie, nach dem Verhältnis von Kosmologie und Anthropologie auf. Damit gewinnt das „Reizthema der gegenwärtigen Paulusdeutung"[164], nämlich das Verhältnis der paulinischen Theologie zur Apokalyptik, die ihm eigene Schärfe. Obwohl sich gegenwärtig mehr und mehr die Erkenntnis durchsetzt, daß die Apokalyptik die paulinische Theologie entscheidend beeinflußt hat, gilt es, wichtige Gemeinsamkeiten und Differenzen in der Beziehung von Ethik und Eschatologie bei Paulus im Vergleich zur Apokalyptik möglichst präzise herauszuarbeiten. So macht die für die Apokalyptik charakteristische Interdependenz von Ethik und Eschatologie den häufig unternommenen Versuch, das Besondere der paulinischen Theologie in der ethischen Applikation apokalyptischer Traditionen zu sehen[165], äußerst fragwürdig. Aus diesem Grunde ist in der gebotenen thematischen Eingrenzung nicht allein das „Daß", sondern auch das „Wie" der Beziehungen von Ethik und Eschatologie bei Paulus genauer zu betrachten.

8.1.1. *Geschichte und Endgeschichte bei Paulus*

In der Apokalyptik ist als Ausdruck der temporalen Dualität eine deutliche Entgegensetzung von Geschichte und Endgeschichte, von heilferner Gegenwart und heilvoller Zukunft festzustellen. Eine derart schroffe Entgegensetzung ist Paulus fremd, da er in spezifischer Weise die präsentische und futurische Eschatologie miteinander verschränkt.

Christus hat das Heil gebracht (Röm. 5,8 f.) und ist die Erfüllung (Gal. 4,4) der atl. Verheißungen (Röm. 1,1 ff.; 2. Kor. 1,20; Röm. 15,7 ff.). Wer sich von Christus bestimmen läßt, repräsentiert neue Schöpfung (Gal. 6,15; 2. Kor. 5,17). Die Heilswirksamkeit des Gesetzes ist abgetan (Röm. 10,4), die Freiheit ist erstritten (Gal. 5,1 ff.). Die Gegenwart kann als Zeit des Heils gelten (2. Kor. 6,2 vgl. Röm. 3,21). Andererseits weiß Paulus um die noch bevorstehende Parusie des

---

[164] *P. Stuhlmacher*, Theologische Probleme gegenwärtiger Paulusinterpretation, ThLZ ˙98 (1973), S. 721–732, ebd. S. 724; vgl. *J. Becker*, Erwägungen zur apokalyptischen Tradition in der paulinischen Theologie, EvTh 30 (1970), S. 593–609, bes. S. 593 f.

[165] Vgl. *W. Baird*, Pauline Eschatology in Hermeneutical Perspective, NTS 17 (1970/71), S. 314–327, bes. S. 326; *A. Sand* (Anm. 2), a.a.O., S.˙171 ff., 177; *B. N. Kaye*, Eschatology and Ethics in 1 and 2 Thessalonians, NovTest 17 (1975), S. 47–57; *J. C. Roetzel*, Judgement in the Community, Leiden 1972, S. 40 f., 92 f.; vgl. *J. Becker*, a.a.O., S. 604 f.

Christus und sein Gericht (1. Kor. 1,7; 2. Kor. 1,14; Phil. 3,20 f.; 1. Thess. 2,19; 3,13; 5,23; Röm. 2,5 ff.), um das Stöhnen der Schöpfung (Röm. 8,22 ff.), um das Aufleuchten der Kraft Gottes in der Schwachheit (2. Kor. 12,9), um das noch ausstehende Ziel (1. Kor. 4,4; 9,25 ff.; Phil. 3,12 ff.; vgl. 1. Kor. 15,20 ff.). Diese Doppelung der Gegenwärtigkeit und Zukünftigkeit des Heils gründet in der paulinischen Christologie, die auch die Aussagen zu Geschichte und Endgeschichte prägt.

Im Vergleich zur Apokalyptik fehlen bei Paulus ausführliche, breite Zeiträume überschauende Geschichtsüberblicke, die markante Ereignisse der Geschichte Israels in chronologischer Ordnung aneinanderreihen. Paulus verzichtet auf den Erweis einer chronologischen Kontinuität, die sich an der Abfolge geschichtlicher Ereignisse ablesen läßt. Die Anspielungen auf Abraham (Röm. 4; Gal. 3), Adam (Röm. 5; 1. Kor. 15) und auf die Mosezeit (1. Kor. 10) lassen sich nicht derart ineinanderschieben, daß daraus ein kontinuierlich fortschreitendes Gesamtbild entsteht. Die Geschichte in ihrer Gesamtheit dient bei Paulus nicht mehr dem Aufweis des Standortes der Adressaten in der Geschichte. Dieser ist post Christum crucifixum hinreichend definiert. Die vergangene Geschichte muß nicht mehr als Beweis der künftigen Bundestreue Gottes (vgl. Test. Mos.) dienen. Das künftige Heil und die Einlösung der Verheißung muß er nicht aus dem bisherigen Geschichtsverlauf extrapolieren. Entsprechend besteht für Paulus nicht die Aporie der Verheißung, da sie in Christus erfüllt (2. Kor. 1,20) und gegenwärtige Realität geworden ist (Gal. 3,14). Daher fehlen bei Paulus auch vaticinia bzw. eine Darstellung der Zeichen der Endzeit (vgl. aber 2. Thess. 2,3 ff.; 2. Petr. 3,8 ff.). Geschichte dient nicht im apokalyptischen Sinne dem Aufweis von künftig Geschehendem, sondern der Deutung von Geschehenem, des Christusgeschehens.

Nicht der Gang der Geschichte kann erweisen, daß in Christus das Heil gegenwärtig ist. Dieser Erweis ist für Paulus untrennbar mit Kreuz und Auferweckung verbunden. Der Rekurs auf vergangene, atl. Geschichte kann jedoch dieses Ereignis interpretieren. So zielen zwar die atl. Exempel auf das Ende (1. Kor. 10,11), aber alle noch ausstehende Geschichte ist in der auf Zukunft hin in Christus erfüllten Verheißung Gottes bereits angelegt. Daher dient bei Paulus die Typologie im Unterschied zur Apokalyptik nicht als Hinweis auf das Kommende, sondern als Auslegung des Gekommenen, indem „Abraham und Christus parallel, Mose und Christus antithetisch, Adam und Christus dialektisch aufeinander bezogen"[166] sind. Das Heil ereignet sich zwar in der Geschichte, es ist aber nicht mit Notwendigkeit aus einem horizontal gegliederten Geschichtsentwurf zu erweisen, der einzelne Ereignisse bis zum Eschaton hin aneinanderreiht.[167] Im Unterschied zur Apokalyptik ist

---

[166] *E. Käsemann*, An die Römer (HNT 8a), Tübingen ³1974, S. 120.

[167] Die behauptete Ähnlichkeit der Zeugenreihe Abraham–Isaak–Jakob–Mose in Röm. 9,6 ff. mit 4. Esra 3,13–16 (vgl. *U. Luz*, Das Geschichtsverständnis des Paulus, BevTh 49, München 1968, S. 64; *P. Stuhlmacher*, Zur Interpretation von Römer 11,25–32, in: Probleme Biblischer Theologie, G. v. Rad z. 70. Geburtstag, hrsg. v. *H. W. Wolff*, München 1971, S. 555–570, ebd. S. 563 Anm. 40) überzeugt nicht, da bei Paulus die einzelnen Episoden der atl. Vergangenheit mehr oder weniger unverbunden nebeneinander stehen. Vorab der (politischen) Geschichte Israels, die in der Apokalyptik

die Geschichte der Raum, in dem sich jetzt schon das Heil realisiert (vgl. 2. Kor. 6,2 ff. bzw. Röm. 3,21). Durch das Christusereignis hat das Verhältnis zur Geschichte eine andere Qualität bekommen, die wesentlich von dem in Christus gegenwärtigen, präsentischen Heil bestimmt ist, denn Gott hat „in Christus das ganze Heil bereits in die Welt hinein gesandt und geschenkt"[168]. Daneben begegnen bei Paulus auch Aussagen über die Zukünftigkeit des Heils. Die Antwort auf die Frage, was der besondere Inhalt dieses zukünftigen Heils sei, gibt das Christusereignis als Bedingung des präsentischen wie des futurischen Heils. Daran wird deutlich, daß das Christusereignis von Kreuz und Auferweckung die vollkommene, nicht überbietbare Heilssetzung Gottes darstellt. Gott erweist seine Gerechtigkeit bereits am Kreuz Christi und nicht erst am Ende der Tage.

Von dieser Heilssetzung ist aber zu unterscheiden die Heilsaneignung, insofern die Heilssetzung Gottes in einer noch unerlösten, dem Heil widerstrebenden Welt statthat. Daher kann die Heilsaneignung durch den Menschen immer nur eine vorläufige, partielle sein; denn er lebt in der noch unerlösten Welt, deren Realität er nicht überspringen kann. Da das Christusereignis nicht überbietbar ist, geht es nicht um ein „Mehr" an Heilssetzung, sondern um ein „Mehr" an Heilsaneignung.[169] Es geht also nicht um eine qualitative Überbietung des in Kreuz und Auferweckung gewirkten Heils, sondern um die Beendigung aller Begrenzungen und Widrigkeiten, die dem bereits geschehenen Heil entgegenstehen, um die Verallgemeinerung und um das völlige Offenbarwerden des in der Gegenwart unter dem Kreuz und in Schwachheit (1. Kor. 1,18 ff.) verborgenen Heils.

Die Rechtfertigung als ein Geschehen am einzelnen Menschen besitzt zugleich Weltrelevanz, denn sie vollzieht sich nicht unter Absehung von der Welt, in der sie sich ereignet: sie geschieht in der Welt und ist damit der Griff Gottes nach seiner Welt. Daher wird verständlich, daß die Neue Schöpfung (2. Kor. 5,17; Gal. 6,15) sowohl eine anthropologische als auch eine kosmologische Dimension beansprucht. Es geht um das Heil unter den Bedingungen dieser Welt und nicht um eine Welt des Glaubens, die sich neben der Realität der Welt etabliert.[170] Die

---

stärker ins Detail gehend nachgezeichnet wird, mißt Paulus keine entscheidende Bedeutung bei. Es fehlen die großen geschichtlichen Durchblicke. Die Geschichte Israels als historisches Phänomen verblaßt hinter dem Anliegen, anhand der Glaubensgeschichte durch Typos und Antitypos eine Auslegung des geschichtlichen Christusereignisses zu geben.

[168] P. *Stuhlmacher*, Erwägungen zum Problem von Gegenwart und Zukunft in der paulinischen Eschatologie, ZThK 64 (1967), S. 423–450, ebd. S. 443; vgl. bes. die präsentische Auffassung von *sōtäria* in 2. Kor. 6,2 bzw. 1. Thess. 5,9 im Rückblick auf die geschehene Rechtfertigung.

[169] Vgl. *H. R. Balz*, Heilsvertrauen und Welterfahrung (BevTh 59), München 1971, S. 114: „Gott hat den Seinen das Heil zugewendet; was noch aussteht, ist die endgültige Aufhebung der Dialektik von Leiden und Herrlichkeit." Vgl. *P. Siber*, Mit Christus leben (AThANT 61), Zürich 1971, S. 121: „Die noch ausstehende Heilszukunft ist nur noch die abschließende Manifestation der schon geschehenen Auferstehung Jesu."

[170] Vgl. *G. Eichholz*, Die Theologie des Paulus im Umriß, Neukirchen ²1977, S. 232: „Gottes Handeln umfaßt die ganze Existenz des Menschen, es umfaßt mit dem Menschen die ganze Schöpfung." Vgl. *V. P. Furnish*, Theology and Ethics in Paul, Nashville (Tenn.) 1968, S. 134.

paulinische Christologie setzt also ein Geschichtsverständnis heraus, das sich wesentlich von dem der Apokalyptik unterscheidet.

Die Apokalyptik sieht vom „Jetzt" auf das „Dann" (vgl. 1. Hen. 95,3; 96,1.3; 97,1; 102,1 ff.; 104,2 ff.; 2. Bar. 83,8 ff. bzw. 82,1 ff. u. ö.). „Jetzt" geht es um den Gehorsam, um „dann" des künftigen Heils teilhaftig zu werden. Bei Paulus hingegen findet sich das urchristliche Predigtschema „Einst" und „Jetzt" (vgl. Röm. 5,8 f.; 6,15 ff.; 7,5 f. u. ö.), das die Gegenwärtigkeit des Heils und die Bindung an das Christusgeschehen betont. Während in der Apokalyptik die Gegenwart ihre Bedeutung allein von der Zukunft her gewinnt, weil es um die ethische Qualifikation für das kommende Heil geht, ist das paulinische Gegenwartsverständnis auf Grund der präsentischen und futurischen Eschatologie als ein „Zwischen" zu charakterisieren, das vom „Schon-nicht-mehr" und vom „Noch nicht" bestimmt ist.[171] Die Heilssetzung Gottes ist zwar endgültig und definitiv, aber der Christ lebt noch in Anfechtung und Bedrängnis, in der Gefahr, das ihm übereignete Heil zu verlieren, so daß die Existenz des Christen jene Doppelheit aufweist (vgl. 1. Thess. 1,6; 2. Kor. 6,4 ff.), die Paulus besonders im Blick auf das „Noch nicht" mit Hilfe apokalyptischer Traditionen darlegt (vgl. auch 1. Kor. 15,23 ff.). Die paulinische Auslegung der Christologie in ein kosmisches und geschichtliches Bezugssystem zur Ausarbeitung der Existenz im „Zwischen" ist zwar von apokalyptischen Traditionen geprägt, läßt sich aber nicht mehr mit dem Welt- und Geschichtsbild der Apokalyptik in Deckung bringen. Es handelt sich um ein eigenständiges Verständnis von Geschichte und Endgeschichte, das nicht lediglich als Modifikation eines apokalyptischen Gesamtentwurfs anzusehen ist.[172]

8.1.2. Die Beziehungen der christologisch begründeten Zukunftsaussagen zur Ethik und das Ineinandergreifen von präsentischer und futurischer Eschatologie zur Gestaltung des christlichen Lebens in der Gegenwart

Die christologischen Zukunftsaussagen umfassen zu „chiffreartigen Kurzaussagen"[173] komprimierte Sätze über das zukünftige Leben der Christen auf Grund von Tod und Auferweckung Christi, auf Grund des Leidens bzw. Mitgestorbenseins mit Christus. Das Besondere dabei sind nicht die Zukunftserwartungen als solche, sondern deren konsequente Bindung an das Kerygma vermöge einer engen semantischen Verknüpfung, die auch auf sprachlicher Ebene die Verbindung der

---

[171] Zur Dialektik des Einst und Jetzt, „die in der Anthropologie durch das ‚schon errettet' und ‚gleichwohl noch angefochten' aufgenommen wird", vgl. *E. Käsemann*, Rechtfertigung und Heilsgeschichte im Römerbrief, in: Paulinische Perspektiven, Tübingen 1969, S. 108–139, bes. S. 119 f.; zum Vorstehenden vgl. *P. Tachau*, „Einst" und „Jetzt" im Neuen Testament (FRLANT 105), Göttingen 1972, bes. S. 104 ff. bzw. 113.

[172] Eine „Substitutionstheorie", „daß die Grundstruktur der paulinischen Theologie durch den heilsgeschichtlichen Gesamtentwurf der jüdischen Apokalyptik bestimmt ist", indem Christus an die Stelle des Gesetzes rücke (*U. Wilckens*, Die Bekehrung des Paulus als religionsgeschichtliches Problem, in: Rechtfertigung als Freiheit, Neukirchen 1974, S. 11–32, ebd. S. 23) trifft daher nicht zu.

[173] *U. Luz*, a.a.O., S. 307; vgl. Röm. 5,8 ff.; 8,11 bzw. 5,15 ff.; 6,3 ff.; 8,32 ff.; 1. Kor. 6,14; 15,22; 2. Kor. 4,14; 13,4 vgl. 1,9 f.; 4,10; 1. Thess. 4,13 ff.; 5,10.

christologischen Aussagen mit denen über die Zukunft der Christen ausdrückt (vgl. 2. Kor. 4,14; 13,4; 1. Kor. 6,14). Paulus belehrt nicht über das Geschehen der Endzeit und entwirft kein farbiges Zukunftsbild, sondern entfaltet knapp die Implikationen des Kerygmas für das zukünftige Leben der Christen mit einem Verb bzw. mit einer präpositionalen oder verbalen Wendung mit *syn*. Mit den Zukunftsaussagen korrigiert Paulus gängige Anschauungen in den Gemeinden vom Christuskerygma her, so besonders bei den *syn*-Aussagen mit Bezug zur Taufe (vgl. bes. Röm. 6), wo Paulus mittels des eschatologischen Vorbehalts ein enthusiastisches Taufverständnis korrigiert. Die Zukunftsaussagen haben also eine korrektive Funktion, indem sie auf das „Noch nicht" hinweisen.

Auffälligerweise fehlt bei diesen Zukunftsaussagen im Kontext ein derartiger Zusammenhang von Ethik und Eschatologie, daß das ethische Verhalten für das künftige Ergehen konstitutiv wird. Entsprechend ist auch das Mitleiden mit Christus nicht als eine zu erfüllende Bedingung zu verstehen (vgl. Röm. 8,17c). Paulus sieht Leiden und Schwachheit als Realitäten an, fordert diese aber nicht im Blick auf das zukünftige Ergehen. Die Zukunft ist durch das Heilsgeschehen in Christus bereits erschlossen. Es handelt sich also um eine christologisch begründete, nicht aber auf Ethik gegründete Zukunftshoffnung. So stehen die christologisch begründeten Zukunftsaussagen nicht innerhalb der großen paränetischen Abschnitte (Röm. 12,1 ff.; 1. Kor. 7–14; Gal. 5,1 ff.), sondern vor allem in enger Verbindung zur Rechtfertigungsterminologie (vgl. Röm. 5,8 f.17–19.21; 6,7 f.; 8,10 f.; 2. Kor. 1,9 f.) bzw. in belehrenden Abschnitten (vgl. auch 1. Kor. 15,21 ff.). Den Aussagen über das zukünftige Leben der Christen ist kein Hinweis auf das noch ausstehende Gericht vorangestellt.

Das typisch Paulinische an den Zukunftsaussagen ist die konsequente Rückbindung an die Christologie. Gleichwohl läßt sich der Bezug dieser Aussagen zur Ethik nicht leugnen (vgl. Röm. 6,4 ff.; 1. Kor. 6,14), aber die Ethik erscheint hier nicht als Bedingung, sondern als Konsequenz der Zukunftshoffnung. Entsprechend haben bei Paulus die eschatologischen Aussagen eine sowohl korrektiv-kritische als auch konstruktive Funktion: sie schärfen einerseits das „Noch nicht" ein, andererseits entfalten sie die Zukunftsdimension des Kerygmas.

In 1. Thess. 4,13–18[174] wird die entscheidende Zukunftsaussage in komprimierter Form dargeboten, indem die Hoffnung durch Auslegung des Kerygmas (V. 14a) im Blick auf die Situation der Gemeinde (V. 14b) christologisch begründet wird. Das folgende, von Paulus bearbeitete urchristliche Prophetenwort (V. 15–17) bringt nichts grundsätzlich Neues hinzu. Paulus verzichtet auf ausschweifendes Ausmalen, reduziert die apokalyptischen Vorstellungen, die – im Blick auf die konkrete Situation in der Gemeinde von Thessalonich herangezogen – eine nur dienende, die christologische Zukunftsaussage kommentierende und insofern konstruktive Funktion haben. Die Zukunftsaussage wird christologisch und nicht

---

[174] Vgl. *U. Luz*, a.a.O., S. 318–331; *W. Harnisch*, Eschatologische Existenz (FRLANT 110), Göttingen 1973, S. 19–51; *F. Laub*, Eschatologische Verkündigung und Lebensgestaltung nach Paulus, Regensburg 1973, S. 123–131.

ethisch begründet. Die Parusieschilderung hebt nicht auf das Gericht ab. Das ethische Verhalten ist hier also nicht für das künftige Sein mit Christus konstitutiv. In 1. Kor. 15 handelt es sich um eine Auseinandersetzung um die „christologische Lehrdifferenz" zwischen Paulus und den korinthischen Gegnern, indem er mit den apokalyptischen Traditionen in V. 23–28 die „zeitlich-christologische Distanz zwischen Christus und den Christen" darlegt und so auf die zeitliche Distanz zwischen der Auferweckung des Christus und der Auferstehung Toter hinweist.[175] Auch hier ist die Knappheit und Verkürzung des apokalyptischen Materials bedeutungsvoll. Paulus interpretiert und gestaltet traditionelles Gut auf neue Weise. Der Aufweis der zeitlich-christologischen Distanz zeigt die zugleich kritische und konstruktive Funktion: kritisch bzw. korrektiv gegenüber einem enthusiastischen Vollkommenheitsbewußtsein als der Vorwegnahme des Eschaton, konstruktiv hingegen gegenüber einer Verkürzung des Kerygmas als Preisgabe der Zukunft durch Leugnung der Zukunftshoffnung für die Toten. Der Aufweis eines solchen Zukunftsverständnisses hat für Paulus aber ethische Konsequenzen. Den Darlegungen über die Zukunft folgen Imperative (V. 34.58), die auf die aktive Gestaltung des Lebens der Gegenwart abzielen. Die Paränese wird nicht mit Gerichtsaussagen, die in diesem Zusammenhang fehlen, sondern von der Auferstehungshoffnung her begründet. Diese Hoffnung ist im Christuskerygma gegründet.

Die aus der Apokalyptik entlehnten Zukunftsvorstellungen dienen bei Paulus der Entfaltung der auf Zukunft gerichteten Implikationen des Kerygmas, und zwar in Abhängigkeit von der jeweiligen Situation mit stärker korrektiv-kritischer oder stärker konstruktiver, also zukunftseröffnender Tendenz. Auf Grund ihrer Bedeutung für die Gegenwart hat die Eschatologie auch ethische Konsequenzen. Die Eschatologie mündet in Ethik. Da aber die Eschatologie christologisch begründet ist, durchbricht Paulus die für die Apokalyptik charakteristische Interdependenz von Eschatologie und Ethik. Während in der Apokalyptik neben der Hoffnung auf das endzeitliche Handeln Gottes nun im Blick auf den Menschen die Ethik als das Kontinuum erscheint, das den Weg von diesem zum kommenden Äon eröffnet, stellt bei Paulus die geschehene Heilstat Gottes das Kontinuum zwischen Gegenwart und Zukunft dar. Im Kontext der christologisch begründeten Zukunftsaussagen ist die Aneignung des von Gott (bereits) gesetzten Heils nicht an eine wie auch immer geartete ethische Qualifikation gebunden. Die Ethik erscheint somit im Unterschied zur Apokalyptik als Konsequenz und nicht als Bedingung der eschatologischen Hoffnung. Statt einer Ethik des Ausharrens um des künftigen Heils willen begegnet bei Paulus eine Ethik, die davon geprägt ist, unter den Bedingungen dieser Welt das von Gott gewährte Heil nicht zu verlieren und die Heilstat der Rechtfertigung immer wieder neu zu erfassen.

In der Apokalyptik wie bei Paulus dient die Zukunftshoffnung der Ausarbeitung eines Welt- und Daseinsverständnisses. Das Ergebnis ist aber ein anderes: Bei

---

[175] E. *Güttgemanns*, Der leidende Apostel und sein Herr (FRLANT 90), Göttingen 1960, S. 71 bzw. S. 76,57 Anm. 21; vgl. S. 56–81; ferner B. *Spörlein*, Die Leugnung der Auferstehung, Regensburg 1971, S. 75 bzw. 171 ff.; zum ff. vgl. bes. U. *Luz*, a.a.O., S. 341 ff.

Paulus erhält die Gegenwart zwischen dem geschehenen und zukünftigen Heil ein besonderes Gewicht. Sowohl das Ernstnehmen der Wirklichkeit als auch die eschatologische Hoffnung prägen die Existenz des Menschen, die im „Zwischen" von der Gegenwärtigkeit und Zukünftigkeit des Heils umgrenzt wird.

Das Ineinandergreifen von präsentischer und futurischer Eschatologie zeigt sich auch in 1. Thess. 5,1–11. Die Thessalonicher werden V. 4 f. als dem Gericht entnommen (vgl. V. 2 f.) bezeichnet und als Kinder des Tages angesprochen, indem das neue Sein der Glaubenden mit „Licht" und „Tag" umschrieben wird. Sie gehören jetzt schon dem Heilsbereich an, weil sie dem Unheilsbereich von „Nacht" und „Finsternis" bereits entnommen sind. Die Mahnungen V. 6–8 folgen aus diesem Heilsindikativ und münden in einen ebensolchen (V. 9 f.). Die Mahnung zur Wachsamkeit und Nüchternheit ist nicht von der Unbestimmtheit des Endes (V. 2 f.), d. h. vom eschatologischen Wissen bzw. Nichtwissen (V. 1 ff.) bestimmt, denn die Glaubenden befinden sich nämlich bereits in einem Zustand, in dem sie gar nicht mehr überrascht werden können.[176] Sie müssen nicht belehrt werden, wie sie dem plötzlich hereinbrechenden Gericht entrinnen können, sondern ihnen wird gesagt, welche Vorzeichen ihre Existenz als schon Gerettete im Blick auf die eschatologische Zukunft prägen.

In diesem Zusammenhang spielt das Wort *hämera* eine entscheidende Rolle. In V. 2.4 wird es im technischen Sinne gebraucht bezüglich des eschatologischen Gerichtstages, ab V. 5 hingegen begegnet es in ethischem Kontext. Dies ist nicht lediglich ein Wortspiel zur Überleitung von der eschatologischen Belehrung zur ethischen Anweisung, sondern dem Kontext nach erweist sich die eschatologische Bedeutung zugleich als eine ethische. Das Wort *hämera* behält also seinen eschatologischen Charakter auch innerhalb der Mahnungen. Die Existenz im Licht, die V. 6 ff. näher erläutert, entspricht in der Gegenwart dem „Tag": es ist die den „Tag" in die Gegenwart hereinholende und in der Gegenwart realisierende Existenz. Die Mahnung V. 8 meint daher ein Leben in Entsprechung zum kommenden eschatologischen Tag. Die Eschatologie wird in die Ethik hineingenommen, aber, wie die bleibende eschatologische Bedeutung von „Tag" zeigt, nicht in die Ethik aufgelöst. Die traditionellen apokalyptischen Vorstellungen begegnen in einem neuen Zusammenhang. Die Verschränkung von gegenwärtigem Heil und eschatologischer Hoffnung verlangt nach ethischer Entsprechung in der Gegenwart. Es ist also nicht umgekehrt, daß die ethische Entsprechung zum Willen Gottes die eschatologische Hoffnung begründet.

Im Vergleich zur Apokalyptik zeigt sich eine Umkehrung der Blickrichtung, bei der die Gegenwart ein solches Gewicht bekommt, das ihr die apokalyptische Theologie nicht zugesteht. Obwohl die Zukunftsaussage V. 2 f. bestehenbleibt, ist die ethische Mahnung bei Paulus nicht ein Mahnen auf Zukunft, um das „Danach" zu er-

---

[176] Vgl. *F. Laub*, a.a.O., S. 160. Zur Verwendung des rhetorischen Mittels der praeteritio vgl. *W. Harnisch*, a.a.O., S. 52 ff. bzw. 94 Anm. 73 bzw. 133; zur Aufnahme apokalyptischer Vorstellungen und weiterer Einzelheiten vgl. ebd., S. 52 ff. bzw. 76 f.; ferner *B. Rigaux*, Tradition et Rédaction dans I Th. V.1–10, NTS 21 (1974/75), S. 318–340.

reichen, sondern dient der Gestaltung des „Zwischen" als des gegenwärtigen Standorts der Gemeinde. Weder der präsentische noch der futurische Aspekt der Eschatologie lassen sich eliminieren, sondern gemeinsam lassen sie den wahren Charakter der Gegenwart erkennen.

Das gleiche zeigt der Abschnitt Röm. 13,11–14, der mit V. 8–10 als Summarium der allgemeinen Paränese die Zusammenfassung der voraufgehenden Mahnungen bildet und zahlreiche Berührungspunkte mit 1. Thess. 5,1 ff. aufweist. Jedoch wird in Röm. 13,11 ff. weniger stark auf das geschehene und gegenwärtige Heil abgehoben, um die Dringlichkeit der Mahnungen zu unterstreichen. Im Unterschied zur Apokalyptik zieht Paulus hier die Kürze der noch verbleibenden Zeit, also den quantitativen Zeitaspekt, zur Motivierung der Ethik heran. Die Gegenwart ist um der noch ausstehenden *sōtäria* willen eine Zeit der Entscheidung und des Kampfes. Es ist zugleich die Zeit, in der es bereits *hōs en hämera* (V. 13) zu leben gilt. Es geht nicht darum, am „Tage" unsträflich dazustehen, sondern jetzt, in der Gegenwart, in Entsprechung zu diesem Tag im Zeichen des Neuen zu leben. Dem irdischen Tag wird im Blick auf den kommenden Tag ein besonderes Gewicht beigemessen. Er wird weder zum Durchgangsstadium noch zur bloßen Vorbereitungszeit auf das Kommende entwertet. Jetzt geht es um ein dem Kommenden entsprechendes Leben. Das für die Zukunft Erwartete kann in der Gegenwart bereits gelebt werden. Insofern es dabei um den Bereich der Ethik geht, ist von vornherein jedem Enthusiasmus der Riegel vorgeschoben.

Die vom präsentischen Heil ausgehende Zukunftshoffnung prägt die Gegenwart und verweist auf den Bereich der Ethik. Die Eschatologie wird unmittelbar für die Ethik in der Gegenwart relevant, denn die der Zukunft entgegengehenden Glaubenden sind bereits aus der Zukunft. Daß Zukunft bereits in der Gegenwart gelebt werden kann, ist ein der Apokalyptik fremder Gedanke. Die bisher herangezogenen paulinischen Aussagen beziehen sich hingegen auf ein dem zukunftseröffnenden Kerygma entsprechendes Leben, nicht auf ein Leben als Vorbereitung und Qualifikation für die Zukunft.

8.1.3. Die Beziehungen der Gerichts- und Parusieaussagen zur Ethik und deren Bedeutung für die Existenz in der Gegenwart

Die bisherigen Darlegungen ließen die Parusie- und Gerichtsaussagen bei Paulus unberücksichtigt, die der vorgetragenen paulinischen Konzeption des Verhältnisses von Ethik und Eschatologie zu widersprechen scheinen. Es darf nicht übersehen werden, daß für Paulus das künftige eschatologische Geschehen eng mit dem Herrentag verbunden ist, dessen baldiges Hereinbrechen er unmittelbar erwartet. Darum will er die Gemeinden auf dieses Ereignis ausrichten und vorbereiten.

Die Aussagen über den künftigen Herrentag in den Briefproömien (1. Kor. 1,7 f.; Phil. 1,6.10) in Form einer Fürbitte für die Gemeinde sind für Paulus charakteristisch, sie lassen sich nicht aus dem üblichen hellenistischen Briefformular erklären. Inhalt der Fürbitten ist das „Vollkommen"-Werden bis zum Gericht, bei dem nach dem untadeligen Wandel in der Zeit vor dem Gericht gefragt wird. In der Form des Gebetes kommen das Gericht und ein im Hinblick darauf notwendiges Verhalten zur Sprache.[177] Paulus mahnt im Blick auf das Endgericht, ohne von diesem Ereignis her konkrete Weisungen zu erteilen. Wie die in den Gerichtsaussagen der Proömien begegnenden Adjektive zeigen (1. Kor. 1,8; Phil. 1,10 vgl. 2,15), geht es in einem mehr generellen Sinne um ein Verhalten, das im Gericht Bestand hat. Wie bei den christologisch begründeten Zukunftsaussagen handelt es sich bei den angeführten Gerichtsaussagen um äußerst komprimierte Angaben, die eindringlich zum rechten Handeln motivieren sollen.

Den Gerichtsaussagen sind die Parusieaussagen zuzuordnen (vgl. 1. Thess. 4,15; 2,19; 3,13; 5,23 bzw. 1. Kor. 1,7; ferner 1. Kor. 4,5 vgl. 11,26 sowie 1. Thess. 4,16 f.). So redet 1. Kor. 4,5a verbal vom Kommen des Kyrios, das V. 5b als Kommen zum Gericht präzisiert wird. In 1. Kor. 1,7b steht das als *apokalypsis* gekennzeichnete Gegenwärtigwerden des Herrn in nächster Nähe zur Erwähnung des Herrentages (V. 8). Vernachlässigt man die Aussagen vom Kommen bzw. von der Nähe des Herrn, die in der Herrenmahltradition ihren Sitz haben (1. Kor. 11,26 vgl. 16,22) oder in umfangreicheren Aussagen über die Zukunft begegnen (vgl. 1. Thess. 4,13 ff. bzw. 1. Kor. 15,23 ff.), so wird deutlich, daß die übrigen Parusieaussagen bei Paulus der Paränese zugeordnet sind und zu deren Verschärfung dienen. Sie motivieren das Handeln, machen Mahnungen allgemeineren Charakters eindrücklich, ohne auf deren konkreten Inhalt einzuwirken. Wie der Herrentag ist die Parusie das Ziel, auf das hin Paulus fürbittend mahnt (1. Thess. 3,12; 5,23 vgl. 1. Kor. 1,5.7). Wie bei den genannten Gerichtsaussagen kommt ein Verhalten vermittels einiger Adjektive zur Sprache, das jedoch inhaltlich wenig Konkretes an die Hand gibt. Der großen Mehrheit derartiger Aussagen, die den Inhalt der konkreten Mahnungen nicht beeinflussen, stehen einige wenige gegenüber, in denen Paulus nicht nur seinen Gegnern hinsichtlich ihres Verhaltens Verderbensandrohungen entgegenschleudert (Gal. 5,10; 2. Kor. 11,15; Phil. 3,19), sondern auch konkrete Mahnungen im Blick auf das Gericht bzw. den künftigen Lohn ausspricht.

In 1. Kor. 5,3–5 bestimmt der Gerichtshinweis den Inhalt der Mahnung, um das Pneuma des Täters im Gericht zu retten. In 1. Kor. 4,5 und Röm. 14,10 ff. kommt in der Warnung, nicht vor dem Gericht des Kyrios bzw. Gottes zu richten, die Beziehung des Richtens Gottes zum Richten der Gemeinde (vgl. 1. Kor. 5,1 ff.) zum Ausdruck. 2. Kor. 9,6 und Gal. 6,7–10 mahnen im Blick auf die Gleichheit von Saat und Ernte. 1. Kor. 8,8 stellt im Blick auf das Endgeschehen in einer grundsätzlich formulierten These die Neutralität der Speise fest. Diese Beispiele verdeutlichen den Zusammenhang von Gerichtsaussagen und konkreten Mahnungen. Im Blick auf die gesamte paulinische Theologie erscheint der Gerichtsgedanke aber als ein Motiv unter vielen, die Paulus zur Begründung der ethischen Mahnung heranzieht. Die Verwendung von Gerichtsaussagen zur Motivation der Mahnungen

---

[177] Das Gebet bereitet die Mahnung vor und ist damit indirekt schon selbst Mahnung (vgl. *A. Grabner-Haider*, Paraklese und Eschatologie bei Paulus, NTA N. F. 4, Münster 1968, S. 23 f.). Die Danksagungen haben also „either explicitly or implicitly paraenetic functions" (*P. Schubert*, Form and Function of Pauline Thanksgivings, BZNW 20, Gießen 1939, S. 89).

ist traditionell vorgegeben. Ein Vergleich mit ähnlichen Aussagen in der Apokalyptik läßt die spezifische Nuance der Gerichtsaussagen in der paulinischen Interpretation deutlich erkennen.

Die Gerichtsaussagen bei Paulus sind schon formal von den Gerichtsdarstellungen der Apokalyptik zu unterscheiden. An ausmalenden Details wie an einem systematisch durchkonstruierten Vorstellungskomplex ist er nicht interessiert. Er nennt nicht die Orte, wo sich die Verherrlichten befinden, sondern mit der Wendung *„syn Christō"* ist das künftige Sein der Gläubigen hinreichend benannt. Der Maßstab des Gerichts kann nicht an einer Schilderung der himmlischen Orte oder des Gerichtsvorgangs abgelesen werden. Eine Kompensation von Einzelleistungen, wie sie etwa der Vorstellung von der Waage beim Gericht zugrunde liegt, kennt Paulus nicht. Er tröstet die bedrängten Christen nicht mit der künftigen Bestrafung ihrer Feinde, denn das Gericht über Ungläubige zeigt nur die Sündenverfallenheit aller Menschen (Röm. 3,23 u. ö.). Die für die Apokalyptik als charakteristisch herausgestellte ethische Dualität der Entgegensetzung von Gerechten und Sündern ist bei Paulus für die Formulierung von Gerichtsaussagen nicht konstitutiv.

Neben diese formalen Unterscheidungen treten Unterschiede inhaltlicher Art entsprechend dem Stellenwert, der dem Gerichtsgedanken in der jeweiligen theologischen Konzeption zukommt. In der Apokalyptik ist das Gericht als die Heraufkunft des verheißenen Heils konstitutiv als Heilssetzung Gottes zur Heilsaneignung. Das Gericht leitet die kommende Heilszeit ein und entscheidet über die Teilhabe des Menschen an diesem Heil in Abhängigkeit von seinem früheren Verhalten. Angesichts einer bedrückend erfahrenen Gegenwart restituiert das Gericht den Tun-Ergehen-Zusammenhang und macht in der Gegenwart die Ethik lohnend. Bei Paulus besteht eine solche notwendige Verknüpfung von Ethik und Eschatologie nicht. Die Gerichtsaussagen stehen in einem anderen Kontext. Nach Röm. 5,9 f.; 8,33 f. bzw. 8,1; 2. Kor. 1,10 kann Paulus die Freiheit der Christen vom Gericht als eine Folge des in Christus gegenwärtigen Heils herausstellen. Gerichtsbegriffe dienen zur Auslegung der Rechtfertigung, ohne daß das zukünftige Gericht explizit genannt werden muß. Die Gerichtsterminologie dient dazu, das Ein-für-Allemal der Rechtfertigung festzuhalten (vgl. auch Röm. 1,17 ff.). Andererseits kann die Rechtfertigung in Verbindung mit dem Gerichtsgedanken als zukünftiges Ereignis zum Inhalt der Hoffnung werden (vgl. Röm. 2,13; 5,16 ff.; Gal. 5,5). Die Gerichtsaussagen sind also wie die Zukunftsaussagen an das Kerygma zurückgebunden und in das Verhältnis von präsentischer und futurischer Eschatologie einbeschrieben. Im Vergleich zur Apokalyptik bedeutet dies, daß das Gericht nicht mehr konstitutiv für die Heilssetzung Gottes ist. Wie das Gesetz bei Paulus nicht mehr als Heilsweg gilt, so wird das Gericht nicht mehr als ein das Heil auslösendes Ereignis angesehen. Das Gericht bringt für Paulus nicht die Umwertung aller Werte (vgl. aber 1. Kor. 1,18 ff.), da es eingebettet in die paulinische Existenzdialektik (vgl. 2. Kor. 6,4 ff.; 1,4 ff.; 4,7 ff.) jetzt schon Heil gibt, das nur mehr völlig offenbar werden muß, während nach apokalyptischem Verständnis das Gericht etwas völlig Neues setzt. Bei Paulus ist nicht das Gericht, sondern das

Kreuz das entscheidende Heilsereignis, das die Rechtfertigung aus Glauben bewirkt.[178] Während in der Apokalyptik das Gericht Gott selbst rechtfertigt, indem
es ihn als den erweist, der schließlich doch die Guten belohnt und die Bösen bestraft, ist für Paulus diese Frage am Kreuz als dem Urdatum der christlichen Zukunftshoffnung ein für allemal entschieden. Entsprechend konzentriert sich die in
der Apokalyptik offenkundige ethische *und* dogmatische Bedeutung des kommenden Gerichts bei Paulus auf den Bereich des Ethischen.

In 2. Kor. 5,1–10 zieht V. 9 aus der zuvor beschriebenen Hoffnung des Glaubens
die ethische Konsequenz. Der Gerichtsgedanke wird aber nicht organisch aus der
eschatologischen Thematik von V. 1–8 entfaltet, sondern dient der Begründung
der ethischen Folgerungen aus V. 9. Die Gerichtsaussage (vgl. auch Röm. 14,10)
ist traditionell geprägt. Bemerkenswert ist die Wendung *ta dia tou sōmatos*, die in
ähnlichen christlichen oder jüdischen Vergeltungsaussagen fehlt. Sie gibt das
„Thema" des Gerichts an, nachdem zuvor bereits (vgl. 4,7–12; 5,1 ff.) das Verhältnis zum Soma, näherhin das Verhältnis vom Soma zum Pneuma thematisiert
wurde.[179] Mit dieser singulären Wendung integriert Paulus den traditionellen Gerichtsgedanken seiner Theologie. Es geht um ein Ernstnehmen der noch unerlösten Leiblichkeit, denn die geschehene Rechtfertigung kann das Sein in der Welt
nicht überspringen. Daher spricht das Gericht auf die somatische Existenz an und
verweist energisch auf diese. Der Gerichtsgedanke macht somit falsche Sicherheit
unmöglich und bewahrt vor der Dispensation vom Tun des Willens Gottes.

Für Paulus ist der Gerichtsgedanke nicht zum Aufweis der eschatologischen Hoffnung wichtig, sondern zur Ausarbeitung der Existenz im Diesseits. Daher insistiert
die paulinische Interpretation auf die leibhafte Existenz des Menschen und erinnert
daran, daß die Gegenwart noch nicht die Vollendung und die Angefochtenheit des
Glaubens in der Gegenwart noch nicht das letzte Ziel Gottes mit dem Menschen
darstellt. Der Gerichtsgedanke bei Paulus hat also eine korrektive, kritische Funktion. Er behaftet den Menschen bei seiner Geschöpflichkeit und legt ihn fest auf
das Bewahren des Neuen Seins im alten Äon zwischen Weltflucht und Weltverfal-
lenheit. Mit dieser kritischen, antienthusiastischen Tendenz integriert Paulus den
Gerichtsgedanken seinen ethischen Anschauungen ohne dadurch die Rechtfertigungsaussagen zu relativieren. Hier liegt ein wesentlicher Unterschied zur Apokalyptik, für die das Gericht als künftige Heilssetzung Gottes konstitutiv ist. Da bei
Paulus die Heilsbedeutung des Gerichts in den Hintergrund tritt, kann der Ge-

---

[178] Zum Thema „Gericht und Rechtfertigung bei Paulus" vgl. u. a. die Forschungsüberblicke bei
    C. J. Roetzel, a.a.O., S. 1–13; *E. Synofzik*, Die Gerichts- und Vergeltungsaussagen bei Paulus, Göttin-
    gen 1977, S. 1 ff.; *K. Kertelge*, „Rechtfertigung" bei Paulus (NTA N. F. 3), Münster 1967, passim.
[179] Vgl. *Chr. Demke*, Zur Auslegung von 2. Korinther 5,1–10, EvTh 29 (1969), S. 589–602, bes. S. 601
    bzw. 591; *L. Mattern*, Das Verständnis des Gerichts bei Paulus (AThANT 47), Zürich 1966,
    S. 157 f. Zum Zusammenhang von 2. Kor. 5,1 ff. mit 4,7 ff. vgl. *P. Hoffmann*, Die Toten in Christus
    (NTA N. F. 2), Münster 1966, S. 267, vgl. zur ethischen Thematik in 4,16 ff. bzw. 5,6 ff. ebd. S. 285.
    „In 2. Kor. 5,1–10 steuert Paulus in der zweiten Hälfte auf die Einschärfung der eschatologischen
    Bedeutung des sittlichen Handelns des Menschen als Soma zu" (*P. v. d. Osten-Sacken*, Römer 8 als Bei-
    spiel paulinischer Soteriologie, FRLANT 112, Göttingen 1975, S. 123).

richtsgedanke stärker der Ausarbeitung der Existenz im „Zwischen" dienen, nämlich der Verklammerung der Rechtfertigung als articulus fidei constituens mit der darauf beruhenden Ethik als articulus fidei consequens.

8.1.4. *Das Neuverständnis der Gegenwart als Kairos*

Die bei Paulus im Vergleich zur Apokalyptik veränderte Sicht der Gegenwart, die aus der im Kreuz begründeten und unter dem Kreuz verborgenen Gegenwärtigkeit des Heils resultiert, hat auch eine veränderte Beurteilung der dem Menschen zur Verfügung stehenden Zeit zur Folge. Wie die Apokalyptik ist Paulus von der Naherwartung geprägt. Im Unterschied zur Apokalyptik macht aber Paulus die ethische Mahnung mit dem Hinweis auf die kurze verbleibende Zeit eindringlich (vgl. Röm. 13,11 ff.; Gal. 6,10 vgl. 1. Kor. 7,29). Dabei verlagert sich das Schwergewicht von der quantitativen Frage nach dem Endtermin auf die Frage nach der Qualität der dem Menschen verfügbaren Zeit.

In 1. Kor. 7 findet sich im Zusammenhang der Weisungen zu Fragen der Ehe und des Eheverzichts (bes. V. 25 ff.) eine Verschränkung verschiedener Motivationen. Innerhalb dieses Motivgeflechts soll die eschatologische Motivation mit dem Hinweis auf das baldige Ende (V. 26 ff.) die ethische Forderung intensivieren. Gemäß V. 26 hält es Paulus angesichts des bevorstehenden Endes für besser, nicht zu heiraten. Besonders die Verse 29–31 zeigen, wie für Paulus die ethische Weisung von dem bald hereinbrechenden Ende geprägt ist.[180] Auffälligerweise verweist Paulus nicht auf das künftige Heil, um damit das notwendige Tun zu begründen. Er nimmt die Ehe (wie auch den Staat in Röm. 13) bewußt aus einer soteriologischen Ordnung heraus (vgl. 1. Kor. 7,15 f.), statt dessen geht es ihm unter den Bedingungen der Endlichkeit in einer vergehenden Welt (V. 31) um die ungeteilte Hingabe an den Kyrios (V. 32 ff.). Nicht der Sorge um die Teilhabe am Endheil, sondern der besonderen Charakteristik der vergehenden, nur kurzen Zeit kommt die entscheidende Bedeutung zu, so daß auch in einer vergehenden, dem Ende zueilenden Welt Mahnungen nötig sind. Die Gegenwart wird somit zum entscheidenden Kairos für den Gehorsam.

Gal. 6,7–10 verbindet einen eschatologischen Ausblick mit der Mahnung zur tätigen Hilfe. Der entscheidende, über das apokalyptische Denken hinausführende Gedanke begegnet in V. 10: Mit dem Hinweis auf die eschatologische Vergeltung ruft Paulus dazu auf, den verfügbaren Kairos auszunutzen. Auch in der Apokalyptik geht es um den äußersten Gehorsam in der letzten Zeit vor dem Ende, und mit dem Tun des Gesetzes ist ohne Zweifel auch das Tun des Guten und Förderlichen verbunden. Doch darüber wird nicht reflektiert. Eine ausdrückliche Charakteristik der Gegenwart als Kairos zum Tun des Guten (V. 10) ist in der Apokalyptik unbekannt, denn dort geht es vor allem um das Durchhalten im Blick auf das eschatolo-

---

[180] Möglicherweise handelt es sich hier um eine dem apokalyptischen Traditionsstrom entstammende Vorlage, die Paulus überarbeitet hat, vgl. *W. Schrage*, Die Stellung zur Welt bei Paulus, Epiktet und in der Apokalyptik, ZThK 61 (1964), S. 125–154, bes. S. 139; vgl. ferner *K. Niederwimmer*, Zur Analyse der asketischen Motivation in 1. Kor. 7, ThLZ 99 (1974), S. 241–248.

gische Heil. Paulus hingegen ist stärker an der Gestaltung der Existenz in der Gegenwart interessiert, am Ausnutzen und Ergreifen der entsprechend der Lage der Welt gegebenen Möglichkeiten.[181] Paulus geht es stärker um die Prägung der Gegenwart durch die dem Neuen Sein entsprechende Existenz in Konformität zu Christus (Röm. 15,3.5.7; Phil. 2,5; 2. Kor. 8,9 f. vgl. 1. Thess. 4,1 f.). Dies führt notwendig zur Gestaltung von Neuem, das nicht nach dem Bewahren des Alten, sondern nach der Realisierung von Neuem unter den Bedingungen dieses Äons verlangt.

Dieses Neuverständnis der Gegenwart bewirkt auch eine andere Einstellung zum Leiden. Das jetzige Leiden und die spätere Herrlichkeit liegen für den Apokalyptiker in einem zeitlichen Nacheinander. Die Existenz in der Gegenwart ist eine uneigentliche, weil es Heil und Erfüllung nur im Eschaton geben kann. Paulus hingegen nimmt zwar die Leiden in der noch unerlösten Welt ernst (1. Kor. 4,9 ff.; 2. Kor. 6,4 ff.; 12,5 ff.; Gal. 6,17; Phil. 1,29), aber auch das gegenwärtige Leiden ist Entfaltung dessen, was die neue, von Christus geschenkte Existenz ausmacht, es ist eine paradoxe, unter dem Kreuz verborgene Form des gegenwärtigen Heils. Die gegenwärtige Leidenszeit ist für Paulus nicht eine Zeit der Verlassenheit, in der die Frage nach Gottes Treue aufbricht, sondern ist eine Zeit eigentlicher Existenz, denn auch in den Widerfahrnissen des Leidens wird die Liebe Gottes erfahrbar (vgl. Röm. 8,31 ff.).

Paulus entwickelt seine Theologie unter Zuhilfenahme apokalyptischer Vorstellungen. Aber seine positive Charakteristik der Gegenwart geht weit über das hinaus, was in der Apokalyptik an positivem Gegenwartsverständnis möglich ist, denn die Gegenwart erhält eine neue Qualität: sie ist Zeit zum Tun des Guten in Konformität mit Christus.

8.1.5. Die Bedeutung der Eschatologie für den Inhalt der ethischen Weisung

Bei den bisherigen Darlegungen, wie Paulus mit der christologisch begründeten Eschatologie Raum und Zeit absteckt, in denen sich die Existenz des Glaubenden vollzieht, kamen konkrete Mahnungen nur beiläufig in den Blick. Daher ist nun zu fragen, „ob die Eschatologie die paulinische Ethik nur motiviert oder auch inhaltlich normiert"[182]. Bekanntlich ist die paulinische Ethik keine creatio ex nihilo, sondern knüpft an Gegebenes an, indem sie vielfältige formale und inhaltliche Elemente der antiken ethischen Unterweisung sowohl im jüdischen als auch im grie-

---

[181] Die Lesart tō kairō douleuontes in Röm. 12,11c verdient als die schwierigere gerade auf Grund des möglichen opportunistischen Mißverständnisses (vgl. Th. Zahn, Der Brief des Paulus an die Römer, Leipzig ³1925, S. 550, Anm. 44; H. Lietzmann, An die Römer, HBNT 8, Tübingen ⁴1933, S. 110) den Vorzug (so Th. Zahn, a.a.O., S. 549 f.; E. Kühl, Der Brief des Paulus an die Römer, Leipzig 1913, z. St.; O. Michel, a.a.O. [Anm. 58], S. 304; vgl. E. Käsemann, An die Römer, HNT 8a, Tübingen ³1974, S. 333 f.; zum ff. vgl. N. A. Dahl, Formgeschichtliche Beobachtungen zur Christusverkündigung in der Gemeindepredigt, in: Neutestamentliche Studien für Rudolf Bultmann [BZNW 21], Berlin ²1957, S. 3–9).

[182] W. Schrage, Die konkreten Einzelgebote in der paulinischen Paränese, Gütersloh 1961, S. 26, vgl. ebd. S. 13 ff. die Forschungsübersicht (mit Lit.).

chischen Bereich rezipiert. Das spezifisch Paulinische ist folglich zunächst in der Motivation, in der Verknüpfung der Ethik mit den christologischen und eschatologischen Aussagen zu sehen, denn diese setzen das für Paulus typische Verständnis von Zeit und Geschichte aus sich heraus. Diese Verknüpfung von Christologie, Eschatologie und Ethik ist aber sodann auch für die inhaltliche Ausprägung der Ethik bedeutsam.

Röm. 12,1 f. leitet die sich anschließende Paränese ein und begründet diese in den Erbarmungen Gottes, die im Christusgeschehen sichtbar werden (vgl. 2. Kor. 1,3 ff.; Phil. 2,1 f.), im rechtfertigenden, erlösenden und erwählenden Handeln Gottes (vgl. Röm. 9–11). Der Apostel mahnt, die Leiber zu einem lebendigen Opfer bereitzustellen, d. h. im geschöpflich-leiblichen Sein Gott mit dem zu dienen, was dem Wesen des *logos* entspricht. Neben der paradoxerweise in antikultischer Tendenz verwendeten kultischen Sprechweise begegnen auch Stichworte der Taufparänese.[183] Diese wird auf das apokalyptische Zwei-Äonen-Schema übertragen. Damit kommt die eschatologische, auf Zukunft gerichtete Existenz des Menschen in den Blick, denn der dem Wort Gottes gemäße Gottesdienst besteht darin, sich nicht dem vergehenden Äon gleichzustellen und sich in der Neuheit des Geistes umgestalten zu lassen. Es geht also um die Ausrichtung nach dem Neuen, das mit Christus begann und zugleich als Zukunft noch aussteht. Die mit Röm. 12,1 f. angesprochene eschatologische Existenz realisiert sich als ein neuartiger Gottesdienst im Prüfen *(dokimazein)*. In der je gegebenen Wirklichkeit ist zu prüfen, was alt und was neu ist, um nach dem in der Barmherzigkeittat Gottes deutlich gewordenen Willen Gottes leben zu können. Die Forderung geht aus von den „Erbarmungen Gottes" und richtet sich auf die Dimension des damit angebrochenen Neuen. Ausgehend von dem, was getan ist, kann in der jeweiligen Situation geprüft werden, was zu tun übrigbleibt. Weder die Verklärung noch die Negation des Faktischen, sondern das Prüfen dieser vorgegebenen Wirklichkeit und des nötigen Tuns wird somit zur Signatur der eschatologischen Existenz. Die vergehende alte Welt und der kommende neue Äon machen das Prüfen und Abwägen (vgl. 1. Thess. 5,21 vgl. Phil. 1,10 bzw. Röm. 14,5.22; Gal. 6,4 ferner auch 1. Kor. 11,28; 2. Kor. 13,5) notwendig, das von der Zukunft Gottes bestimmt ist und den Menschen auf diese Zukunft ausrichten will.

Da sich nicht ein für allemal festlegen läßt, was in der jeweiligen konkreten, vorgegebenen Situation der Willen Gottes ist, sondern jeweils entschieden werden muß, kommt dem Prüfen eine hervorragende Bedeutung zu. 1. Kor. 7 zeigt beispielhaft, daß Paulus im Wissen um die je besondere charismatische Begabung des einzelnen (V. 7) die Situationsabhängigkeit alles Tuns zugesteht. Es gibt daher in der jeweiligen Situation ein „gut" und „besser" (V. 9 vgl. 37 f.).

Das von der futurischen und präsentischen Eschatologie gleichermaßen bedingte Prüfen unterscheidet die paulinische Theologie wesentlich vom apokalyptischen Denken. In der Apokalyptik soll die Eschatologie zum Tun des Gesetzes motivie-

---

[183] Vgl. R. *Bultmann*, Theologie des Neuen Testaments, Tübingen [6]1968, S. 117 f.; O. *Michel*, a.a.O., S. 327 ff.; E. *Käsemann*, a.a.O., bes. S. 317.

ren. Die Tora gilt als der vollkommene und ausreichende Ausdruck der Norm Gottes. Es kommt nicht auf ein Prüfen, sondern auf das Tun der hier mitgeteilten Gebote an. Die Gegenwart ist daher nicht die Zeit zum Prüfen, sondern die Zeit des Geprüftwerdens (vgl. Dan. 11,35; 12,10) im Blick auf das Eschaton. Paulus hingegen versteht das notwendige Tun des Menschen als ein gemäß dem eschatologischen Kairos auswählendes, selektierendes Handeln. Daher ist das Besondere der paulinischen Ethik nicht nur in der Begründung und Motivierung, sondern auch in der Auswahl, Sichtung, Akzentuierung und damit Umgestaltung des ethischen Traditionsgutes zu sehen. Paulus reproduziert nicht die Totalität der antiken ethischen Anschauungen, sondern wählt vermittels des Prüfens aus.[184] Zwei Kriterien als Maßstab des Auswählens und Prüfens seien exemplarisch hervorgehoben:

Der Gegensatz von Alt und Neu: Bei Röm. 12,1 f. kam bereits die Bedeutung der Kategorie des Neuen für das Prüfen in den Blick. In 1. Kor. 5,6 ff. verweist Paulus in seiner Anweisung hinsichtlich des Vorfalls in der Gemeinde (V. 1 ff.) auf das offensichtlich bekannte (V. 6b vgl. 3,16) Sprichwort vom Sauerteig. Das Bild des folgenden Verses ist von der Sache überlagert, denn das Stichwort *palaios* läßt sich schwer aus dem verwendeten Bild ableiten. Vielmehr macht sich das Schema Einst/Jetzt bzw. Alt/Neu als Gegenüberstellung des alten und neuen Menschen (vgl. Röm. 6,6; 7,6) geltend. Paulus spricht die Korinther auf das wirkliche Neu-Sein (*kathōs este azymoi* V. 7c) an, das es zu bewahren gilt (vgl. V. 7a.b. bzw. V. 5 bzw. 8 ff.). Mit den Kategorien Alt und Neu markiert Paulus den Unterschied, der vom alten zum neuen Äon besteht, um die Gemeinde auf das Neue auszurichten. Eine gleiche Tendenz zeigt die paulinische Taufinterpretation, die auf das *peripatein en kainotäti zōäs* (Röm. 6,4) abhebt. Die in der Taufe übereignete Befreiung von der Macht der Sünde hat sich im neuen Leben zu bewahrheiten, indem die künftige Auferstehung schon jetzt im Leben der von der Sünde Befreiten offenbar werden soll, obgleich der Mensch noch immer unter dem *peirasmos* bleibt. Diese Ausrichtung auf das Neue, das Ansprechen auf das Neu-Sein der Glaubenden motiviert nicht lediglich die Ethik, sondern verlangt eine Auswahl aus den menschlich gesehen unbegrenzten Handlungsmöglichkeiten, so daß nun bestimmte Handlungen für den Christen als möglich, andere als unmöglich gelten (vgl. 1. Kor. 5,6 ff.; Gal. 5,16 ff. u. ö.).

Die Liebe als höchste Norm: In Röm. 13,8–14 geht es nicht allein darum, mit der Eschatologie einen Horizont abzustecken, innerhalb dessen die Mahnungen (12,3 ff. bzw. 13,8 ff.) eine besondere Aktualität erhalten. Im Kontext der eschatologischen Aussagen wird das Handeln in der Liebe zum Ausdruck für die Zugehörigkeit zum neuen Äon.[185] Die Agape als oberster Maßstab alles Auswählens

---

[184] Es ist daher nicht nur wichtig zu sehen, was Paulus übernimmt. Gleiche Beachtung verdient, was er übergeht und verwirft (vgl. *W. Schrage*, a.a.O., S. 200–210, bes. S. 202; *V. P. Furnish*, a.a.O. [Anm. 170], S. 81).

[185] Das *touto* (V. 11) bezieht sich auf die vorhergehenden Mahnungen, vgl. *W. Schrage*, a.a.O., S. 22 bzw. 249 ff.; *O. Merk*, Handeln aus Glauben (Marburger Theologische Studien 5), Marburg 1968, S. 165 ff.

(Phil. 1,9 f.) zeigt sich in der Konformität zu dem, der sich der Welt hingegeben hat (Röm. 15,3.7). Die Agape ist also für den Inhalt des jeweils auszuwählenden konkreten Verhaltens bestimmend. Da vorab der Gottlose Zielpunkt der Liebe Gottes, der im Kreuz begründeten Rechtfertigung ist (Röm. 4,5; 5,6), hat sich die Zuwendung der Christen nicht nur *pros allälous* (Röm. 13,8; Gal. 5,14; 1. Thess. 3,12), sondern auch auf den Nächsten (Röm. 13,9 f. bzw. 15,2), ja auf alle Menschen (Röm. 12,17 f.; 1. Thess. 3,12; Gal. 6,10) zu richten. Das eschatologische Kreuzesereignis bestimmt also von der Liebesforderung her nicht nur den Inhalt des jeweiligen konkreten Verhaltens, sondern auch die Richtung des Handelns, d. h., wem das Handeln gilt. Die Agape entschränkt somit den Kreis der Menschen, von denen ein Anspruch an den Christen ergeht und denen diese Liebe weiterzugeben ist (vgl. Röm. 15,7 u. ö.).

Bei Paulus prägt die Eschatologie auch den Inhalt der ethischen Mahnungen, indem sie mit ihrem futurischen und präsentischen Aspekt die Grundlage für die Akzentuierung und konkrete Ausprägung des Handelns abgibt. Das Christusereignis initiiert den notwendigen Prozeß des Prüfens und Auswählens. Dafür gibt es in der apokalyptischen Literatur keine Parallele, da ja das Neue nicht in der gegenwärtigen Existenz realisiert werden kann und streng auf die eschatologische Zukunft bezogen ist. Schließlich fehlt trotz gelegentlicher universalistischer Tendenzen in der Apokalyptik die Liebesforderung, die im paulinischen Sinne den Kreis derer entschränkt, die einen Anspruch auf Liebe haben.

Die Hereinnahme des Eschaton in den Inhalt der Ethik zeigt sich besonders in Röm. 14,17 und 1. Kor. 4,20. Paulus hat hier mit großer Wahrscheinlichkeit frei formuliert, wobei die futurische Bedeutung von Basileia traditionell vorgegeben ist[186], die aber in Verbindung mit den ethischen Aussagen in charakteristischer Weise modifiziert wird. Röm. 14,17 steht innerhalb einer Paränese, die das Verhältnis der Starken und Schwachen in der Gemeinde betrifft (Röm. 14,1–15,13). Der polemisch formulierte Lehrsatz über die Basileia sieht zunächst wie ein Fremdkörper aus. Aber in V. 18 f. werden die Stichworte der Basileia-Definition in die Paränese aufgenommen. Die Auswirkung der eschatologischen Hoffnung auf den Inhalt der Ethik ist unübersehbar, da in der Gegenwart das ethische Tun von den eschatologischen Gaben „Gerechtigkeit, Friede und Freude im heiligen Geist" bestimmt werden soll. Eine konkrete Definition der zukünftigen Basileia wird zum Inhalt der Ethik.

In 1. Kor. 4,20 begründet Paulus sein Verhalten zur Gemeinde mit dem Wesen der Basileia. Zur Abgrenzung vom Verhalten der Korinther bzw. zur Begründung des eigenen Handelns (vgl. V. 21) stellt er Position und Negation mit dieser Definition einander gegenüber. Dabei handelt es sich nicht um eine allgemeingültige Definition, sondern Paulus akzentuiert einen Wesenszug der zukünftig vorgestellten Basileia, der in der gegenwärtigen Auseinandersetzung von Bedeutung ist und

---

[186] Vgl. *E. Lohse*, Die Briefe an die Kolosser und Philemon (KEK 9,14), Göttingen 1968, S. 73; vgl. *G. Klein*, „Reich Gottes" als biblischer Zentralbegriff, EvTh 30 (1970), S. 663 f.; ferner *E. Käsemann*, a.a.O., S. 364.

den Inhalt für das notwendige bzw. abzulehnende Verhalten in der Gegenwart prägt. Die Eschatologie motiviert also nicht nur, sondern normiert die Ethik inhaltlich.

Die beiden polemischen Definitionen umschreiben die zukünftige Basileia jeweils durch eine Negation und Position in Entsprechung zu einem konkreten Verhalten in der Gemeinde. In einer konkreten Situation wird eine Definition der zukünftigen Basileia in die Ethik hineingenommen. Dadurch wird der futurische Charakter der Basileia nicht aufgehoben. Die futurisch-eschatologische Aussage wird in den Bereich der Ethik hineingenommen, aber nicht in die Ethik aufgelöst, obschon die zukünftige Basileia in der Gegenwart, in einem entsprechenden Verhalten realisierbar ist. Im Handeln der Gemeinde kann die Basileia jetzt schon Realität werden. Dabei normiert die eschatologische Aussage das geforderte Verhalten in der Gegenwart.

Weder in der apokalyptischen Literatur noch in der rabbinischen Tradition läßt sich eine solche Hereinnahme des Eschaton in den Inhalt der Ethik nachweisen.[187] In der Apokalyptik prägt die Charakteristik der Heilszeit nicht den Inhalt der ethischen Mahnung. Röm. 14,17 sowie 1. Kor. 4,20 zeigen eine markante Umformung apokalyptischer Denkvoraussetzungen. Die eschatologische Hoffnung des Apostels erweist sich nicht nur als ein Korrektiv gegenüber einem falschen Gegenwartsverständnis, sondern ist zugleich konstruktiv, indem die Ethik nicht nur motiviert, sondern auch inhaltlich normiert wird.

8.1.6. Zusammenfassung

Der Überblick zum Verhältnis von Ethik und Eschatologie bei Paulus zeigt, daß Paulus vielfältiges apokalyptisches Gedankengut übernommen hat.[188] Die enge Beziehung von Ethik und Eschatologie ist sowohl für die apokalyptische als auch für die paulinische Theologie charakteristisch, so daß die Besonderheiten nicht im „Daß", sondern im „Wie" dieser Verknüpfung zu suchen sind.

Für Paulus ist in formaler Hinsicht die Kürze und Reduzierung apokalyptischer Überlieferungen kennzeichnend. Ausführlichere Zukunftsaussagen, die in Röm. 8,19 ff. ohne konkreten Anlaß begegnen, sind in 1. Kor. 15, 1. Thess. 4,13 ff. sowie 2. Kor. 5,1 ff. von der konkreten Gemeindesituation bedingt. Das Fehlen ausmalender Gerichtsdarstellungen sowie der Schilderung der künftigen Orte für Gerechte und Sünder zeigt, daß die paulinische Ethik nicht als Gerichtsethik angesehen werden kann. Nicht die Materialisierung ethischer Sachverhalte im kosmischen Bereich, sondern das Christusereignis ist der Erweis der Treue Gottes, welche die Hoffnung begründet.

---

[187] Diesen Unterschied verdeutlicht auch der Gewohnheitsspruch Rabs (gest. 247): „Im Olam haba gibt es nicht Essen und Trinken, nicht Zeugung und Fortpflanzung, nicht Handel noch Wandel, nicht Neid noch Feindschaft noch Streit; sondern die Gerechten sitzen da mit ihren Kronen auf ihren Häuptern und laben sich an dem Glanz der Schekina (bBer 17a; vgl. Bill. IV, S. 839).

[188] Auf die umfangreiche Problemstellung „Paulus und die Apokalyptik" kann in diesem thematisch eingegrenzten Überblick nicht in extenso eingegangen werden, vgl. J. Baumgarten, Paulus und die Apokalyptik (WMANT 44), Neukirchen 1975 (Lit.).

Die Feststellung, daß Paulus apokalyptische Traditionen nur sehr komprimiert wiedergibt, darf nicht zu der prinzipiellen Schlußfolgerung führen, solche Aussagen als traditionell bedingte Relikte anzusehen. Zwar stellt die Kosmologie bei Paulus kein eigenständiges Thema dar, aber dennoch muß nach dem eigenen Stellenwert der Eschatologie gefragt werden. Eine Interdependenz von Ethik und Eschatologie wie in der Apokalyptik, daß die Eschatologie die Ethik sinnvoll macht und die Ethik die Relevanz der Eschatologie als Heilsaneignung nahebringt, läßt sich bei Paulus nicht feststellen. Korrekterweise darf bei Paulus auch nicht allein nach den Beziehungen von Ethik und Eschatologie gefragt werden. Diese Frage muß die Christologie mit einschließen. Die Eschatologie ist für Paulus mit der Christologie gegeben, sie legt diese aus, während die Ethik die Folge dieser Beziehungen darstellt. Die Mitte der paulinischen Theologie ist das in Christus offenbare Heilsgeschehen, das die Verheißungen erfüllt, die Hoffnung begründet und auch in einer vergehenden, dem Ende zueilenden Welt des Handeln des Menschen nötig und möglich macht. Diese Mitte lokalisiert die Existenz des Menschen im „Zwischen“: bestimmt von dem vergangenen Heilsgeschehen von Kreuz und Auferweckung und offen für die durch dieses Geschehen erschlossene Gegenwart und Zukunft.

In dem Beziehungsgeflecht von Christologie, Eschatologie und Ethik hat die Eschatologie im Blick auf die Gegenwart eine kritische und konstruktive Funktion. In kritischer Weise betont die Eschatologie vor allem das „Noch nicht“ im Gegensatz zu einem enthusiastischen Vollendungsbewußtsein. Entsprechend wollen die Gerichtsaussagen nicht wie in der Apokalyptik angesichts der in der Gegenwart ausbleibenden Verheißung den Tun-Ergehen-Zusammenhang aufs neue ins Recht setzen, sondern energisch auf die Gefährdung des übereigneten Heils in der noch unerlösten Welt und auf das Bewahren des Neuen Seins in der somatischen Existenz hinweisen. Vermittels apokalyptischer Traditionen wird kritisch gegen das Überspringen der Realität dieser Welt eingewendet, daß die Gegenwart noch nicht die Zeit der Vollendung, sondern die Zeit der Ethik und des Leidens mit Christus ist.

In konstruktiver Weise spricht die Eschatologie den Glaubenden entgegen jeglicher individualistisch-soteriologischen Verengung der Ethik auf seine Zukunft und auf die Zukunft der Welt an, die im Christusgeschehen begründet ist. Mit apokalyptischen Traditionen macht Paulus geltend, daß das in der Rechtfertigung dem Menschen übereignete Heil unüberbietbar ist. Nun geht es um die Verwirklichung des Neuen Seins in der noch unerlösten Welt. Die Eschatologie prägt das Verständnis der Gegenwart, in der sich das Handeln des Menschen vollzieht. Dabei dient sie nicht nur als Motivierung der Ethik, sondern sie gibt in Verbindung mit der Christologie den Inhalt und die Richtung des Handelns an. Die Gegenwart ist nicht lediglich Zeit des Aushaltens für eine bessere Zukunft, sondern der Kairos zum Tun des Guten, da sich die eschatologische Hoffnung auch jetzt schon im Handeln des Menschen realisieren läßt (Röm. 14,17; 1. Kor. 4,20). Das Prüfen nach dem Maßstab des mit Christus gesetzten Neuen wird zur Signatur der eschatologischen Existenz und nimmt damit dem Vorfindlichen den Anspruch des Endgültigen. Der Christ ist befreit von der Sorge um sein zukünftiges Ergehen und folglich befähigt zur Sorge für den Menschen und die ihm übereignete Welt. Statt der Sorge um das eschatologische Heil, das nach apokalyptischem Verständnis auf das uneigentliche Leben in der Gegenwart folgen wird, steht nun trotz des Wissens um die Vorläufigkeit dieser Welt das christuskonforme Handeln im Mittelpunkt, das auf den Menschen und auf die Welt gerichtet ist.

Die paulinische Theologie nimmt die Gegenwart des Menschen in seiner Vorfindlichkeit in der Welt ernst. Sie ermächtigt ihn zum Handeln durch den in Christus geschehenen Anspruch und Zuspruch der Gegenwart und Zukunft Gottes. Diesem Anliegen dienen die apokalyptischen Traditionen, die bei Paulus in einem andersartigen und neuen Kontext begegnen. Unter Aufnahme apokalyptischer Traditionen entwickelt Paulus von seiner Christologie her eine gegenüber der Apokalyptik eigenständige Konzeption, die auf Grund des geschehenen Heils im Vergleich zur Apokalyptik eine positivere Deutung von der Welt und vom Dasein, von der Stellung und von den Aufgaben des Menschen in der Welt zuläßt. Sie ermöglicht, sich in der Welt und für sie zu engagieren, weil Gott sich in Christus in ihr und für sie engagiert hat. Die apokalyptischen Traditionen bei Paulus weisen auf diesen Weltbezug hin, da sie auf Grund des Beziehungsgeflechts von Christologie, Eschatologie und Ethik in einem neuen Kontext stehen und den traditionellen apokalyptischen Rahmen immer wieder auf bezeichnende Weise durchstoßen.[189]

Das Unaufgebbare an den apokalyptischen Interpretamenten bei Paulus besteht darin, daß sie unaufgebbare Dimensionen des Kerygmas im Blick auf Welt und Mensch festhalten. Der Mensch kann nicht isoliert vom Weltgeschehen, noch dieses nur als Interpretament der Anthropologie angesehen werden. Wenn zu Recht die Rechtfertigungslehre des Paulus als articulus stantis et cadentis, als „Kanon im Kanon" gilt, der zur Kanonkritik herausfordert, so dürfte auch der ethischen Konzeption der paulinischen Theologie in der Verbindung von Christologie, Eschatologie und Ethik als articulus fidei consequens eine Kanonizität zuzusprechen sein, die zu theologisch begründeter Sachkritik ermächtigt.

---

[189] Aus diesem Grunde ist Vorsicht geboten gegenüber der These „Paulus ist Apokalyptiker auch als Christ geblieben" (E. Käsemann, Gottesgerechtigkeit bei Paulus, in: Exegetische Versuche und Besinnungen, a.a.O., Bd. II, S. 181–193, hier S. 193; vgl. S. Schulz, Die Charismenlehre des Paulus, in: Rechtfertigung, Festschrift für E. Käsemann, Tübingen 1976, S. 443–460, S. 443: „Paulus war ein prophetisch-charismatischer Apokalyptiker"). Paulus kann nicht im religionsgeschichtlichen Sinne als Apokalyptiker bezeichnet werden. Die apokalyptischen Traditionen sind bei ihm Interpretamente, die auf ihren Aussagewillen zu befragen sind und die (entsprechend den paulinischen Modifikationen) innerhalb des paulinischen Denkens einen eigenen Aussagewert bekommen (vgl. G. Eichholz, a.a.O. [Anm. 170], S. 23 bzw. E. Lohse, Apokalyptik und Christologie, in: Die Einheit des Neuen Testaments, Göttingen 1973, S. 48–67, S. 48 ff.). Paulus kann nicht als Apokalyptiker apostrophiert werden, da der Kontext der apokalyptischen Aussagen ein anderer geworden ist (vgl. J. Becker, a.a.O. [Anm. 164], S. 607: „Apokalyptische Motive sind ihrem Wurzelboden entfremdete, je isolierte Aussagemittel, um die Hoffnung als Explikation der Rechtfertigung sagbar zu machen"). – Zum ff. vgl. E. Käsemann, a.a.O. (Anm. 166), S. 305, daß die Rechtfertigungslehre „ohne ihre scheinbar mythologischen, mystischen, apokalyptischen Einkleidungen nicht bleibt, was sie ist und sein will . . .".

8.2. Ausgewählte Beispiele der neutestamentlichen Briefe

Aus der Fülle der neutestamentlichen Schriften, in denen eschatologische Aussagen unter Verwendung apokalyptischer Traditionen gemacht werden, sollen einige Beispiele in einem kurzen Überblick zur Sprache kommen, um in der Gegenüberstellung zum Verhältnis von Ethik und Eschatologie in der Apokalyptik bzw. bei Paulus gewisse Entwicklungstendenzen aufzeigen zu können.

Der *Epheserbrief*, der auf einen lehrhaften Teil (Kap. 1–3) paränetische Ausführungen (Kap. 4–6) folgen läßt, bringt eschatologische Begriffe und Vorstellungen der urchristlichen Eschatologie, die der Apokalyptik entlehnt sind, in einer sehr charakteristischen Ausprägung. Die Rede von „diesem Äon" und dem „kommenden" (1,21), von der Versiegelung auf den Tag der Erlösung (4,30), vom Erbe der „Basileia des Christus und Gottes" und vom „Zorn Gottes" (5,5 f.), von den bösen Tagen (5,16) sowie vom Anlegen der Waffenrüstung Gottes zum Kampf, um am „bösen Tag" (6,13) stehen zu können, trägt ein traditionelles Gepräge, das zu einer unterschiedlichen Beurteilung der Bedeutung der Eschatologie für den Eph. geführt hat.[190] Die spezifische Auffassung des Eph. läßt sich besonders deutlich an 2,1–10 ablesen, wo der Verfasser traditionelle Lehrsätze und liturgisch geläufige Formulierungen in Verbindung mit der Taufterminologie, mit dem Schema Einst/Jetzt sowie der Rechtfertigungsterminologie (bes. V. 5.8) aufgreift und weiterentwickelt.

Im Eph. wird nun der Unterschied des einstigen und jetzigen Lebens, der sich jeweils im Verhalten der Menschen bekundet, bestimmten kosmischen Bereichen zugeordnet, nämlich dem Bereich der dämonischen Mächte (2,2 vgl. 3,10; 6,12) bzw. dem Bereich Gottes und das Christus (4,10 vgl. 1,20). Mit der Gegenüberstellung von „Einst" und „Jetzt" werden letztlich nicht Zeiten voneinander geschieden, sondern Machtsphären (2,2.11). Das Schema Einst/Jetzt wird aus dem temporalen Bezugssystem herausgelöst und räumlichen Kategorien zugeordnet, nämlich den Bereichen des Unheils bzw. Heils, des Nichtwissens bzw. Wissens der Offenbarung. Es werden also Existenzweisen der Angesprochenen bezeichnet. Die zeitliche Perspektive wird einem wesentlich räumlich ausgerichteten Weltbild zugeordnet, das die temporale Dualität von gegenwärtigem und zukünftigem Äon durch die lokale Dualität von unterer und oberer Welt ersetzt. Damit gerät der Zeitaspekt, der ursprünglich mit den apokalyptischen Traditionen verbunden war und ein bestimmtes Zeitverständnis aus sich heraussetzt, aus dem Blick.

In 2,4 ff. interpretiert der Eph. die Taufe als das Hineinnehmen in das Christusgeschehen, wobei der Gedanke des Mitsterbens mit Christus offensichtlich nicht so wichtig ist (vgl. aber Röm. 6,3.8; Kol. 2,12.20 bzw. 3,3). Der Eph. formuliert, daß Gott die Christen auferweckt hat, er hat sie den Thron besteigen lassen und zusam-

---

[190] *F.-J. Steinmetz*, Protologische Heilszuversicht. Die Struktur des soteriologischen und christologischen Denkens im Kolosser- und Epheserbrief (Frankurter Theologische Studien, Bd. 2), Frankfurt 1969, spricht von „Spuren futurischer Eschatologie; *F. Hahn*, Christologische Hoheitstitel, Berlin 1965, S. 131, bemerkt eine „völlige Enteschatologisierung", während *H. Schlier*, Der Brief an die Epheser, Düsseldorf ⁶1968, S. 292 im Eph. eine „konkrete Eschatologie" entdeckt; vgl. auch *S. S. Smalley*, The Eschatology of Ephesians, EvQ 28 (1956), S. 152–157.

men mit Christus lebendig gemacht. Mit Christus ist die Gemeinde bereits in die Himmel versetzt. Für Paulus hingegen ist die Auferweckung mit Christus kein zurückliegendes Ereignis, sondern der Inhalt seiner Hoffnung (vgl. Röm. 6,4 f.8; 8,11; 1. Kor. 15,22 u. ö.). Dieser Unterschied löst die Frage aus, „ob es gelingt, Rechtfertigungstheologie vom apokalyptischen Weltbild im allgemeinen und von der paulinischen Gestalt der Zukunftshoffnung im besonderen zu lösen"[191]. Es ist hinlänglich bekannt, daß im Eph. der eschatologische Vorbehalt fehlt, um das „Noch nicht" auszusagen, das Paulus mit den der Apokalyptik entlehnten Traditionen einschärft. Im Eph. begegnen nur mehr Spuren futurischer Eschatologie, die von einem räumlich geprägten Denken überlagert werden. Aber mit dem Zurücktreten der Dimension des Futurischen bzw. der temporalen Betrachtungsweise tritt eine neue Dimension in den Vordergrund, die das gleiche Anliegen aufnehmen will: die Rede vom vorzeitigen Handeln Gottes. Wie auch die Verwendung des sog. Revelationsschemas zeigt, das die gegenwärtige Offenbarung des einst verhüllten Heilsplanes Gottes aussagt (3,1–11 vgl. Kol. 1,26), treten protologische Aussagen an die Stelle von futurischen (Eph. 1,4 f.10). Damit betont der Eph., daß das Christusgeschehen schon im Ansatz von Gottes Ewigkeit her zum Menschen hin angelegt ist. Das eschatologische Christusereignis wird also vom Proton her, nicht wie bei Paulus auf das Eschaton hin interpretiert.

Dem Verzicht auf die der Apokalyptik entlehnten Interpretamente der Rechtfertigungslehre, die den Weltaspekt des Christusgeschehens festhalten, korrespondiert im Eph. die Konzentration auf den Raum der Kirche, auf die Ekklesiologie. Gott hat das Mysterion ausschließlich jetzt der Kirche offenbart (3,1–11). Das Alte Testament hingegen hat keine wesentliche Bedeutung, es gilt nicht als Vorhersage gegenwärtigen oder künftigen Geschehens – ja es kann überhaupt nichts vorhergewußt haben. Diese Aufkündigung der Kontinuität zur atl. Geschichte macht den Raum frei, um das eschatologische Christusereignis protologisch auszusagen. Die Unüberbietbarkeit dieser Heilssetzung Gottes wird also, um das sola gratia der Rechtfertigung zu wahren (vgl. 2,10), nicht auf Zukunft hin ausgelegt, sondern von der Protologie her erwiesen. Das Heil wird nun nicht im Blick auf die Welt, sondern im Blick auf die Kirche ausgesagt. Während die apokalyptische Dimension der paulinischen Rechtfertigungslehre festhält, daß das Heil keineswegs ein privates, individuelles ist, sondern in geschichtlich universaler Weise der ganzen Welt gilt (Röm. 9–11; 1. Kor. 15,28), bewahrt im Eph. die Ekklesiologie vor der Reduktion der Gnadenverkündigung zu einem privaten Enthusiasmus oder Vollkommenheitsbewußtsein: in der Kirche kommt Gottes Heilsplan zu seinem Ziel (3,10). Der Weltaspekt der Rechtfertigung gerät dabei in den Hintergrund.

Es ist bemerkenswert festzustellen, daß der Eph. mit anderen Vorstellungen (Protologie bzw. Ekklesiologie) aussagt, was Paulus vermittels apokalyptischer Traditionen erläutert. Über Berechtigung und Notwendigkeit eines solchen Vorgehens, besonders im Blick auf die andersartige Verkündigungssituation im Eph., ist hier

---

[191] *U. Luz*, Rechtfertigung bei den Paulusschülern, in: Rechtfertigung, Festschrift für E. Käsemann zum 70. Geburtstag, a.a.O., S. 365–383, ebd. S. 373.

nicht zu handeln. Wesentlich ist aber vor allem, daß im dogmatisch-lehrhaften Teil des Eph. die eschatologischen Vorstellungen weit mehr zurückgedrängt werden als in den paränetischen Partien.[192] In 4,30 klingen Vorstellungen an (vgl. Matth. 11,24; 12,36; 2. Petr. 2,9 bzw. Röm. 2,5), die den apokalyptischen Endgerichtsvorstellungen verpflichtet sind. Diese Spuren traditioneller Eschatologie (vgl. 5,5 f.16; 6,13) sind in der Gesamtheit der Theologie des Eph. nicht wirklich verankert. Die Tatsache, daß sie vor allem in paränetischem Zusammenhang begegnen, macht deutlich, daß die Eschatologie aus dem Bereich der Dogmatik in den der Ethik hinübergewechselt ist, wo sie dem Bezugssystem Lohn–Strafe zugeordnet wird, ohne daß eine deutliche Spannung zu den Rechtfertigungsaussagen zu erkennen ist. Die eschatologischen Traditionen dienen also nicht mehr der Auslegung des Christusgeschehens oder der Deutung von Raum und Zeit, in denen sich das Handeln des Menschen vollzieht. Die Eschatologie ist ein Motiv unter vielen (z. B. Ekklesiologie, Taufe, Geistbesitz) zur Begründung der Ethik. Eine enge Zusammengehörigkeit von Christologie, Eschatologie und Ethik, wie sie die paulinische Theologie vor Augen führt, ist nicht zu erkennen.[193]

---

[192] „Eine gewisse Diskrepanz in den eschatologischen Vorstellungen von Kap. 1–3 und Kap. 4–6 bleibt auffällig" (*U. Luz*, ebd., S. 372 Anm. 23).

[193] Eine ähnliche Tendenz zeigt der *Hebräerbrief*. Hier begegnen eschatologische Aussagen besonders in den über den Brief verstreuten paränetischen Stücken, die meist in eschatologische Aussagen münden (vgl. 6,7 f.18–20; 10,21.25.36–39; 12,11–29). Beachtung verdienen auch die futurisch-eschatologischen Begründungssätze innerhalb der paränetischen Partien (vgl. dazu 2,3; 3,6.14; 4,10; 6,18–20; 10,37; 12,11.14.29). *J. Cambier*, Eschatologie ou Hellénisme dans l'épître aux Hébreux, Löwen 1949, vertritt die These, daß im Hebr. die traditionellen eschatologischen Formeln in einer alexandrinischen Denkweise neuinterpretiert werden. Er spricht von einer Transformation der von temporalen Kategorien getragenen urchristlichen Apokalyptik in ein hellenistisch-alexandrinisches Denken und zieht die Schlußfolgerung, daß die Rede vom zukünftigen Gericht nur mehr versteinert in den paränetischen Partien des Briefes begegne (S. 92 u. ö.; zustimmend *E. Gräs-ser*, Der Hebräerbrief 1938–1963, ThR N. F. 30, 1964, S. 138–236, S. 226). Es ist aber zu beachten, daß die darstellenden Teile des Hebr. mit vor allem räumlichen Kategorien die Heilszuversicht durch Überbietung des Irdischen durch das Himmlische ausdrücken und damit in einer fruchtbaren Spannung zu den paränetischen Teilen stehen, in denen die Angst, das Heil zu verlieren und die Ruhe nicht zu erlangen, zum Ausdruck kommt (2,3; 4,9; 10,34; 12,22 u. ö.). Der Gerichtsgedanke mit der Furcht vor dem zürnenden Gott und der Angst vor der eigenen Schuld steht in Spannung zu anderen Aussageweisen der Präsenz des Heils und der Hoffnung mit Vorstellungen und Denkmodellen, die nicht der Apokalyptik entlehnt sind und eine wichtige Funktion erfüllen. Nach *B. Klappert*, Die Eschatologie des Hebräerbriefes, ThExh 156, München 1969, S. 49, „spricht die Prävalenz der futurisch-apokalyptischen Begrifflichkeit gerade in der Paränese als dem Zielpunkt der dogmatisch-christologischen Partien dafür, daß der alexandrinische Dualismus und die transzendent-räumliche Begrifflichkeit im Dienst einer angesichts der Parusieverzögerung notwendig gewordenen Neubegründung der futurischen Eschatologie stehen". Andere Denkmodelle müssen also auch hier leisten, was die paulinische Theologie mit apokalyptischen Traditionen erläutert, nämlich die Unüberbietbarkeit des Christusgeschehens im Blick auf seine gegenwärtige und zukünftige Bedeutsamkeit. Die Tatsache, daß die futurische Eschatologie in besonderem Maße der Paränese zugeordnet ist, hat zur Folge, daß ein relativ ungebrochenes Lohndenken um sich greift (vgl. 2,2 f.; 3,7 ff.; 10,28–31; 12,18–29 vgl. 10,35; 13,2 bzw. 11,6 u. ö.). „Die bei Jesus und bei Paulus herrschende Sorge, das Lohndenken könnte das Heil geradezu verderben, ist hier unter den Horizont geraten" (*H. Braun*, Die Gewinnung der Gewißheit im Hebräerbrief, ThLZ 96, 1971, S. 321–330, ebd. S. 330).

Der *Jakobusbrief* ist durch seine dezidiert paränetische Ausrichtung in der urchristlichen Literatur singulär. Er überliefert Paränese, die er aus den ethischen Traditionen
seiner Umwelt schöpft. Seine theologische Leistung besteht nicht allein in der sprach-
lichen Glättung, durch die er einzelne Spruchgruppen miteinander verknüpft, da
schon die Auswahl aus der breiten Überlieferung ethischer Verhaltensnormen eine
theologische Entscheidung bedeutet. Daher läßt sich aus der Akzentuierung und Profilierung, aus der beharrlichen Wiederkehr sachlicher Motive die Theologie des Jak.
erschließen, freilich unter der Voraussetzung, daß diese Schrift vor allem ethisch und
weniger systematisch-theologisch reflektierend ausgerichtet ist.[194] Die paränetische
Ausrichtung kommt am sinnfälligsten darin zum Ausdruck, daß in 108 Versen 54 Imperative begegnen, die entweder unverbunden aneinandergereiht (z. B. 4,7 ff.) oder
mit einer nachfolgenden Begründung versehen sind (1,6.13.20; 2,2.10.11 u. ö.).
Nicht nur eine Reihe von Begründungen (z. B. 2,9–13) soll die Mahnungen eindringlich machen, sondern auch Schriftzitate (2,8; 4,5 f.; 5,11), rhetorische Fragen (2,4 ff.),
Parabeln, Vergleiche aus der Natur, Beispiele von atl. Frommen sowie Stilformen der
Diatribe werden herangezogen. Auffällig ist das Fehlen einer expliziten christologischen Motivierung der Mahnungen[195], nur in 2,14–26 findet sich eine allein auf
christlichen Ursprung zurückführbare Begründung.
Die Christologie besitzt im Jak. eine nur untergeordnete Bedeutung. Von Jesus
Christus redet der Brief nur in 1,1 sowie 2,1. Kreuz und Auferweckung als Heilsereignis werden nicht erwähnt. Was unter dem Glauben an „unseren Herrn der
Herrlichkeit Jesus Christus" (2,1) inhaltlich zu verstehen ist, bleibt unklar, da weitere Erörterungen nicht folgen. Die Beziehung des Kyriostitels auf Gott ist eindeutig in Jak. 3,9; 5,4, kaum zu bezweifeln in 1,7; 4,10.15, umstritten in 5,8.7.14.15,
wo auch die Beziehung auf Christus gemeint sein könnte.[196] Wenn man den Jak.
auf dem Hintergrund der jüdischen Weisheitstheologie bzw. als Vertreter einer
„impliziten Christologie"[197] verstehen will, darf man die wesentlichen Unterschiede zu der viel stärkeren christologischen Akzentuierung von Q bzw. des synoptischen Stoffes nicht übersehen. Der Jak. ist eine Schrift, in der das spezifisch
Christliche nur schwach expliziert wird. Dies zeigt sich an den Begründungen der
Mahnungen wie auch an der Eschatologie.
Die Eschatologie des Jak. dient vor allem der Begründung der Ethik. Sie ist nicht
für sich Ziel der Darlegungen, sondern stets der Paränese untergeordnet. Hinweise

---

[194] Auch der stärker theoretische Abschnitt 2,14 ff. ist „von wesentlich praktischem Interesse getragen",
vgl. *M. Dibelius*, Der Brief des Jakobus (KEK 15), Göttingen ⁵1964, S. 41.

[195] Diese fehlt auch in 2,1. Der Gedanke ist dort: Seid nicht Christen, die parteiisch sind! (vgl. *M. Dibelius*, ebd. S. 158).

[196] Da 5,11b sowie V. 10 vermutlich auf Gott bezogen sind, der auch als der Richter vorzustellen ist
(vgl. 4,12), kann man auch für V. 7 f. mit einiger Sicherheit die Beziehung auf Gott festhalten (vgl.
A. Strobel, Untersuchungen zum eschatologischen Verzögerungsproblem, NovTest Suppl. II, Leiden
1961, S. 263). Auch wenn 5,14 möglicherweise auf Christus zu deuten ist (so *M. Dibelius*, a.a.O.,
S. 299 f.; *F. Mußner*, Der Jakobusbrief, HThK XIII/1, Leipzig 1976 [= 3. Aufl.], S. 220 f.), kann man
für 5,7–11 nicht von einer dezidiert christologisch ausgerichteten Eschatologie sprechen.

[197] Vgl. *U. Luck*, Der Jakobusbrief und die Theologie des Paulus, Theologie und Glaube 61 (1971),
S. 161–179 bzw. *F. Mußner*, a.a.O., S. 250–254.

auf das Gericht haben eine große Bedeutung (vgl. 2,12; 4,12; 5,9.12). Gott ist als der Gesetzgeber zugleich der Richter (4,12). Diese Doppelfunktion ist verständlich, weil das Gesetz als Maßstab des Gerichts gilt (2,12). Wer im Leben nicht Barmherzigkeit übte, gegen den wird auch Gottes Gericht unbarmherzig sein (2,13). Den Lehrer erwartet ein größeres Gericht (3,1). 4,11 und 5,9 warnen unter Hinweis auf das Gericht vor der lieblosen Kritik am Nächsten (vgl. 1,20). Um nicht dem Gericht zu verfallen, ist absolute Wahrhaftigkeit der Rede notwendig (5,12). Den Reichen wird für ihr gottloses Verhalten der Gerichtstag angekündigt (5,6). Die Betonung des Gerichts und der Werke korrespondieren einander, denn die Betonung des Tuns des Menschen weckt die Frage nach der Vergeltung. Mit dem Gericht wird nicht nur gedroht, es gibt auch Prophezeiungen künftigen Lohns (1,12.21; 2,13b).

Die Forderung nach unbedingter Erfüllung der Gebote sowie die Möglichkeit, durch Werke dem Gericht zu entgehen, steht auch hinter 2,14 ff., wo die eschatologische Ausrichtung unverkennbar ist, da Jak. die Rechtfertigung als ein endzeitliches Geschehen versteht (vgl. V. 24). Jak. schärft die Notwendigkeit von Werken ein, weil nur die Werke im Gericht zu retten vermögen. Glaube ohne Werke ist nicht falscher Glaube, weil der Inhalt des Glaubens als Gehorsam verkannt wird, sondern weil er nicht zur Rechtfertigung beitragen kann. Nur mit den Werken als der entscheidenden Größe hat der Glaube die ersehnte Auswirkung für das eschatologische Ergehen (V. 22a). Dem entspricht, daß die Zukunftshoffnung individualistisch und nicht kosmisch-universal ausgerichtet ist. Der einzelne Fromme wartet ohne ein besonderes Interesse an der Rettung der Welt in Langmut auf das Ende (5,7 f.10) und erwartet kraft seiner Werke die Rettung im Endgericht.[198]

Das Fehlen einer expliziten Christologie erklärt das Fehlen einer christologisch akzentuierten Eschatologie sowie einer christologisch begründeten Ethik. Es begegnen im Jak. keine Mahnungen, die als spezifisch christlich anzusehen sind, wenngleich 5,12 in seiner „Radikalisierung einer auch sonst erkennbaren ethischen Tendenz"[199] und 5,14 als Handeln in der Gemeinde ohne den christlichen Hintergrund schwer denkbar sind. Man kann nicht übersehen, daß im Jak. jegliches Verständnis für die christliche Situation als Existenz im „Zwischen", in der Spannung von „Schon" und „Noch nicht" fehlt.[200] Eine Zusammenschau von Gegenwart und Zukunft, wie diese bei Paulus vom Christusgeschehen her möglich ist, fehlt. Die Gegenwart ist begrenzt durch das Gericht. Sie ist für die Gemeinde die Zeit der Versuchungen, in der es die Geduld zu bewähren gilt. Die ethische Mahnung gilt bis zum Gericht und auf das Gericht zu. Das Verständnis der Gegenwart als ein Neues, das im Heilsgeschehen begründet ist, fehlt im Jak. Es findet sich keine Ausrichtung des Menschen von der Gegenwart des Neuen auf die zukünftige Manife-

---

[198] „Man leidet zwar durch die Welt, aber nicht für sie; die Liebe weitet sich nicht zur Feindesliebe gegen die verfolgende Welt" (R. *Völkl*, Christ und Welt nach dem Neuen Testament, Würzburg 1961, S. 369).

[199] M. *Dibelius*, a.a.O., S. 296.

[200] Vgl. R. *Bultmann*, a.a.O. (Anm. 183), S. 515.

station dieses Neuen, da eine entsprechende Christologie fehlt, von der aus dies zu entfalten wäre. Die Eschatologie ist ganz auf das Gericht bezogen, das den Tun-Ergehen-Zusammenhang bestätigt. Da die eschatologische Existenz des Menschen unmittelbar von seinem ethischen Tun abhängt, ergibt sich ein Vergeltungsdenken, das dem der jüdischen Apokalyptik entspricht. Dies ist die Folge davon, daß die Eschatologie nur mehr auf den Bereich des Ethischen bezogen ist und nicht im Gegenüber zur Christologie bzw. als deren Auslegung entwickelt wird.

Der *2. Petrusbrief* läßt die Zuordnung von Ethik und Eschatologie vor allem darin erkennen, daß zunächst Kap. 2 apokalyptische Traditionen in nicht so unbefangener Weise wie die Vorlage, der Judasbrief, aufnimmt und die zu bekämpfende Irrlehre als ein ethisch verwerfliches Verhalten brandmarkt. Der Vorwurf, „sie leugnen den Herrn, der sie erkauft hat" (2,1), wird im folgenden nicht als christologische Irrlehre, sondern als ethischer Laxismus entlarvt. Von einer theologischen bzw. christologischen Fragestellung geht der Verfasser sogleich auf die ethische über. Die Auseinandersetzung mit den Irrlehrern wird nicht als eine Auseinandersetzung um die Christologie geführt. Statt dessen geht es um die Ethik, die offensichtlich die Folge dieser Christologie ist (vgl. 2,1.15.20 f.). Den Irrlehrern werden Ausschweifungen, Habgier und Lästerung vorgeworfen. Schließlich wird ihnen das Gericht angedroht (V. 2 f.). Der vornehmliche Inhalt der eschatologischen Verkündigung ist die Gerichtsankündigung als Gericht über die Frevler (2,3.6.9.12 f., 16 bzw. 22) und Belohnung der Gerechten (V. 5.7.9). Beispiele der atl. Geschichte versteht der 2. Petr. – wie in der Apokalyptik häufig beobachtet – als Typos der kommenden Bestrafung der Frevler bzw. der Errettung der Gerechten (V. 4–9). Das Hereinbrechen der letzten Zeit ist am Aufstehen der Irrlehrer ablesbar (2,1 vgl. 3,3). Die Auseinandersetzung wird statt auf dem Feld der Christologie nun auf ethischem Gebiet geführt. Weder in der Diskussion um die Ethik noch um die Eschatologie hat die Christologie eine tragende Funktion.

Auch in Kap. 3 übernimmt der 2. Petr. apokalyptische Traditionen. Hier werden die Gegner als solche charakterisiert, die mit dem Ausbleiben der Parusie und des damit verbundenen Endes der Welt ihren Spott treiben. Unter Berufung auf den Augenschein begründen sie ihren Zweifel: die Welt steht seit ihrem Anfang unerschütterlich fest (V. 4b). Die Frage, „wo bleibt die Verheißung seines Kommens" (V. 4a), impliziert die Bestreitung des Gerichts. Offensichtlich begründen die Gegner ihre (vom 2. Petr. im Zuge der Ketzerpolemik verzerrt dargestellte) libertinistische Ethik mit dem Ausbleiben der Parusie und der Stabilität des Kosmos, woraus sie die Leugnung des Endgerichts ableiten.[201]

In der Widerlegung des Arguments von V. 4b verweist der 2. Petr. mit V. 5b–7 darauf, daß der Weltenlauf schon einmal durch eine totale Vernichtung unterbro-

---

[201] Dazu vgl. bes. *C. H. Talbert*, II Peter and the Delay of the Parousia, Vigiliae Christianae 20 (1966), S. 137–145, bes. S. 142 ff.; ferner *D. v. Allmen*, L'apocalyptique juive et le retard de la parousie en II Pierre 3,1–13, RThPh 99 (1966), S. 255–274; *E. Käsemann*, Eine Apologie der urchristlichen Eschatologie, in: Exegetische Versuche und Besinnungen, a.a.O., Bd. I, S. 135–157; *W. Harnisch*, a.a.O. (Anm. 174), S. 99 ff.

chen wurde. Daraus leitet er ab, daß mit Gewißheit der Zerstörung der ersten Welt durch Wasser eine Zerstörung der jetzigen Welt durch Feuer folgen wird. Das Wort, das die Erde ins Sein rief, wird entsprechend dem Urzeit-Endzeit-Schema das Gericht mit dem Untergang derer, die Gott verachten (anders 1. Petr. 4,17!), eröffnen. Die Veränderung der Welt seit der Schöpfung wird kosmologisch, nicht christologisch, mit dem Kommen und der Verkündigung Jesu (vgl. auch 2. Kor. 5,17 ff.) begründet. Im Rahmen einer ungebrochenen Vergeltungslehre schließt der 2. Petr. in einer typologischen Betrachtungsweise (vgl. 1. Hen. 67,12) von der ersten Sintflut auf den endgültigen Weltuntergang.

Der Frage nach dem Ausbleiben der Parusie (V. 4a) begegnet V. 8 f. mit einem Argument vom Gottesbegriff her: Gott ist ein anderer Zeitbegriff zu eigen. Was die Irrlehrer als Saumseligkeit bezeichnen, ist Gottes Langmut, die sich auch auf diejenigen erstreckt, denen an anderer Stelle im 2. Petr. unbekümmert Verderbensdrohungen entgegengeschleudert werden. Das Kommen des Herrn wie ein Dieb (V. 10) bedeutet das unerwartete Hereinbrechen des Gerichtstages (vgl. V. 7), der die Werke beurteilen wird. V. 11 spricht die Aussagen zum Ende der Welt in Mahnungen um, sich auf jenen Tag zu bereiten. Die der Apokalyptik entlehnten eschatologischen Aussagen dienen also unmittelbar der Begründung des Imperativs. Die Eschatologie wird in Ethik umgesprochen (vgl. V. 14). Die in V. 13 genannte Gerechtigkeit ist eine streng zukünftig gedachte Größe. Es geht nicht um Gottes Gerechtigkeit, die den Glaubenden rechtfertigt, sondern um die ethische Qualifikation (vgl. 2,9) der Gerechten, die mit dem neuen Himmel und der neuen Erde als dem Ort der von ihren Widersachern erlösten und für ihre Werke belohnten Gerechten beschenkt werden.

Die Eschatologie des 2. Petr. ist stark vom Vergeltungsdenken geprägt (vgl. 1,10 ff.). Die Christologie spielt eine nur untergeordnete Rolle. Kap. 3 leitet die Paränese aus der kosmologisch-apokalyptischen Belehrung ab, nicht aus der Christologie. Die Paränese nimmt die Umschreibung des künftigen Heils inhaltlich nicht auf (3,14). Ferner fehlt das Verständnis für die fruchtbare Spannung des „Schon" und „Noch nicht" der urchristlichen Eschatologie, denn die eschatologische Verkündigung des 2. Petr. ist nicht die auf den Menschen und die Welt bezogene Explikation des Christuskerygmas im Blick auf Gegenwart und Zukunft. Trotz reicher christologischer Titulatur (vgl. 1,2.8 bzw. 1,1.11; 2,20; 3,2.18 u. ö.) hat die Eschatologie nur insofern eine Beziehung zur Christologie, als der künftige Weltenrichter Belohnung und Strafe austeilen wird. Die erwartete Parusie ist nicht mit dem Kerygma von Kreuz und Auferweckung Jesu verbunden. Statt dessen begegnet die vor allem im pharisäisch-rabbinischen Judentum beheimatete Anschauung, daß die Buße das Ende herbeizwingen und die Parusie durch rechtes ethisches Verhalten beschleunigt herbeigeführt werden kann (3,9.11 f.).[202] An äußeren Zeichen (3,3), nicht an Jesu Kommen, läßt sich ablesen, daß Endzeit ist (vgl. Gal. 4,4; 1. Kor. 10,11; Röm. 10,4). Das Zeitverständnis ist also letztlich nicht christologisch geprägt. Das mit Christus angebrochene Neue kommt nicht

---

[202] *A. Strobel*, a.a.O. (Anm. 196), S. 87 ff.

explizit ins Blickfeld. Das Heil (vgl. 1,3 f.) sowie die „ewige Basileia unseres Kyrios und Retters Jesu Christi" (1,11) sind streng zukünftig gedacht. Gegenwart und Zukunft treten deutlich auseinander. Die Ethik ist nicht ein Handeln auf Grund des übereigneten Vorschusses an Gnade, sondern ein für das Herbeikommen des Endes notwendiges Verhalten (3,14). Die Eschatologie präsentiert sich statt als Aussageweise des Kerygmas auf Welt und Mensch als eine ungebrochene Vergeltungslehre und Repristination genuin apokalyptischer Vorstellungen. „Damit ist die Eigenart der urchristlichen Eschatologie preisgegeben und erneut jene Apokalyptik stabilisiert, welche Juden und Heiden auch schätzen und predigen."[203]

8.2.1. Zusammenfassung

Die in den vorstehenden Erörterungen herangezogenen Schriften sind als „Modelle" für die unterschiedliche Art der Aufnahme und Verarbeitung apokalyptischer Traditionen anzusehen. Sie lassen nicht die gesamte Vielschichtigkeit der damit für die ntl. Exegese gestellten Probleme erkennen. Es geht auch nicht um ein Ergründen derjenigen Bedingungen in der geschichtlichen Entwicklung des Urchristentums, die ein solch differenziertes Umgehen mit apokalyptischen Traditionen notwendig machten.

Bemerkenswert ist die Konzentration eschatologischer Aussagen auf paränetische Textabschnitte. Die apokalyptischen Traditionen werden nicht zur Auslegung der Christologie herangezogen, so daß nun in der Existenz des Menschen die Spannung von „Schon" und „Noch nicht" unberücksichtigt bleibt oder vermittels anderer Denkmodelle ausgesagt werden soll. Bestimmte Gedankengänge, die Paulus mit apokalyptischen Traditionen erläutert, kommen in Form anderer Vorstellungskreise (z. B. Protologie, Eschatologie, räumliche Denkstrukturen, Wiedergeburtsgedanke usf.) zur Sprache. Mit der Konzentration der eschatologischen Ausführungen auf den Bereich der Ethik ist das Vordringen eines ungebrocheneren Vergeltungsdenkens verbunden, das die Spannung zur Rechtfertigung allein aus Glauben und die Besonderheit des Gnadenlohnes (vgl. 1. Kor. 4,5 u. ö.) nicht artikuliert.

Insgesamt läßt sich eine ungebrochenere Aufnahme apokalyptischer Traditionen als bei Paulus konstatieren. Sie werden auch im kosmologischen Sinne (vgl. 2. Petr. 3) ohne wesentlichen Bezug zur Christologie und Korrektur von dort überliefert. Eine Entwicklung zeichnet sich ab, die von den systematischen Theologen genug beklagt worden ist, daß die Eschatologie nur mehr als Schlußkapitel der Dogmatik behandelt wird, als eine Lehre von den letzten Dingen, um die christliche Moral im Blick auf Lohn und Strafe zu heben.

Mit der Herausbildung des sog. Frühkatholizismus geht also eine ungebrochenere Aufnahme apokalyptischer Traditionen einher. Sie werden nicht eliminiert, sondern führen ohne eine Korrektur von der Christologie und damit verbundenen Aussagen über die Präsenz des Heils, die den apokalyptischen Traditionen von Haus aus fremd sind, zu einem Abgleiten in ein mit der Rechtfertigungslehre un-

---

[203] E. Käsemann, a.a.O., S. 147.

vereinbares Vergeltungsdenken. Ethik und Eschatologie sind mehr und mehr in ähnlicher Weise wie in der Apokalyptik miteinander verbunden. Da die Eschatologie nicht im Gegenüber oder als Auslegung der Christologie entwickelt wird, machen sich stärkere Übereinstimmungen mit der spezifisch apokalyptischen Weise des Verhältnisses von Ethik und Eschatologie als mit der paulinischen Konzeption bemerkbar.

8.3. Schlußbemerkungen

Die Beschäftigung mit dem Verhältnis von Ethik und Eschatologie in der frühjüdischen Apokalyptik als dem Traditionsstrom, dem die apokalyptischen Traditionen im Neuen Testament entstammen, läßt die Besonderheiten und Gemeinsamkeiten einiger ausgewählter ntl. Schriften besonders hinsichtlich des Verhältnisses von Ethik und Eschatologie deutlicher erkennen. Der vorstehende Ausblick zeigt, daß Paulus in anderer Weise als die oben in aller Kürze berücksichtigten ntl. Schriften mit apokalyptischen Traditionen umgeht. Diese Beobachtung legt nahe, trotz des hin und wieder geäußerten Vorwurfs eines überzogenen Paulinismus gegenüber der Charakterisierung der paulinischen Christusverkündigung als Mitte der Schrift, der theologischen Konzeption des Paulus eine Vorzugsstellung einzuräumen.

Paulus löst die für die Apokalyptik charakteristische Interdependenz von Ethik und Eschatologie, so daß die Ethik nicht mehr die Bedingung für die Teilhabe am eschatologischen Heil darstellt, sondern als Konsequenz des bereits übereigneten Heils notwendig wird. Der Inhalt der Zukunftserwartungen schlägt sich im Inhalt der Mahnungen nieder. Mit den apokalyptischen Traditionen legt er das Rechtfertigungsgeschehen gemäß seines Weltbezugs und seiner Zukunftsdimension aus. Folglich erscheint die Existenz des Christen als Existenz im „Zwischen", als Existenz aus dem von Gott geschenkten Neuen Sein.

Diese paulinische Konzeption gibt Fragestellungen und Kriterien für die Beurteilung der verschiedenen, im Neuen Testament aufgenommenen apokalyptischen Traditionen sowie für deren Interpretation an die Hand. Es ist jeweils zu fragen, welche Bedeutung der Christologie als kritischem Maßstab für die Aufnahme apokalyptischer Traditionen zukommt und wie sie sich auf die eschatologischen und ethischen Aussagen sowie auf deren Verhältnis zueinander auswirkt. Es ist zu fragen, ob das für Paulus wesentliche „solus Christus" am Verhältnis von Ethik und Eschatologie zum Tragen kommt oder ob sich nicht andernfalls ein Gegenwartsverständnis zeigt, daß der apokalyptischen Weltsicht nähersteht als dem vom präsentischen und futurischen Heil geprägten paulinischen Gegenwartsverständnis.

Die Christologie, bei Paulus Kriterium für die Aufnahme apokalyptischer Traditionen, wird also zum Maßstab der Beurteilung dieses Vorgangs in anderen ntl. Schriften. Es genügt nicht, Einflüsse der Apokalyptik zu konstatieren, sondern jeweils ist nach der Verankerung dieser Traditionen in der Theologie der betreffenden Schrift zu fragen. Daher ist auch eine Kenntnis der in der Apokalyptik geläufigen Anschauungen zum Verhältnis von Ethik und Eschatologie unerläßlich, um den Blick für Übereinstimmungen oder Differenzen bei der Aufnahme apokalyptischer Traditionen im Neuen Testament zu schärfen. Paulus kann als ein Beispiel für theologisch verantwortlichen Umgang mit apokalyptischen Traditionen angesehen werden, ja ihm ist in dieser Hinsicht eine gewisse „Kanonizität" zuzugestehen, da er auf Grund seiner Christologie der Gefahr entgeht, ungebrochen Denkschemata der Apokalyptik zu repristinieren, und sich trotz umfänglicher Aufnahme apokalyptischer Vorstellungen mehr vom genuin apokalyptischen Denken entfernt als andere im ntl. Kanon enthaltene Schriften, wenn man die Schriften des johanneischen Kreises ihrer besonderen Problematik wegen unberücksichtigt läßt. Jedoch ist zu beachten, daß Begriffe wie „Weltgestaltung" oder „Verantwortung für die Welt" mit den heute geläufigen Implikationen dem paulinischen Denken fremd sind. Paulus entwickelt kein Konzept für Weltgestaltung. Von seinem Denken lassen sich aber Linien ausziehen, die der Beantwortung heutiger Fragestellungen förderlich sein können, da er auf besondere Weise an der Zukunftsdimension und am Weltbezug der Christusverkündigung sowie an dem notwendig daraus folgenden Handeln des Christen festhält, ohne einer soteriologischen Engführung zu verfallen, die der Sorge um das eigene Seelenheil gegenüber der Verkündigung des Herr-Seins-Gottes und der damit ermöglichten Lebenspraxis den Vorzug gibt. Die apokalyptischen Traditionen sind also jeweils auf ihren Aussagewillen zu befragen, da sie den Weltaspekt des Heilsgeschehens darlegen und einem soteriologisch-individualistischen Glaubensverständnis wehren können. Sie sind ein unübersehbarer Hinweis auf den Zukunftsaspekt des Kerygmas und auf die Zukunftsdimension der christlichen Existenz, daß nämlich die Geschichte Gottes mit seinem Geschöpf zugleich die Geschichte Gottes mit seiner Schöpfung ist und daß das Handeln des Christen immer auch weltbezogen ist und in die Geschichte hineinstellt.

Aus diesem Grunde sind die apokalyptischen Traditionen im Neuen Testament nicht zu eliminieren, sondern sorgfältig zu interpretieren. Kriterium dazu ist nicht, was heute kosmologisch aussagbar ist, sondern wo die christologische Mitte liegt. Die herangezogenen ntl. Beispiele zeigen, daß bestimmte Sachanliegen, die Paulus mit apokalyptischen Traditionen darlegt, auch auf andere Weise ausgesagt werden können; sie zeigen aber auch die Gefahren. Eine Kenntnis der genuin apokalyptischen Konzeption des Verhältnisses von Ethik und Eschatologie sowie der im Neuen Testament selbst vollzogenen Interpretationsmöglichkeiten verwehrt, mehr oder weniger unreflektiert apokalyptisches Gedankengut zu übernehmen, wie es schon im Neuen Testament und weithin in der Kirchengeschichte geschehen ist.

Wenn es heißt, daß die Apokalyptik die Mutter der christlichen Theologie sei, ist zu ergänzen, daß das mütterliche Erbe im Neuen Testament in sehr verschiedener Weise aufgenommen wurde. Dies führt zu der Schlußfolgerung, daß der letzte Maßstab aller Interpretationsbemühungen die Christologie sein muß, wobei die der Apokalyptik entlehnten Interpretamente verwehren, den Weltbezug und die Zukunftsdimension des Kerygmas sowie des daraus folgenden Handelns des Menschen zu vernachlässigen. Auch ein solches Bemühen um die Interpretamente und deren Interpretation dient dem Anliegen, Christus zu verkündigen und die ethischen Konsequenzen dieser Verkündigung aufzuzeigen.

9. Quellennachweis (in Auswahl)

9.1. Apokryphen, Pseudepigraphen und Verwandtes

9.1.1. *Allgemeine Ausgaben, Sammlungen:*

C. *Tischendorf*, Apocalypses apocrypha Mosis, Esdrae, Pauli Johannis, item Mariae Dormitio, additis Evengeliorum et Actuum Apocryphorum supplementis, Lipsiae 1866

A. M. *Ceriani*, Monumenta sacra et profana. Opera collegii doctorum Bibliothecae Ambrosianae, tom. I, fasc. 1, Milan 1861; tom. V, fasc. 1/2, 1868/71

M. R. *James*, Apocrypha Anecdota. A Collection of thirteen apocryphal books and fragments (Texts and Studies II/3), Cambridge 1893

E. *Kautzsch* (Hrsg.), Die Apokryphen und Pseudepigraphen des Alten Testaments, Bd. I.II, Tübingen 1900 (Nachdr. 1921).

Patrologia Syriaca complectens opera omnia SS. Patrum, doctorum scriptorumque catholicorum. Accurante R. *Graffin*, pars prima, tom. secundus, cuius textum syriacum vocalium signis instruxerunt, latine verterunt, notis illustraverunt I. *Parisot*, F. *Nau*, M. *Kmosko*, Paris 1907

R. H. *Charles*, The Apocrypha and Pseudepigrapha of the Old Testament in English, vol. I.II, Oxford 1913

P. *Riessler*, Altjüdisches Schrifttum außerhalb der Bibel, Heidelberg 1928 (Nachdr. 1966)

Fragmenta Pseudepigraphorum quae supersunt graeca ... collegit et ordinavit A.-M. *Denis* (Pseudepigrapha Veteris Testamenti Graece, vol. III), Leiden 1970

Jüdische Schriften aus hellenistisch-römischer Zeit, hrsg. v. W. G. *Kümmel u. a.*, Gütersloh 1974 ff. (noch im Erscheinen begriffen)

9.1.2. *Einzelausgaben:*

R. *Smend*, Die Weisheit des Jesus Sirach hebräisch und deutsch, Berlin 1906

G. N. *Bonwetsch*, Die Apokalypse Abrahams. Das Testament der vierzig Märtyrer (Studien zur Geschichte der Theologie und der Kirche I/1), Leipzig 1897

M. *Buttenwieser*, Die hebräische Elias-Apokalypse und ihre Stellung in der apokalyptischen Literatur des rabbinischen Schrifttums und der Kirche, 1. Hälfte, Leipzig 1897.

G. *Steindorff*, Die Apokalypse des Elias, eine unbekannte Apokalypse und Bruchstücke der Sophonias-Apokalypse. Koptische Texte, Übersetzung, Glossar (Texte und Untersuchungen zur Geschichte der altkirchlichen Literatur, N. F. II/3a), Leipzig 1899

A. *Dillmann*, Ascensio Isaiae aethiopice et latine cum prolegomenis ..., Leipzig 1877

R. H. *Charles*, The Apocalypse of Baruch, Translated from the Syriac, London 1896

B. *Violet*, Die Apokalypsen des Esra und Baruch in deutscher Gestalt (Die griech. christl. Schriftsteller der ersten drei Jahrhunderte, 32), Leipzig 1924

P. *Bogaert*, L'Apocalypse de Baruch I.II (Sources Chrétiennes 144.145), Paris 1969

R. L. *Bensley* / M. R. *James*, The fourth Book of Ezra (Texts and Studies, vol. III No. 2), Cambridge 1895

B. *Violet*, Die Esra-Apocalypse (IV. Esra), Erster Teil. Die Überlieferung (Die griech. christl. Schriftsteller der ersten drei Jahrhunderte, 18), Leipzig 1910

G. H. *Box*, The Esra-Apocalypse ... together with a prefatory note by *W. Sanday*, London 1912

L. *Gry*, Les Dires prophétiques d'Esras (IV. Esras), vol. I.II, Paris 1938

R. H. *Charles*, The Book of Enoch, editet with introduction, appendices and indices, Oxford [1]1893; [2]1912

J. *Flemming* / L. *Radermacher*, Das Buch Henoch (Die griech. christl. Schriftsteller der ersten drei Jahrhunderte, 5), Leipzig 1901

J. *Flemming*, Das Buch Henoch, Äthiopischer Text mit Einleitung und Commentar (Texte und Untersuchungen zur Geschichte der altkirchlichen Literatur, 22), Leipzig 1902

R. H. *Charles*, The ethiopic version of the Book of Enoch ... together with the fragmentary Greek and Latin Version (Anecdota Oxoniensa, Semitic Series XI), Oxford 1906

C. *Bonner*, The Last Chapters of Enoch in Greek (Studies and Documents VII), London 1937

M. *Black*, Apocalypsis Henochi Graece (Pseudepigrapha Veteris Testamenti Graece, vol. III), Leiden 1970

The Book of the Secrets of Enoch, Translated from the Slavonic by *W. R. Morfill* and ed. with introduction, notes and indices by R. H. *Charles*, Oxford 1896

G. N. *Bonwetsch*, Die Bücher der Geheimnisse Henochs. Das sogenannte slavische Henochbuch (Texte und Untersuchungen zur Geschichte der altkirchlichen Literatur 44,2), Leipzig 1922

A. *Vaillant*, Le livre des Secrets d'Henoch. Texte slave et traduction française (Textes publiés par l'Institut d'Études slaves 4), Paris 1952

A. *Dillmann*, Mashafa kufalē sive Liber Jubilaeorum, Kiel 1859.

H. *Rönsch*, Das Buch der Jubiläen oder die Kleine Genesis, Leipzig 1874

R. H. *Charles*, Mashafa kufalē or the Ethiopic Version of the Hebrew Book of Jubilees ... with the Hebrew, Syriac, Greek and Latin Fragments (Anecdota Oxoniensa, Semitic Series VII), Oxford 1895

R. H. *Charles*, The Book of Jubilees or the Little Genesis, translated from the editor's ethiopic text with introduction, notes and indices, London 1902

M. R. *James*, The Testament of Abraham. The Greek Text ... with an appendix ... from the arabic version ... by *W. E. Barnes* (Texts and Studies II/3), Cambridge 1892

G. H. *Box*, The Testament of Abraham. Translated from the Greek Text with introduction and notes (Translations of Early Documents, Series II), London 1927

S. P. *Brock*, Testamentum Iobi et Apocalypsis Baruchi Graece, ed. *J.-C. Picard*, (Pseudepigrapha Veteris Testamenti Graece, vol. II), Leiden 1967

R. H. *Charles*, The Assumption of Moses, translated ... with introduction, notes and indices, London 1897

C. *Clemen*, Die Himmelfahrt des Mose (Kleine Texte 10), Bonn 1904.

E. M. *Laperrousaz*, Le Testament de Moïse, généralement appellé „Assomption de Moïse", Traduction avec introduction et notes (Semitica XIX), Paris 1970

R. H. *Charles*, The Testaments of the Twelve Patriarchs, Translated ... together with the variants of the Armenian and Slavonic versions and some Hebrew fragments, Oxford 1908

R. H. *Charles*, The Testaments of the Twelve Patriarchs. Translated from the editor's Greek text and ed. with introduction, notes and indices, London 1908.

M. *de Jonge*, Testamenta XII Patriarcharum (Pseudepigrapha Veteris Testamenti Graece, vol. I), Leiden 1964

9.1.3. Qumran:

Discoveries in the Judaean Desert (of Jordan), vol. 1–5, Oxford 1955–1968

E. *Lohse*, Die Texte aus Qumran. Hebräisch und deutsch, Darmstadt 1964

J. *Maier*, Die Texte vom Toten Meer, I.II, München 1960

J. *Carmignac*, P. *Guilbert*, E. *Cothenet*, H. *Lignée*, Les Textes de Qumran, traduits et annotés, I.II, Paris 1961/1963

Y. *Yadin*, The Scroll of the War of the Sond of Light against the Sons of Darkness. Ed. with Commentary and Introduction, Oxford 1962

J. A. *Fitzmyer*, The Genesis Apocryphon of Qumran Cave I. A Commentary (Biblica et Orientalia 18 A), Rome [2]1971

9.2. Philo und Josephus

Philonis Alexandrini opera quae supersunt, ed. L. *Cohn* et P. *Wendland*, vol. I–VI (VII, 1.2: Indices ... composuit I. Leisegang), Berlin 1896–1930

Die Werke Philos von Alexandria in deutscher Übersetzung, Hrsg. L. *Cohn*, I. *Heinemann*, M. *Adler* und W. *Theiler* (Schriften der jüdisch-hellenistischen Literatur), Bd. 1–7, Berlin 1909–1962

Philo. With and English Translation by F. H. *Colson* and G. H. *Whitaker* (The Loeb Classical Library) vol. 1–10, London 1929–1962

Flavii Iosephi Opera ed. B. *Niese*, vol. 1–7, Berlin 1885 ff.

Josephus. With an English Translation by H. St. *Thackeray* (The Loeb Classical Library) vol. 1–9, London 1926 ff.

9.3. Rabbinisches Schrifttum

H. L. *Strack* / P. *Billerbeck*, Kommentar zum Neuen Testament aus Talmud und Midrasch, I–IV, München [4]1965

Die Mischna. Text, Übersetzung und ausführliche Erklärung, Hrsg. G. *Beer*, O. *Holtzmann*, S. *Krauss*, I. *Rabin*, K. H. *Rengstorf*, L. *Rost* u. a., Gießen/Berlin 1913 ff.

R. T. *Herford*, Pirke Abot. Ed. with Introduction, Translation and Commentary, New York 1945

Tosefta, ed. M. S. *Zuckermandel*, Pasewalk 1880

Abot de Rabbi Nathan. Ed. from manuscripts with an Introduction, Notes and Appendices by S. *Schechter*, Wien 1887

A. *Sperber*, The Bible in Aramaic, I. The Pentateuch according to Targum Onkelos, Leiden 1959; II. The Former Prophets according to Targum Jonathan, ebd. 1959; III. The Latter Prophets according to Targum Jonathan, ebd. 1962

Bereschit Rabba, ed. J. *Theodor*, Chr. *Albeck*, Berlin 1912 ff.

Pesikta, die älteste Hagada ..., Hrsg. S. *Buber*, Lyck 1868

Midrasch Tanchuma, ein agadischer Commentar zum Pentateuch, Hrsg. S. *Buber*, 3 Bände, Wilna 1885

Pirkê de Rabbi Eliezer. Translated and annotated with introduction and indices by G. *Friedländer*, London 1916

9.4. Sonstiges:

E. Hennecke / *W. Schneemelcher*, Neutestamentliche Apokryphen in deutscher Übersetzung, Bd. II (Apostolisches, Apokalypsen und Verwandtes), Nachdr. Berlin 1966 (= 3. Aufl.)

K. Bihlmeyer, Die Apostolischen Väter, I. Teil, mit einem Nachtrag von W. Schneemelcher, Tübingen ²1956

J. A. Fischer, Die Apostolischen Väter. Schriften des Urchristentums, 1. Teil, Darmstadt 1956

10. Register

10.1. Autoren

10.2. Schlagworte

10.3. Stellen (in Auswahl)